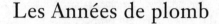

Les Années de plomb

*Un viol sans importance*, roman, Sillery, Septentrion, 1998

*La Souris et le Rat*, roman, Gatineau, Vents d'Ouest, 2004

*Un pays pour un autre*, roman, Sillery, Septentrion, 2005

*L'été de 1939, avant l'orage*, roman, Montréal, Hurtubise HMH, 2006,, format compact, 2008

*La Rose et l'Irlande*, roman, Montréal, Hurtubise HMH, 2007

*Les Portes de Québec*, tome 1, *Faubourg Saint-Roch*, roman, Montréal, Hurtubise HMH, 2007, format compact, 2011

*Les Portes de Québec*, tome 2, *La Belle Époque*, roman, Montréal, Hurtubise HMH, 2008, format compact, 2011

*Les Portes de Québec*, tome 3, *Le prix du sang*, roman, Montréal, Hurtubise HMH, 2008, format compact, 2011

*Les Portes de Québec*, tome 4, *La mort bleue*, roman, Montréal, Hurtubise, 2009, format compact, 2011

*Haute-Ville, Basse-Ville*, roman, Montréal, Hurtubise, 2009, format compact, 2012 (réédition de *Un viol sans importance*)

*Les Folles Années*, tome 1, *Les héritiers*, roman, Montréal, Hurtubise, 2010, format compact, 2013

*Les Folles Années*, tome 2, *Mathieu et l'affaire Aurore*, roman, Montréal, Hurtubise, 2010, format compact, 2013

*Les Folles Années*, tome 3, *Thalie et les âmes d'élite*, roman, Montréal, Hurtubise, 2011, format compact, 2013

*Les Folles Années*, tome 4, *Eugénie et l'enfant retrouvé*, roman, Montréal, Hurtubise, 2011, format compact, 2013

*Un homme sans allégeance*, roman, Montréal, Hurtubise, 2012 (réédition de *Un pays pour un autre*)

*Félicité*, tome 1, *Le pasteur et la brebis*, roman, Montréal, Hurtubise, 2011

*Félicité*, tome 2, *La grande ville*, roman, Montréal, Hurtubise, 2012

*Félicité*, tome 3, *Le salaire du péché*, roman, Montréal, Hurtubise, 2012

*Félicité*, tome 4, *Une vie nouvelle*, Montréal, Hurtubise, 2013

*Les Années de plomb*, tome 1, *La déchéance d'Édouard*, Montréal, Hurtubise, 2013

Jean-Pierre Charland

# Les Années de plomb

tome 2

Jours de colère

Roman historique

## Hurtubise

Catalogage avant publication de Bibliothèque et Archives nationales du Québec et Bibliothèque et Archives Canada

Charland, Jean-Pierre, 1954-

    Les années de plomb : roman historique

    Sommaire : t. 2. Jours de colère.

    ISBN 978-2-89723-351-8 (vol. 2)

    I. Charland, Jean-Pierre, 1954- . Jours de colère. II. Titre. III. Titre : Jours de colère.

PS8555.H415A66 2013      C843'.54     C2013-940814-2

Les Éditions Hurtubise bénéficient du soutien financier des institutions suivantes pour leurs activités d'édition :

- Conseil des Arts du Canada ;
- Gouvernement du Canada par l'entremise du Fonds du livre du Canada (FLC) ;
- Société de développement des entreprises culturelles du Québec (SODEC) ;
- Gouvernement du Québec par l'entremise du programme de crédit d'impôt pour l'édition de livres.

*Conception graphique* : René St-Amand
*Illustration de la couverture* : Jean-Luc Trudel
*Maquette intérieure et mise en pages* : Folio infographie

Copyright © 2014 Éditions Hurtubise inc.

ISBN : 978-2-89723-351-8 (version imprimée)
ISBN : 978-2-89723-352-5 (version numérique PDF)
ISBN : 978-2-89723-353-2 (version numérique ePub)

Dépôt légal : 2e trimestre 2014
Bibliothèque et Archives nationales du Québec
Bibliothèque et Archives Canada

Diffusion-distribution au Canada :
Distribution HMH
1815, avenue De Lorimier
Montréal (Québec) H2K 3W6
www.distributionhmh.com

Diffusion-distribution en France :
Librairie du Québec / DNM
30, rue Gay-Lussac
75005 Paris
www.librairieduquebec.fr

*Imprimé au Canada*
**www.editionshurtubise.com**

# Histoire de familles

La série *Les Années de plomb*, tout comme *Les Portes de Québec* et *Les Folles années* avant elle, raconte l'histoire de la lignée d'Euphrosyne et Euclide Picard, les fondateurs d'un grand magasin construit dans la rue Saint-Joseph, à Québec. Ils ont deux garçons, l'aîné Alfred (1861-1914) et le cadet Thomas (1866-1919).

## La lignée de Thomas Picard

Principal héritier de ses parents, Thomas épouse Alice en premières noces et devient veuf en 1897. Il a deux enfants avec elle, Eugénie (1889-1929) et Édouard, né en 1891. Il a un troisième enfant, Mathieu, avec sa secrétaire Marie Buteau, en 1897. Toutefois, son frère Alfred épouse la jeune femme et assume la paternité. Cette même année, Thomas épouse Élisabeth Trudel, la préceptrice de ses enfants. Il n'a aucun enfant avec elle.

Au décès de Thomas, son fils Édouard assume la direction du commerce. En 1917, il a épousé Évelyne Paquet, la fille d'un juge, essentiellement pour échapper à la conscription. Évelyne obtient en 1925 une « séparation de corps » pour retourner chez son père avec son fils, Thomas junior, né en 1918. L'administration déficiente d'Édouard fait en sorte que son demi-frère Mathieu et son ancien beau-frère,

Fernand Dupire, l'époux d'Eugénie, reprennent le magasin en 1932 avec l'aide de Marie.

Eugénie a hérité de la névrose de sa mère Alice. Elle déteste sa belle-mère Élisabeth et semble poursuivre des chimères. En 1909, toujours célibataire, elle accouche d'un enfant, Jacques, tout de suite confié en adoption à Fulgence Létourneau, un employé du grand magasin PICARD. Le véritable père de ce garçon, nommé Harris, n'assume pas ses responsabilités. Il disparaît pendant la Grande Guerre.

Déchue, Eugénie s'engage dans un mariage sans amour avec un notaire, Fernand Dupire, né en 1888, avec qui elle a trois enfants : Antoine (né en 1916), Béatrice (1917) et Charles (1918). Non désirés, détestés même, ces petits souffrent de l'attitude de leur mère.

## La lignée d'Alfred Picard

Homosexuel, Alfred hérite d'une portion congrue des avoirs de ses parents. Quand Marie Buteau se retrouve enceinte de Thomas en 1897, il l'épouse. Une affection véritable existe entre eux, mais cette union permet surtout à chacun de dissimuler son péché respectif. L'enfant se prénomme Mathieu. Toutefois, Alfred sera le véritable père de Thalie, née trois ans plus tard, avec le siècle. Fantasque, il encourage celle-ci à poursuivre ses rêves : devenir médecin.

Quant au garçon qu'il a accepté d'élever, Alfred sème dans son esprit le désir de reprendre le contrôle du commerce de la rue Saint-Joseph. Pour le père adoptif et l'enfant, il s'agit d'une revanche sur la vie : le premier considère avoir été injustement privé de sa part d'héritage à cause de son orientation sexuelle, et Mathieu ne reçoit rien lors du décès de son père naturel en 1919.

## Marie Buteau, puis Picard, puis Dubuc

Mise enceinte par son patron, Marie juge providentielle l'offre d'Alfred, mais à la longue, un époux homosexuel ne lui apparaît pas être la meilleure situation. Après le décès d'Alfred, elle devient la maîtresse, puis l'épouse d'un député de l'assemblée provinciale, Paul Dubuc, né en 1872. L'union est heureuse. L'homme a deux enfants d'un précédent mariage : Françoise (née en 1900) et Amélie (1902).

Marie aide son fils à acquérir le commerce PICARD en 1932, et elle y reprend du service à titre de chef de rayon.

## La lignée de Mathieu Picard

Vétéran de la Grande Guerre, Mathieu revient au pays, blessé physiquement et émotivement. En 1920, il épouse Flavie Poitras (née en 1898), la fille d'un charpentier de L'Ancienne-Lorette. Le couple a deux enfants, Alfred (né en 1926) et Ève (1929).

En 1932, au moment où Édouard Picard éprouve des difficultés économiques à cause de la grande crise, Mathieu unit ses efforts à ceux de Fernand Dupire et de sa mère Marie pour reprendre possession du magasin de la rue Saint-Joseph.

## La lignée de Fernand Dupire

Ami d'Édouard Picard pendant ses études secondaires, Fernand fréquente le domicile de Thomas. Là, il s'entiche totalement d'Eugénie. Non seulement celle-ci ne lui rend pas son affection, mais elle ne lui dissimule pas son mépris. Toutefois, désireuse de quitter le foyer familial, déchue à cause d'une naissance illégitime que plusieurs soupçonnent dans la Haute-Ville, la jeune femme accepte de se marier avec lui en 1914.

Dès le premier jour, l'union se révèle malheureuse. Son dépit alimente une véritable haine à l'égard d'un époux jamais aimé, haine qui s'étend à ses propres enfants. Dans un contexte familial aussi difficile, Fernand trouve une consolation dans les bras d'une domestique, Jeanne Girard. Celle-ci assure aussi une présence affectueuse, rassurante pour les enfants de ses employeurs.

Eugénie a trois enfants, nés à un peu plus d'une année d'intervalle l'un de l'autre. Antoine, placide, poursuit en 1936 des études de droit avec l'intention de travailler avec son père. Béatrice, étudiante talentueuse, rêve de devenir psychologue, certainement avec l'espoir de gommer les blessures de son enfance. Cela la conduit à l'Université McGill. Le troisième enfant, Charles, s'inscrit à l'École des hautes études commerciales. Il a combattu la morosité de la maison familiale en fréquentant fidèlement les associations de jeunes, dont les scouts. Plus tard, jeune adulte, il poursuit son engagement social au sein des mouvements nationalistes.

# Liste des personnages historiques

**Bouchard, Paul (1908-1997):** Avocat, il crée un mouvement d'extrême droite, les «Faisceaux républicains» (ou Faisceaux séparatistes) et lance le journal *La Nation* pour propager ses idées. Il devient propagandiste de l'Union nationale après 1944.

**Drouin, Oscar (1890-1953):** Avocat, il siège à titre de député libéral à l'Assemblée législative du Québec de 1927 à 1935. Cette année-là, il est réélu sous la bannière de l'Action libérale nationale, puis en 1936 sous celle de l'Union nationale. Ministre dans le cabinet Duplessis, il remet sa démission début 1937, car ce dernier refuse de mettre en place des politiques réformistes. De retour chez les libéraux, il est réélu en 1939 et siège au sein du cabinet d'Adélard Godbout.

**Duplessis, Maurice Le Noblet (1890-1959):** Avocat, il est élu en 1927 puis en 1931 à l'Assemblée législative du Québec sous la bannière conservatrice. Il devient chef du Parti conservateur en 1933. Aux élections de 1935, il participe à une coalition avec l'Action libérale nationale. Après sa rupture avec cette dernière, il remporte le scrutin l'année suivante à la tête de l'Union nationale. Il occupe le poste de premier ministre de 1936 à 1939, puis de 1944 jusqu'au moment de sa mort.

**Grégoire, Joseph-Ernest (communément appelé Ernest; 1886-1980):** Avocat, professeur à l'Université Laval, maire de Québec (1934-1938), partisan de la nationalisation de l'hydroélectricité, il est élu député en 1935 à titre de membre de l'Action libérale nationale, puis en 1936, cette fois pour l'Union nationale. Il abandonne ce parti en 1937 pour créer le Parti national.

**Groulx, chanoine Lionel (1878-1967):** Ordonné prêtre en 1903, il inaugure la chaire d'histoire du Canada à l'Université de Montréal. Il participe à diverses associations nationalistes. Dans les années 1930, il exerce une grande influence sur la jeunesse militante. Il se prononce alors, quoique de façon ambiguë, en faveur de la création d'un État français en Amérique.

**Hamel, Philippe (1884-1954):** Dentiste et professeur à l'Université Laval, il fait campagne pour la nationalisation de l'hydroélectricité dans les années 1930. Élu député au sein de l'Action libérale nationale en 1935, il est réélu en 1936, cette fois comme membre de l'Union nationale. Il quitte cette organisation et participe à la fondation du Parti national en 1937. Il ne se représente pas en 1939.

**Kaufman, Alvin Ratz (1885-1979):** Industriel de la ville de Kitchener (Ontario), il soutient financièrement le Parents' Information Bureau et assume, en 1936, le coût de la défense de Dorothea Palmer.

**O'Leary, Walter-Patrice (1910-1989):** Après des études en Europe et au Mexique, ce nationaliste participe, avec son frère Émile-Dostaler, à la fondation des Jeunesses Patriotes et des Chevaliers de la Table ronde du Canada. Il collabore à d'autres mouvements nationalistes, dont le

Rassemblement pour l'indépendance nationale et plus tard le Parti Québécois.

**Palmer, Dorothea (1908-1992):** À l'emploi du Parents' Information Bureau, elle est arrêtée en 1936 pour avoir diffusé des informations sur la contraception. Elle est acquittée au tribunal de première instance et en appel, car les juges reconnaissent qu'elle œuvrait pour le « bien public ».

**Villeneuve, cardinal Jean-Marie-Rodrigue (1883-1947):** Membre des pères oblats, il occupe le siège archiépiscopal de Québec de 1931 jusqu'à sa mort. Il est nommé cardinal en 1933. Aussi tard qu'en 1940, il fait campagne contre le droit de vote des femmes.

# Chapitre 1

Le tramway s'arrêta sur Grande Allée avec un tintement de cloche. Flavie descendit après avoir souhaité une bonne fin de journée au conducteur. L'intersection de la rue Claire-Fontaine se trouvant tout près, elle arriva bientôt devant la porte d'une grande maison bourgeoise. À droite, trois plaques de laiton s'alignaient de haut en bas. La première, ternie par les ans, portait les mots « Docteur Caron » ; la seconde, vieille d'une dizaine d'années, « Docteur Picard » ; la dernière, toute brillante, « Docteur Hamelin ».

À l'intérieur, elle aperçut le grand garçon d'Élise, Pierre, debout près du bureau de la réceptionniste, qui était aussi sa sœur. Depuis le début de l'été, il exerçait la médecine avec son grand-père. Après avoir salué la nouvelle venue, le praticien regagna son bureau.

— Bonjour, madame Picard.

Estelle lui adressait un sourire resplendissant. Cela ne tenait guère à cet emploi ou à l'intimité de leur relation, mais plutôt à l'arrondi de son ventre qu'elle caressait du bout des doigts, sans même s'en rendre compte. Son mariage avec Adrien, si longtemps remis à cause de la crise, s'était déroulé l'année précédente. Elle en arborait le fruit comme un trophée.

— Bonjour. Je dois voir Thalie… je veux dire, la docteure Picard.

— Asseyez-vous un instant. Vous êtes la prochaine, ça ne devrait pas tarder.

Des yeux, elle désignait la petite salle d'attente. Cinq minutes plus tard, Flavie embrassait sa belle-sœur, puis entrait avec elle dans son bureau.

— C'est pour bientôt? demanda la visiteuse.

Thalie comprit tout de suite l'allusion à la réceptionniste.

— Début octobre. La pauvre, nous sommes trois médecins à surveiller sa grossesse! Ça ne lui laisse aucun répit.

— Vous ne la faites pas trop souffrir, à en juger par sa mine. Ça doit même la rassurer. Elle paraît si satisfaite.

— Ses fiançailles ont duré une éternité. Je suis contente pour elle, l'heureux élu ne la déçoit visiblement pas...

La phrase s'interrompit sur un ton plus triste, cette réalité lui échappant. Tout de suite, la médecin se reprit, plus sereine :

— Dès qu'il a trouvé une position raisonnablement bonne, ils se sont mariés.

L'année 1932 avait marqué le creux de la crise, avec un taux de chômage avoisinant les trente pour cent. Depuis, la reprise se déroulait par à-coups, chaque avancée étant suivie d'un recul. Seules les soupes populaires paraissaient réaliser de bonnes affaires, dans ces circonstances. Attisées par la misère régnant depuis bientôt sept ans, les tensions sociales inspiraient les plus grandes craintes aux gouvernements.

Les deux femmes prirent place de part et d'autre du lourd bureau de chêne. La conversation porta d'abord sur tous les maux, pas si nombreux, susceptibles de toucher une femme de trente-sept ans. Flavie échappait à la plupart. L'examen proprement dit vint ensuite. Comme sa visiteuse baissait les yeux en sortant derrière le paravent, sa belle-sœur devina que l'échange à venir serait plus intime encore que le moment passé avec les pieds posées dans les étriers.

— Thalie, à mon âge, je peux encore avoir des enfants?

— Bien évidemment. Aussi longtemps que tu as tes règles.

— Je veux dire… sans risques pour ma santé.

La visiteuse reprit sa chaise, la médecin, la sienne.

— Plus une femme vieillit, plus les risques de complication s'élèvent. Tout de même, tu es en bonne santé, tu pourrais offrir un petit frère ou une petite sœur à tes deux premiers.

— Le curé m'a dit la même chose, à peu près dans les mêmes mots.

Thalie posa ses deux avant-bras sur le bureau, puis laissa échapper un soupir. Avec ses clientes canadiennes-françaises, tôt ou tard, le sujet d'une intervention du pasteur paroissial venait sur le tapis.

— Donc, ce saint homme t'a incitée à faire ton devoir?

Flavie hocha la tête, intimidée. Cette question devait être abordée à voix basse, même avec son médecin. Que celle-ci soit sa belle-sœur ne rendait pas vraiment les choses plus faciles.

— À confesse, dimanche dernier, avant l'absolution. Il a commencé en disant: "La plus jeune chez vous, elle doit bien aller sur ses sept ans?"

— Évidemment, le coup était prémédité! Il a pris la peine de consulter ses registres.

La médecin ne doutait pas de l'existence, dans tous les presbytères, d'une liste des années où chaque femme de la paroisse avait donné naissance. La revanche des berceaux pour assurer la présence française au Canada se planifiait.

— Que lui as-tu dit?

— J'ai fait semblant de ne pas comprendre. C'est là qu'il m'a parlé de mon devoir…

Le ton baissa encore quand elle continua:

— Je me sentais... si mal. Comment peut-il se mêler comme ça de ma vie intime ?

— C'est tout ce qui les intéresse, la vie intime des femmes. Il ne s'est certainement pas contenté de ton silence.

— Je... je lui ai dit que Mathieu travaillait très fort, qu'il était terriblement préoccupé par ses affaires, au point de...

Thalie ne put retenir un rire bref : plaider l'impuissance de son frère pour faire taire un curé inquisiteur. Sa belle-sœur avait de l'initiative, mais à la prochaine occasion, le prêtre risquait de vérifier l'information auprès du principal intéressé.

— Finalement, poursuivit la visiteuse, il m'a donné l'absolution, tout en me rappelant qu'une confession incomplète me priverait des sacrements.

— Il n'oserait pas.

— Les curés ont tous les pouvoirs. Ça va plus loin encore que l'excommunication : un mot en chaire et il ruinerait le magasin.

Bien sûr, les choses pouvaient en venir là, convenait son interlocutrice. Tous les Canadiens français s'exposaient à subir ce genre de pression. Les censeurs ensoutanés gardaient tous les droits. Elle plaida pourtant :

— Regarde autour de toi. Les femmes de ton âge qui ont deux, trois ou même quatre enfants contrôlent la famille d'une manière ou d'une autre, autrement la plupart en auraient dix ou douze. Jamais un curé n'oserait s'attaquer à elles, malgré toutes les menaces. Ce sont des femmes de notables... tu es la femme d'un notable.

Dans la Haute-Ville, les naissances arrivaient moins drues que dans les quartiers ouvriers ou dans les campagnes. Pourtant, les indiscrets ne multipliaient pas les anathèmes contre ces épouses. Ils affichaient une certaine retenue.

— Tu crois que je ne risque rien ?

Répondre de façon trop affirmative aurait été présomptueux, les incursions des prêtres dans la vie privée des paroissiennes demeurant bien arbitraires. Thalie elle-même en faisait l'objet régulièrement, tellement son mode de vie leur paraissait discutable.

— Personne ne peut te garantir cela. Mais tu le constates aussi bien que moi : les plus riches semblent échapper à de telles pressions. Si Mathieu se montre juste un peu généreux avec la paroisse, ça lui vaudra un sauf-conduit pour le ciel et l'exemption du harcèlement.

Flavie fit une moue, tout de même incertaine.

— Tu ne souhaites pas en avoir d'autres ? demanda la médecin.

— Si Mathieu me le demandait…

— … Tu accepterais.

Sa belle-sœur hocha la tête dans un geste de connivence.

— Mais tu ne lui proposeras pas un ajout à la famille.

— Non… Recommencer avec les couches ne me dit rien, surtout juste au moment où je retrouve un peu de liberté. Ève commencera déjà sa deuxième année début septembre.

Évoquer la venue d'un enfant comme une limite à son indépendance l'amenait à se sentir terriblement coupable. Tout le monde présentait la maternité comme un accomplissement.

— Vous faites comment ?

Évidemment, l'absence de grossesses depuis si longtemps ne tenait pas à un caprice de la nature. Même après sa dernière déclaration, la patiente n'échappa pas au sentiment de honte. Elle regarda vers le plancher, rougissante comme une couventine.

— Mathieu commande des capotes aux États-Unis.

Aucun pharmacien de Québec, même ceux de langue anglaise, n'osait vendre de condoms. Cela aurait à coup sûr mené à une condamnation du clergé. Cette opposition ne se manifestait pas seulement parmi les catholiques; les protestants non plus ne se montraient pas chauds envers la contraception, excepté pour les couples mariés.

— Tu sais que l'efficacité de ce moyen n'est pas absolue.

— Je… je n'en connais pas d'autres. En réalité, avant que Mathieu n'aborde le sujet, je ne savais même pas que c'était possible d'empêcher la famille.

— Tu pourrais ajouter un produit spermicide. Je n'en ai pas ici, ce serait trop dangereux…

Même pour un médecin, le sujet demeurait piégé. Le vieux docteur Caron utilisait parfois son bureau, depuis que son petit-fils, Pierre Hamelin, occupait le sien. Thalie ne voulait pas attirer l'attention en laissant traîner des produits de ce genre, même si son collègue ne s'affichait certes pas comme un partisan des familles nombreuses.

— Je t'en reparlerai ce soir. Ça me donnera la possibilité d'embrasser mon neveu et ma nièce préférés.

La consultation se termina par une invitation à souper.

— J'aurais dû accompagner Paul, soupira Marie. Le laisser seul dans un moment pareil, ce n'est pas bien.

La femme se tenait dans l'entrée du salon, un plateau portant une théière et des tasses dans les mains. Depuis 1932, elle habitait l'appartement au-dessus de celui de son fils Mathieu dans un immeuble qui en comptait trois, boulevard Saint-Cyrille.

— Laissez-moi vous aider, madame, dit l'une des visiteuses.

Toute la famille de Marie et leurs amis, les Dupire, se trouvaient là. Comme de nombreux meubles étaient venus de l'appartement du dernier étage du commerce de la rue de la Fabrique quatre ans plus tôt, les enfants considéraient plus facilement les lieux comme leur maison.

— Élise, après toutes ces années, tu me donnes encore du "madame". L'usage de mon prénom te semble si difficile ?

— La force de l'habitude.

La brune posa le plateau sur la table au milieu de la pièce. À quarante-cinq ans, elle demeurait une jolie femme. Fernand ne résista pas à l'envie de lui effleurer la taille du bout des doigts en entrant dans la pièce, un verre à la main.

— Ton habitude me fait me sentir vieille avant mon temps, commenta encore la maîtresse de maison.

— Dans ce cas, je vais faire mon possible.

En relevant la tête, la visiteuse demanda :

— Thalie ?

— Non merci. Je me servirai quelque chose d'un peu plus fort dans un instant.

— Flavie ?

— Je ferai comme Thalie.

Finalement, la boisson chaude remportait peu de succès. Déjà, Marie avait retrouvé sa place sur le canapé, Élise l'y rejoignit. En se tassant les unes contre les autres, les quatre femmes présentes dans la pièce pouvaient y loger. Mathieu se tenait près de la radio, soucieux de régler le volume de façon à ne rien manquer, mais assez bas pour ne pas couvrir les conversations.

— Tu sais, maman, remarqua-t-il en réponse au premier commentaire, dans les circonstances présentes, ta présence ne changerait rien.

— Mon garçon, rétorqua Marie, avoir une épouse aimante près de soi lors des mauvais jours change beaucoup de choses. Tu es bien placé pour le savoir, non ?

Le ton s'avérait juste assez acide pour que l'homme se sente comme un enfant semoncé.

— Je dis des sottises, parfois. Comme tu dis, je vis moi-même cette situation depuis plus de quinze ans. Je voulais simplement dire…

— Tu voulais dire que ma présence ne changerait rien au résultat électoral, reprit sa mère, et que Paul en aura plein les bras au moment de consoler ses fidèles partisans.

D'un demi-sourire, Marie lui indiqua qu'elle lui pardonnait sa petite maladresse. Thalie se mêla bientôt à la conversation :

— Tu viens m'aider à ouvrir les bouteilles ? Là, tu ressembles à un pilier de la société Lacordaire.

Elle préleva deux bouteilles dans un meuble placé dans un coin du salon et entraîna son frère derrière elle. Dans la cuisine, en prenant des verres dans l'armoire, elle prononça à voix basse :

— Voilà un moment à marquer d'une pierre blanche : le chouchou qui se fait taper sur les doigts par maman.

— Je ne suis pas son chouchou. Juste un bon garçon.

— Justement, être un mâle, l'aîné en plus, suffisait sans doute à te valoir tous les égards. Tu as vu à quelle vitesse tu as reçu son pardon.

— Si je ne savais pas que je suis ton grand frère préféré, je croirais que tu es jalouse.

Mathieu se pencha pour lui embrasser la joue. Il allait prendre les deux verres de whisky quand Thalie arrêta son mouvement en posant sa main sur son bras.

— Cet après-midi, Flavie est venue me voir au bureau.

— Je sais. Elle tient son mari au courant de ces choses-là, et son patron lui a permis de quitter son poste deux heures avant la fermeture.

Il s'arrêta tout d'un coup, puis demanda avec une pointe d'inquiétude dans la voix :

— Mais, si tu m'en parles... Dis-moi qu'elle n'est pas malade.

La main de la praticienne se fit plus lourde sur le poignet de son frère, les doigts exercèrent une pression rassurante.

— Non, non. Ta femme se porte comme un charme... si on oublie son inquiétude.

— Inquiète pour quoi ? Les enfants vont bien et au magasin...

— Nous le savons tous, tu as fait des merveilles chez PICARD.

— Beaucoup de personnes font des merveilles là-bas. Maman la première...

Il s'arrêta, un sourire sur les lèvres. Encore un peu et elle aurait répété qu'il était le préféré.

— Que voulais-tu me dire à propos de Flavie ?

— Servir de médecin à la moitié de la famille m'expose à un lot d'accrocs aux règles du secret professionnel. Alors, considère que je te parle ici en tant que belle-sœur de ta femme. Le curé de ta paroisse trouve qu'Alfred et Ève devraient avoir de la compagnie.

Les sourcils de Mathieu se rejoignirent au-dessus de son nez.

— Le curé ?

Quand il comprit, la colère assombrit son visage.

— Celui-là, qu'il commence par élever une famille avant de dire aux autres comment faire.

— Sans doute est-il devenu curé parce qu'il ne sait pas, ou ne veut pas savoir comment fonder sa propre famille.

Beaucoup laissaient poindre ce sous-entendu sans vraiment en tirer les conclusions logiques. Comme ils vivaient entre eux, les prêtres ne devaient ressentir aucune affinité pour le mariage et tous ses «avantages», comme on disait parfois de façon si pudique. Toutefois, cela n'entraînait aucune perspective critique. Pourquoi diable laissait-on ces vieux garçons régenter les ménages? Mathieu continua sur un ton plus amène:

— Flavie prend la chose difficilement?

— Il la menace de lui refuser les sacrements. Le bonhomme devrait se renseigner un peu: passé trente-cinq ans, les accouchements deviennent plus difficiles.

Pourtant, l'information aurait laissé l'ecclésiastique de glace. Des femmes mettaient sans cesse leur vie en péril pour obéir aux objurgations de leur pasteur. Après une hésitation, Thalie remarqua:

— Si nous ne retournons pas dans le salon, maman va croire que nous avons vidé ces bouteilles… et elle me rendra responsable de tes turpitudes.

— Mais que devrais-je faire au sujet de Flavie?

— Rassure-la. Aucun curé ne s'attaquera au nouveau roi du commerce de détail à Québec. Tu commences à peser un peu, dans cette ville.

— Moins que le premier séminariste venu. Ne sont-ils pas les porteurs de la parole de Dieu?

Dehors, la soirée s'avérait chaude et tiède. Des centaines de personnes encombraient la rue Bonaventure, à Trois-Rivières. Certains se rassemblaient dans les cônes de lumière des réverbères, d'autres préféraient au contraire les zones d'ombre dans les angles des édifices.

L'atmosphère paraissait survoltée, comme électrique.

— Tu crois que tu vas gagner, papa?

La question venait d'un garçon de dix-huit ans, déjà grand au point de dépasser un peu son père.

— Nous allons gagner, non? dit Édouard Picard. Ne m'as-tu pas dit que tu soutenais l'Action libérale?

— L'Action est disparue. Ces gens-là, c'est l'Union nationale.

De la main, Thomas junior désignait les badauds autour d'eux.

— C'est la même chose, dit son père.

— Selon mon grand-père, il s'agit plutôt de conservateurs déguisés. Les gens de l'Action sont des libéraux progressistes, sans rien de commun avec Duplessis.

Le père maîtrisa son mouvement d'humeur. Toute la semaine, le juge Paquet devait répéter dans l'oreille de son fils les discours des chefs libéraux, Godbout et son compère William Lyon Mackenzie King. Si sa sympathie allait vers ces politiciens, pourquoi donc Thomas avait-il demandé de l'accompagner?

— Alors, d'après toi, les fondateurs de l'Action n'ont rien de commun avec les gens de l'Union nationale?

L'année précédente, les conservateurs et les membres d'un nouveau parti, l'Action libérale nationale, avaient réuni leurs forces pour affronter le Parti libéral dirigé par Louis-Alexandre Taschereau, sans succès. Forcé de démissionner un an plus tard, après la mise au jour de nombreuses magouilles, celui-ci avait laissé sa place à Adélard Godbout. Ce dernier avait dû déclencher des élections pour tenter de sauver la mise. Le sacrifice n'avait servi à rien: depuis des mois, le député de Trois-Rivières s'imposait comme le maître du jeu politique, au point de balayer la province lors du scrutin.

— Duplessis a annoncé sa séparation avec l'Action, insista le grand adolescent. Nous verrons ce qu'il fera des progressistes toujours avec lui et des divers éléments qu'il a volés à leur programme.

Pour un garçon de dix-huit ans, Junior se montrait particulièrement intéressé par la politique. «Peut-être les jeunes sont-ils tous comme ça, à une époque si difficile», songea Édouard en faisant un tour sur lui-même. Toute la population masculine et une bonne proportion de femmes de Trois-Rivières, âgées de moins de trente ans, devaient se trouver dans ce quartier. Les plus jeunes avaient douze ans à peine. Au moins vingt-cinq pour cent d'entre eux devaient être victimes du chômage.

Tous ces gens rêvaient de réforme, même si personne parmi eux n'aurait pu formuler ses attentes bien clairement. Ils souhaitaient voir les vieux partis sombrer dans l'oubli. Avec les nouvelles organisations portées au pouvoir, ils osaient imaginer que la crise prendrait fin…

Mais comment viendrait ce miracle?

— Tu as peut-être raison, admit le père, nous verrons ce qu'il en sera dans les prochains mois. Ton grand-père, lui, doit demeurer un bon libéral, le corps teint en rouge d'un travers à l'autre.

— Pour lui, tous les libéraux passés dans l'Action ou l'Union nationale sont des traîtres.

— Heureusement qu'à ton âge, je côtoyais les nationalistes. Il doit me trouver fidèle à mes opinions.

Ce n'était pas faux à en juger par ses fréquentations de l'époque, mais dans l'isoloir lors des scrutins, les rouges avaient profité de son soutien jusqu'aux élections de l'année précédente.

— Maintenant au moins, toi et moi sommes du même côté.

— Moi, j'appuie l'Action libérale.

«Bien sûr, si je soutenais l'Action, il se métamorphoserait en conservateur», songea son père. Les relations entre eux demeuraient tendues. Deux ou trois ans plus tôt, l'adolescent ne cachait pas son mépris à son égard. Passer d'un bel appartement de la Haute-Ville à un taudis de Limoilou, du statut de marchand prospère à celui de vendeur d'automobiles parfois à peine en état de rouler, cela ne permettait pas de bien paraître aux yeux d'un garçon de cet âge. La chute s'avérait vertigineuse.

D'un autre côté, Édouard le soupçonnait de faire enrager son grand-père toutes les fois où il acceptait une invitation à le rencontrer. Il jouait à provoquer ces deux figures d'autorité.

— Le chef habite dans ce coin-là, dit-il, dans la rue Bonaventure. Suis-moi, les résultats commencent à sortir.

Autour d'eux, des gens évoquaient des noms de candidats, des pourcentages, des victoires ou des défaites. La foule se pressait devant une maison de brique de deux étages. Le vendeur de voitures jouait des coudes afin de s'en approcher, son fils en remorque.

— Arrête de pousser, s'insurgea quelqu'un.

— Je suis un organisateur de Maurice.

L'autre, un ouvrier, à en juger par sa chemise un peu sale et sa casquette rejetée en arrière, le contempla un instant, puis s'écarta. Quelqu'un de l'entourage du nouveau premier ministre du Québec méritait certains égards.

— Y a gagné! hurla un homme. Dans l'comté, y z'ont fini de calculer.

— Pis?

— Y a battu l'autre à plate couture.

La soirée était trop jeune pour qu'une majorité de bureaux ait rendu les résultats, mais des candidats étaient déjà déclarés vainqueurs, tellement l'Union nationale paraissait portée par la vague.

— Tu es vraiment un organisateur de Duplessis?

Thomas junior paraissait sceptique, au point de vexer son père.

— Tu sais, faire du travail d'élection, ça ne demande pas un cours classique... même si j'ai un cours classique.

La précision valait la peine d'être donnée : la connaissance de quelques locutions latines comptait sûrement aux yeux d'un adolescent élevé par un juge.

— J'ai organisé des réunions, transporté des candidats et des électeurs, se justifia-t-il encore.

De pareils arguments ne le feraient pas passer pour un grand stratège.

— Puis, il y a le lubrifiant.

— ... Que veux-tu dire ?

— Tu sais bien, s'arranger pour que la machine tourne bien. Si on s'occupe un peu des électeurs, ils s'en souviennent au moment de faire la croix sur le petit morceau de papier.

L'adolescent le regarda de haut avant de jeter :

— Tu veux dire acheter les votes avec de l'alcool ou de l'argent ?

La voix s'avérait méprisante. Cette petite excursion dans le fief du chef de l'Union nationale ne rapprocherait pas ces deux-là.

— Si tu penses que les libéraux font des élections avec de l'eau bénite !

Au ton de la conversation, on devinait que le retour à Québec se révélerait bien morose. Un peu d'agitation sur le perron de la demeure du politicien interrompit cet échange. Le chef, pas très grand, pas tout à fait à jeun non plus, un peu dépeigné, sortait de la maison.

— Messieurs, commença-t-il d'une voix éraillée, et surtout mesdames...

Un tonnerre de « Hourrah » et d'applaudissements fit taire Duplessis. Quelqu'un entama *Il a gagné ses épaulettes...*

Les paumes ouvertes à la hauteur de sa poitrine pour les faire taire, l'homme endura tout de même la ritournelle jusqu'à la fin. Quand le silence revint à peu près, il reprit :

— Mesdames, messieurs, notre province en a fini avec les vieux partis et l'esclavage des trusts. L'Union nationale se situe au-dessus des intérêts de parti. Elle est l'union des conservateurs, des libéraux et des indépendants qui ont à cœur la cause des Canadiens français.

De nouveau, une salve d'acclamations le réduisit au silence, les cris « Vive Maurice ! » ou « Fesse dans le tas, Maurice ! » fusaient d'un peu partout.

— Notre organisation représentera toutes les classes de la province, suivant le programme que nous avons soumis à la population. Je manquerais à mon devoir si je ne reconnaissais pas la providence dans le résultat de notre lutte et, bien humblement, du fond du cœur, je sollicite son aide.

Ce refrain, par sa couleur nationaliste et son caractère « bon chrétien », visait à convaincre à la fois les militants des associations de jeunes et les curés. Il manquait encore un discours destiné aux adversaires des trusts et aux cultivateurs, et combien d'autres ? Tout promettre à tout le monde sans jamais préciser le chemin pour y arriver résumait la manœuvre qui l'avait porté au pouvoir.

Devant l'étalage de tant de platitudes, Édouard regrettait maintenant toutes les heures de route pour se rendre là. Autant examiner les gens autour de lui. Des ouvriers et des agriculteurs, des professionnels, des marchands et quelques ménagères : tous rêveraient jusqu'au matin. Plusieurs tenaient à la main une bouteille dissimulée dans un sac de papier brun. Des policiers attendaient à l'écart, prêts à intervenir si des libéraux déçus de leur sort pointaient leur nez.

— J'aurais bien fait d'apporter des cartes professionnelles avec moi, grommela-t-il.

Après tout, la politique servait à ça, mousser les affaires. Le discours prit fin après de longues minutes et les spectateurs se dispersèrent lentement.

— C'est fini, là ? questionna Thomas junior avec une pointe d'impatience.

— Je vais saluer quelques personnes, puis je reviens.

Toute cette distance franchie n'aurait servi à rien si les dirigeants du parti ne pouvaient constater son dévouement à la cause. Si pénétrer dans la maison était difficile, atteindre le chef exigerait tous ses talents de bonimenteur. Non seulement était-il doué pour cela dès la naissance, mais son occupation de vendeur d'automobiles depuis 1932 faisait de lui un véritable expert. Tout cela pour cultiver des amitiés stratégiques et figurer bientôt sur la liste des fournisseurs du nouveau régime.

Finalement, malgré tous ses efforts, Édouard se contenta de faire la connaissance de quatre bourgeoises trifluviennes, les sœurs de Maurice Duplessis.

Dans le salon de Paul Dubuc, tout le monde garda le silence pendant le discours de Duplessis, pour n'en rien manquer. La radio permettait cette instantanéité, d'une ville à l'autre. Puis, l'animateur de l'émission reprit le micro pour expliquer :

— Nous venons d'entendre le nouveau premier ministre. La victoire de l'Union nationale ne fait plus de doute. Déjà l'an dernier, de nombreux châteaux forts libéraux étaient tombés. L'hécatombe se poursuit ce soir.

Mathieu baissa un peu le volume afin de permettre la conversation.

— Si ça continue, il n'en restera pas un, commenta Fernand.

— Au moins, le Parti libéral peut compter sur les circonscriptions avec une population de langue anglaise, souligna Mathieu.

— On parle de quoi ? interrogea Marie. Une quinzaine de sièges tout au plus.

Le dépit marquait la voix de leur hôtesse. Touchés par la pointe de tristesse, le frère et la sœur se regardèrent.

— Maman, tu ne t'es jamais vraiment intéressée à la politique, remarqua Thalie.

— Ça ne changera pas à compter d'aujourd'hui. Cependant, Paul n'aura plus rien à faire maintenant. Quel ennui !

Le silence dura un moment, puis Mathieu demanda, intrigué :

— Dis-moi, crains-tu qu'il lui prenne l'envie de te ramener à la maison pour lui tenir compagnie ?

— Tu as le commerce bien en main, ma part a pris de la valeur. Je ne travaillerai pas éternellement, et passer du temps avec lui me fera plaisir. Toutefois, tu le connais. À son âge, il ne pourra pas se chauffer les pieds au coin du feu.

À cinquante-sept ans, Marie avait les cheveux striés de blanc. La perspective de la voir se retirer troublait pourtant son fils. Sa présence au troisième étage le rassurait : au moins, l'un de ses chefs de rayon ne tentait pas de détourner les opérations à son avantage. Puis, lors de ses quelques absences, elle avait assumé la direction avec compétence. D'un autre côté, il comprenait son désir de profiter des belles années devant elle, peut-être les dernières.

Élise et Flavie discutaient sur le canapé, un second verre de sherry à la main. Depuis son retour au travail, la seconde se montrait un peu plus assurée dans ses rapports avec ses voisins de la Haute-Ville. Ses sujets de conversation dépassaient les cadres étroits du temps qu'il fait et de la croissance des enfants.

— Les travaux coûtent une fortune, commentait la secrétaire, mais je comprends leur importance. La petite rue Saint-Joseph manque un peu de… grandeur.

L'affaire meublait souvent les échanges des épouses des deux plus importants actionnaires du magasin PICARD.

— Les plus grands commerces ont leur façade sur celle-ci, dit Élise.

— Je sais bien, mais de plus en plus de clients viennent en voiture, maintenant. L'espace de stationnement manque dans cette artère. Selon ces deux-là, il convient de mettre la façade sur le boulevard Charest.

Des yeux, Flavie désignait Fernand et Mathieu, engagés dans une conversation à mi-voix.

— Le magasin aura deux entrées, continua-t-elle. L'ancienne, un peu démodée, et la nouvelle, avec sa façade toute en tuiles, style Art déco. Comme un visage à deux faces : moderne côté boulevard, conservateur côté rue.

— Tiens, un visage à l'image de la population canadienne-française.

— Chut…

Mathieu faisait un signe de la main tout en tournant le bouton du volume.

— Bon, je vais faire un tour en bas, dit Flavie, un peu vexée de se voir réduite au silence au profit d'un annonceur.

Un escalier intérieur permettait de passer facilement d'un appartement à l'autre. Il en résultait un va-et-vient entre les logis.

— Je t'accompagne, intervint Thalie, ravie d'aider sa belle-sœur à mettre ses enfants au lit.

La praticienne récupéra son sac de cuir avant que toutes les deux s'engagent dans l'escalier conduisant à l'appartement du rez-de-chaussée.

Arrivée au logement du bas, Thalie commenta :

— Tout de même, ils deviennent un peu lourds avec leur politique.

— Les hommes prennent ça très au sérieux.

« Moi aussi, voulut hurler la praticienne, mais ils ne me laissent même pas voter ! » Cette colère, Flavie ne la comprenait pas vraiment. Ses enfants, son mari et le commerce venaient pour elle bien loin devant les bulletins de vote glissés dans une boîte. Dans l'appartement, Laura s'élança vers la porte, empressée.

— Je viens tout juste de les mettre au lit. Si j'avais su…

L'adolescente un peu maigrichonne engagée en 1932 était devenue une jolie jeune femme, débarrassée de ses cernes autour des yeux et de son air prématurément vieilli. Elle avait vingt ans maintenant.

— Tu vas bien ? lui demanda Thalie en passant dans le couloir.

— Oui… La douleur est bien moins forte avec les pilules, émit Laura de manière presque inaudible, gênée de se faire entendre.

Machinalement, sa main se porta vers son bas-ventre. Ses règles s'avéraient douloureuses. Une petite voix surgit de l'une des chambres : « Maman ! »

— S'ils dormaient, là ils sont réveillés, dit la médecin. Je vais chercher quelques bises, moi aussi.

La petite Ève se tenait assise sur son lit.

— Alfred a laissé tomber une tasse, annonça-t-elle sur le ton de la conspiration.

— Tu aimerais ça, toi, qu'il raconte toutes tes petites bêtises ? lui murmura sa mère à l'oreille.

La fillette découvrait le concept de la réciprocité. Elle se ferait plus discrète, désormais.

— Allez, embrasse-moi, je dois remonter chez mamie.

L'étreinte dura un moment, puis ce fut le tour de la tante gâteau. Peu après, Alfred répéta les mêmes gestes. Les deux femmes se rendirent ensuite dans la chambre conjugale.

— Voilà pour toi, dit la praticienne en ouvrant son sac de cuir, récupéré avant de descendre.

Le pot de verre contenait une pâte blanchâtre. Une curieuse seringue suivit le même chemin sur la commode. Les explications prirent quelques minutes.

— En plus de la capote ?

— Pour être certaine du résultat, ça vaut mieux. Je t'ai apporté ça aussi, si tu préfères… Essaie les deux.

Une petite éponge aboutit dans la paume de l'épouse.

— Tu dois l'imbiber avec de l'huile d'olive, puis l'insérer jusqu'au fond.

Les doigts mimèrent le geste de faire pénétrer l'objet dans le vagin.

— De l'huile d'olive ?

— Ça vaut sûrement mieux que ces mixtures chimiques appliquées sur les muqueuses. La liste des ingrédients de certaines d'entre elles me fait penser à celle d'un produit nettoyant.

— J'utilise l'huile d'olive dans ma cuisine, jamais ailleurs.

— Selon une publication de Marie Stopes, la directrice d'une clinique en Angleterre, après des années d'utilisation, il n'y a jamais eu de bébé-surprise.

Les pionnières de la contraception œuvraient depuis plus de trente ans aux États-Unis et au Royaume-Uni, et au moins depuis quinze ans ailleurs au Canada. La prison avait souvent récompensé les premiers efforts. Encore en 1936, dans un milieu aussi conservateur que Québec, Thalie savait devoir se faire discrète. La société se montrerait plus sévère pour son commerce de petites éponges qu'elle ne l'avait été des années plus tôt à l'égard de la vente d'alcool de contrebande.

Sa belle-sœur gardait sur elle des yeux incertains.

— … Toi, tu utilises quoi ?

La présence d'un marchand de musique dans la vie de Thalie ne faisait pas mystère pour ses proches. Comme aucune grossesse ne survenait, elle prenait donc des moyens pour « empêcher la famille ». Pourtant, elle répondit avec une vague inquiétude coupable. Chacun s'attendait à une attitude chaste de la part d'une célibataire.

— J'ai tout essayé… finalement, je m'en tiens maintenant à ça.

Ses yeux se posèrent sur l'éponge.

— Nous devrions remonter. Mieux vaut ne pas les laisser seuls devant tous ces grands bouleversements politiques.

La médecin aurait préféré une émission musicale, ce soir-là.

Tout le monde demeurait concentré sur l'appareil radio. Paul Dufour, un annonceur de la station CHRC, synthétisait les résultats de la soirée électorale :

— Selon les chiffres disponibles, l'Union nationale obtiendrait un peu moins de soixante pour cent des voix. Le parti peut espérer obtenir soixante-quinze députés.

Aucun candidat indépendant n'est en avance. Paul Gouin et l'Action libérale nationale ont perdu leur pari.

La voix du journaliste trahissait une certaine satisfaction. Le Parti libéral ne méritait aucune pitié, après avoir occupé le pouvoir pendant trente-neuf ans.

— Fernand, intervint Marie, cette victoire ne semble pas vous réjouir beaucoup.

L'usage du prénom lui était venu après deux ans d'échanges entre copropriétaires.

— Les Dupire font tout avec une certaine retenue...

Il s'arrêta, posa la main sur son ventre pour préciser :

— Sauf manger. Nous vivons les victoires et les défaites des conservateurs avec stoïcisme.

— En presque quatre ans de mariage, intervint Élise en souriant, je ne l'ai jamais entendu parler de politique, sauf pour répondre à un interlocuteur.

En réalité, le gros notaire demeurait impassible devant tous ces débats entre vieux et nouveaux partis, ou à propos des plans souvent saugrenus proposés pour sortir de la crise. Personne ne savait quoi faire. Dans ce contexte difficile, l'étiquette politique héritée de son père ne signifiait plus grand-chose.

À la radio, Dufour nommait les membres du cabinet défaits. Même le chef des libéraux depuis quelques mois, Adélard Godbout, ne retournerait pas à l'Assemblée législative. Sans surprise, Paul Dubuc comptait parmi les victimes de l'hécatombe.

— Mon grand, commenta Marie, demain tu devras faire avec l'absence de l'une de tes chefs de rayon. Je préfère être à la maison quand il rentrera. Georgette peut me remplacer sans mal.

Depuis quelques années, elle s'intéressait au sort de cette veuve, soucieuse de la voir occuper sa place à son départ. Le résultat des élections la laissait bien morose. Mieux valait digérer les derniers événements en toute tranquillité.

Thalie fut la première à quitter le canapé en disant :

— Demain, je commence avec la dyspepsie d'une vieille dame, ensuite j'enchaîne avec une demi-douzaine de bébés dont la moitié souffre de coliques… Je vais rentrer.

— Ma journée sera moins riche en péripéties, renchérit Fernand en riant, mais mieux vaut rentrer aussi.

En parfaite hôtesse, Marie ouvrit la garde-robe de l'entrée pour en sortir la veste d'Élise et l'aider à l'endosser. Puis, Thalie eut droit à la même attention.

— Tu viens avec nous ? lui demanda le notaire.

— Je commençais à désespérer de recevoir cette offre, et devant maman, je n'osais pas le demander.

Ce jeu se poursuivait depuis toujours : incarner la gamine ayant peur de se faire disputer pour ses accrocs à la bienséance.

— À t'entendre, je suis une mère terrible.

En même temps, toutes les deux s'étreignaient, résolues à se comporter comme si elles demeureraient des semaines sans se voir. Élise reçut des bises moins appuyées, puis les lèvres de l'hôtesse effleurèrent à peine la joue du notaire. Son ton trahit toutefois toute son estime quand elle lui demanda, la main sur son avant-bras :

— Comment se porte votre mère ?

— Elle arrive lentement au bout de son chemin.

Une tristesse paisible passa sur ses traits.

— De quoi souffre-t-elle, au juste ?

— De rien de précis. Du moins, je le pense.

En disant cela, Fernand posa ses yeux sur Thalie, comme pour l'autoriser à révéler des secrets de son cabinet de consultation.

— Madame Dupire souffre d'insuffisance cardiaque. Elle perd ses forces, se replie sur elle-même.

Comme pour conjurer le mauvais sort, Marie donna une nouvelle bise à son visiteur. Mathieu et Flavie les saluèrent à leur tour, puis le couple quitta les lieux avec sa passagère.

Les deux autres demeurèrent un moment dans l'entrée.

— Nous allons regagner notre appartement, dit le garçon. Ça ira ?

— Évidemment, ça ira.

— Pour Paul ?

— Tu sais, depuis le grand spectacle du Comité des comptes publics, il savait qu'on en arriverait là. Il sera nostalgique, il tournera en rond un moment, puis je suppose qu'il fera un peu de droit.

Même à la tête de son ministère, le politicien avait gardé quelques clients. Il chercherait à en augmenter le nombre.

— Au niveau des… finances, vous vous en sortirez ?

— Seigneur ! Là, je me sens vieille. Mon aîné qui s'inquiète pour moi.

Après une pause, elle poursuivit :

— Paul bénéficie d'une situation confortable. Il vendra sa maison de Rivière-du-Loup, si nécessaire. Bon, allez rejoindre vos enfants.

Après un dernier « bonne nuit », le couple s'engagea dans l'escalier pour regagner le rez-de-chaussée. Marie referma la porte dans leur dos, revint dans le salon pour éteindre la radio. Un regard circulaire lui permit de faire l'inventaire des verres et des bouteilles laissés sur la table. Tout de même un peu mal à l'aise, elle décida de laisser à la bonne la corvée de remettre de l'ordre le lendemain.

# Chapitre 2

Toute la journée, Marie n'avait pas réussi à s'occuper. Même si elle évoquait le moment de sa retraite, ne rien faire avec grâce exigeait un certain apprentissage. Ce jour-là toutefois, sa tension tenait surtout à une vague inquiétude. Au téléphone, aux petites heures de la nuit, la voix de Paul lui avait paru défaite.

Quand la porte s'ouvrit, elle abandonna *La Revue moderne* sur le guéridon placé près de son fauteuil pour venir dans l'entrée. Son époux se tenait immobile, le chapeau dans les mains. Elle prit le couvre-chef pour le poser sur un crochet, puis se colla à lui. La veste déboutonnée lui permit de glisser ses bras autour de son corps.

— Peux-tu le croire, en rentrant je me suis senti tout triste de ne plus pouvoir porter le titre d'honorable.

— Tu pourras te représenter en 1940.

— Ça non. Ni comme échevin, ni comme commissaire d'école, pas même comme marguillier. J'ai fait ma part.

Son parapluie atterrit dans la garde-robe. Une fois dans le salon, il se versa un cognac, puis vint rejoindre Marie sur le canapé.

— Je le savais bien, commença-t-il. Duplessis a donné un tel spectacle avec le Comité des comptes publics, que j'ai passé six semaines à me faire lancer des insultes par des cultivateurs. Ivres, la plupart du temps.

Au cours de ses trente-neuf ans au pouvoir, le Parti libéral s'était rendu coupable de bien des exactions. Le chef de l'opposition, Maurice Duplessis, avait convoqué le Comité des comptes publics. Avec un plaisir non dissimulé, le politicien avait mis en évidence d'innombrables malversations, des plus bénignes aux plus graves.

— Ce fameux chef, dit sa femme d'un ton méprisant, il en a sali, des réputations. Toute son histoire pour une paire de culottes.

À titre de ministre de l'Agriculture et de la Colonisation, Paul s'était fait acheter des vêtements convenables pour aller en forêt, puis les avait gardés à la maison. Les collusions bancaires s'avéraient bien mystérieuses pour certains électeurs, mais subtiliser des culottes payées par les contribuables, tout le monde le comprenait. Le sujet retenait l'attention et on en oubliait des détournements de sommes très importantes.

— Voilà bien le plus drôle. Il a mis en évidence des magouilles odieuses, et moi je me suis fait apostropher partout au sujet de ces maudites *breeches*.

Au moins, se consolait-elle, son époux ne se reprochait que des péchés bien véniels. Jamais il ne rougirait devant ses concitoyens.

— Tu ne m'as jamais demandé de détails sur mes affaires, dit l'épouse, et moi non plus sur les tiennes. J'aimerais savoir, ta situation financière permettra-t-elle…?

Finalement, la remarque de Mathieu l'avait rongée une partie de la nuit. Paul lui adressa un sourire amusé.

— Nous avons mené une existence si rangée, jamais je n'ai cessé de mettre de l'argent de côté. Ne t'inquiète pas.

— Je ne m'inquiète pas…

La femme baissa les yeux, honteuse de son gros mensonge. Paul allongea le bras pour mettre la main sur sa nuque et l'embrasser.

— La précarité de tes premières années t'empêche de te montrer confiante. Tout se passera bien, je t'assure.

— Quand je serai très vieille, je serai peut-être un peu plus sage.

Un nouveau baiser valut une promesse.

— Tout de même, je ne compte pas puiser dans mes réserves avant quelques années. Je me suis entendu avec un collègue battu en Beauce pour ouvrir un cabinet.

— Ces temps-ci, les avocats poussent plus vite que les clients.

Aussitôt, elle s'en voulut pour son défaitisme.

— Nous verrons si plus de trente ans en politique m'ont permis de me faire un nom. Mais là, je deviens un goujat. Tu veux quelque chose à boire?

Peut-être acquerrait-elle un peu d'optimisme avec un verre à la main.

Debout dans la cuisine de la maison de la rue Scott, Fernand fixait le bol et le morceau de pain posés sur un plateau.

— Ce n'est pas un repas, remarqua-t-il.

— T'à l'heure, j'y ai demandé ce qu'elle voulait, expliqua Hortense, la cuisinière. Elle a dit "Rien". Ça, j'suppose qu'a n'en voudra même pas.

L'homme hocha la tête, se força à mettre un sourire sur son visage au moment de pousser la porte de l'ajout apporté à la maison plus de quinze ans auparavant. La pièce prenait déjà un air vieillot. L'aïeule occupait un grand fauteuil placé près de la fenêtre. On avait poussé une table à côté d'elle. Un jeu de cartes s'y étalait pour une patience. La tête rejetée vers l'arrière, les yeux clos, la bouche un peu entrouverte, la vieille dame se reposait. Un bref instant, il la pensa morte.

— Maman, commença-t-il, tu dors?

Elle ouvrit ses yeux bleus, se redressa un peu.

— Tu verras dans trente-cinq ans: on n'est jamais tout à fait endormi, ni tout à fait éveillé. J'avais dit à Hortense que je n'avais pas faim.

— Tu dois tout de même manger.

— Tu es un gentil garçon, tu sais.

Fernand répondit d'un sourire tout en posant le plateau sur la table.

— J'ai été bien élevé, je suppose. Prends-en un peu.

— Je ne fais rien de la journée, comment veux-tu que j'aie de l'appétit?

La vieille femme semblait s'être recroquevillée sur elle-même au cours de la dernière année. La robe de chambre flottait sur son corps. Le notaire jugea inutile de regarder l'ampleur de sa déchéance physique.

— Juste un peu.

— Va rejoindre ta famille... et n'oublie pas de dire à Béatrice de venir faire un tour.

— Jamais Béatrice n'oublie de passer te voir.

— Il reste peu de temps avant son départ.

Fernand sentit la tristesse dans le ton. Ce fut bien morose qu'il quitta la pièce.

L'atmosphère s'avérait à peine meilleure dans la salle à manger, même si tout le monde s'efforçait de montrer une figure enjouée. Fernand regardait ses enfants avec une certaine nostalgie. Tous les trois étaient des adultes, maintenant, et deux s'envoleraient bientôt.

— Je te l'avais bien dit, insistait Antoine, des gens de l'Action vont se trouver au cabinet: Oscar Drouin...

Le grand garçon avait déjà vingt ans. Il avait hérité de sa mère des traits réguliers et des cheveux blonds, de son père une carrure d'homme fort. La suite tarda un peu à venir : impossible de faire une longue liste de progressistes élus la semaine précédente.

— Tu vois, taquina le père, tu n'es pas capable d'en nommer un second.

— Philippe Hamel, Ernest Grégoire...

Ces politiciens formaient un petit groupe de membres de l'Union nationale désireux d'utiliser le gouvernement provincial comme un levier afin de favoriser les progrès économiques et sociaux des Canadiens français. Auparavant, ils s'étaient distingués au sein de l'Action libérale nationale. Ils s'avéraient particulièrement populaires parmi les jeunes. À ce trio, on pouvait ajouter René Chaloult, élu dans Kamouraska.

— D'autres ministres partagent aussi les mêmes idées réformistes, insista-t-il.

— Si tu crois ça, tu connaîtras ta première déception politique cette année. D'habitude, ça vient après la première déception amoureuse... Enfin, je suppose, dans notre monde moderne.

Un peu de rouge monta aux joues du garçon. Une jeune couventine des environs avait eu droit à certaines de ses attentions pendant l'été. La suite demeurait encore à écrire.

— Fernand, tu ne devrais pas taquiner ainsi ton fils.

Élise disait tout de même cela avec un demi-sourire. Ses propres enfants casés, elle pouvait s'amuser des émois des autres.

— Sur ses amours ou sur ses opinions politiques ? Les premiers sont trop sérieux, j'en conviens.

Au lieu de s'attarder sur le chemin de ses sentiments, son aîné s'engagea plus à fond dans ce second sujet :

— Il est temps que les politiciens cessent de se coucher devant les trusts. Tu vois combien on paie l'électricité, à Québec ? Duplessis va régler ça d'ici Noël.

Les trusts étaient ces grandes compagnies s'entendant entre elles pour contrôler le gouvernement et abuser les consommateurs à leur guise.

— As-tu la moindre idée de la façon dont ton chef Maurice a payé sa campagne électorale ? Des gens murmurent au sujet d'un gros montant et d'un bailleur de fonds : la Shawinigan Water and Power.

Le garçon se troubla un peu, lui aussi avait entendu la chose.

— Au moins, la semaine prochaine, tu te retrouveras en territoire connu, reprit le père. Tous les étudiants de l'Université Laval se gargarisent de nationalisme.

Cela s'avérait un motif de fierté pour le notaire. Pas la politique, mais le fait que son fils commence son cours de droit quelques jours plus tard. Il imaginait déjà se l'adjoindre dans son officine à l'été 1940. Pendant quelques années, l'idée d'études en agronomie avait été évoquée avec régularité. L'appel des contrats et des testaments supplantait finalement celui du grand air.

— Antoine, ricana Charles, je n'envie pas ton futur statut de fils unique. Tu en auras pour des heures à te faire expliquer les dessous de la politique.

Le ton du benjamin s'avérait railleur et surtout, satisfait. Lui entrerait bientôt à l'École des hautes études commerciales, à Montréal. L'idée de gagner la grande ville le grisait. Que ce soit avec sa grande sœur réduisait juste un peu son enthousiasme.

Fernand se trouvait dans une situation particulière : ses trois enfants, nés à une année d'intervalle, entraient en même temps dans des établissements d'enseignement supérieur. En effet, Béatrice avait « sauté » une année pour entamer et terminer ses études secondaires en même temps qu'Antoine, et les deux fréquentaient l'université au même moment. Le plus jeune, quant à lui, n'avait pas à posséder un diplôme du cours classique pour entrer aux HEC : la formation de l'Académie commerciale de Québec, plus courte, suffisait.

— Ne dis pas ça, intervint Élise. Antoine ne sera pas fils unique, il y a trois enfants dans cette famille, et ça ne changera jamais.

Le garçon s'assura d'abord que son humour n'avait pas heurté son père, puis il continua sur le même ton moqueur :

— Le plus drôle, c'est que vous soutenez le même parti politique : les conservateurs, tout comme les partisans de l'Action libérale, figurent au sein de l'Union nationale.

— Je me demande pourquoi tout le monde est certain que je vote conservateur, ironisa Fernand. Il y a pourtant d'autres avenues… comme ce parti socialiste, dans l'Ouest.

Fondé en Saskatchewan en 1932, la Co-operative Commonwealth Federation avait remporté peu de succès lors des derniers rendez-vous électoraux dans les Prairies. Aux yeux des Québécois, l'organisation semblait directement inspirée du bolchevisme.

— Voyons, l'Église vient de condamner ce parti, protesta Antoine, lui-même surpris de s'entendre invoquer cet argument.

— Bon, te voilà devenu une grenouille de bénitier. Alors, que dis-tu du Parti créditiste ? Tant qu'à promettre n'importe quoi, Duplessis devrait s'en inspirer. En Alberta, le chef créditiste proposait de donner vingt-cinq dollars par mois à chaque habitant, assez pour le porter au pouvoir. Si jamais là-bas quelqu'un reçoit même aussi peu que vingt-cinq sous, promis, je te donne ma vieille Buick.

— Antoine, intervint la jeune fille de la maison, tu devrais éviter le sujet de la politique avec papa, tu n'auras jamais le dessus.

Béatrice adressa un sourire complice à son père. Les ans avaient fait d'elle une grande jeune femme blonde, toujours timide, facilement rougissante.

— Politique ou pas, poursuivit-elle, vous allez me manquer, tous.

À ce moment, même Charles sentit ses yeux chauffer.

— Tu as bien raison, dit Fernand. Nous logeons tous à la même enseigne, même si certains à cette table tentent de dissimuler leur peine. Remarque, ce n'est pas une mauvaise idée en soi de parler d'actualité et non des départs prochains, sinon nous risquons de passer une semaine à déprimer.

Élise jeta un coup d'œil à son mari, de nouveau un peu surprise de la simplicité de ses rapports avec ses enfants. Cette grande maison ressemblait à une forteresse contre les vicissitudes du monde, où la bonne entente devait prévaloir. Depuis la mort d'Eugénie, personne n'avait dû y avoir élevé la voix une seule fois. Et maintenant, deux des leurs se lançaient dans l'aventure de la vie.

Édouard Picard et l'un des élus de l'Union nationale étaient des familiers, sinon des amis. À la fin de la dernière guerre, Oscar Drouin et lui siégeaient dans des comités opposés à la conscription. Ils s'étaient donné rendez-vous un peu plus tôt dans la soirée pour manger dans un restaurant modeste de Limoilou.

Le vendeur d'automobiles entra trop rapidement dans la cour de son garage, et les roues arrière dérapèrent sur la terre battue. Son passager eut le réflexe de tendre la main droite pour l'appuyer au tableau de bord. Pourtant, le véhicule s'arrêta sans même un léger froissement de tôle.

— Quand même, on leur a sacré une bonne volée, dit Édouard en arrêtant le moteur.

Il répétait les mêmes mots depuis l'élection de l'Union nationale. Pour cette seule journée, cela faisait une bonne dizaine de fois.

— Ça faisait trop longtemps qu'ils mangeaient dans l'auge à cochons, insista-t-il.

— Quand je siégeais avec les libéraux, disais-tu la même chose de moi ?

Oscar Drouin descendit de la Ford, de nouveau surpris de se trouver à cet endroit. Quatre ans après, la déchéance de son ami l'étonnait toujours. De riche héritier à vendeur de voitures de seconde main, la chute était rude. Une quinzaine de véhicules encombraient la grande cour un peu boueuse.

— Viens la voir encore, dit le marchand en se dirigeant vers la plus imposante des autos.

— Je te l'ai dit, il n'est pas question pour moi de changer de voiture.

— Regarder, ce n'est pas acheter. Viens.

Il l'entraîna vers une Cadillac. Édouard ouvrit la portière du côté conducteur à son invité, puis il fit le tour pour occuper la place du passager.

— Le bonhomme s'en est servi un peu moins de deux ans. Un vieux qui ne devait pas faire plus de trois ou quatre mille milles chaque année.

— Pourquoi s'en est-il séparé, alors ?

— À l'été 1934, il devait penser les beaux jours revenus. Bien sûr, comparé à 1932…

Toute allusion à l'année de sa ruine lui mettait une grimace sur le visage.

— Pour faire court, il s'est retrouvé le cul sur la paille. Lui aussi avait des pirates parmi ses parents.

Le marchand de «chars usagés» avait l'ivresse triste, ou plutôt rancunière. Son cousin, ou demi-frère, se confondait avec les requins de la finance évoqués dans les journaux.

— Veux-tu encore un verre? J'ai tout ce qu'il faut dans mon château.

D'un mouvement de la tête, il désigna la bâtisse au revêtement abîmé, sommairement construite.

— Non, tu oublies que je dois rentrer à Sainte-Foy dans un instant. Tu n'as pas répondu, tout à l'heure : quand je faisais partie de la députation libérale, parlais-tu de moi comme d'un cochon à son auge?

— Tu sais bien que je ne parlais pas de quelqu'un en particulier. Ils ont été au pouvoir trente-neuf ans, maintenant, c'est notre tour d'en profiter un peu.

Sa conception de la politique avait le mérite de la simplicité : des gens se succédaient pour profiter des largesses de l'État. Oscar Drouin faisait partie des libéraux ayant opté pour l'autre camp avant les élections de 1935. L'à-propos de son changement d'allégeance ne paraissait pas le réjouir. Il présentait en tout temps un visage allongé, un peu triste. Même au moment où tout le monde évoquait son nom pour le poste de ministre des Terres et Forêts, la gaieté ne s'y manifestait pas.

— De toute façon, continua Édouard, je me suis tenu, moi aussi, au Club de réforme pendant toutes ces années. Nous avons compris à temps tous les deux que le Parti libéral, c'était fini. Maintenant, c'est le tour des hommes nouveaux. C'est juste ennuyeux que certains ne se montrent pas raisonnables. Là, Paul Gouin ne se trouve pas plus avancé qu'avant.

Le chef de l'Action libérale nationale avait rompu les ponts avec Maurice Duplessis afin de se présenter avec toute une équipe aux élections de la semaine précédente, pour connaître un fiasco. Maintenant, le député de Trois-Rivières était le chef incontesté du nouveau régime.

— Moi, je l'admire plutôt, dit Drouin. Des gens fidèles à leurs valeurs, on n'en voit pas tous les jours.

— Des fois, ça ressemble à des idées fixes. Prends Philippe Hamel : va-t-il jouer à la vierge effarouchée encore longtemps, ou acceptera-t-il un poste de ministre ?

La composition du nouveau cabinet demeurait un objet de spéculation pour tous les électeurs aspirant à de vraies réformes. Les progressistes paraissaient devoir en être exclus.

— Hamel tient à la nationalisation de l'électricité, pour servir les intérêts des Canadiens français. Actuellement, ce sont les trusts qui dirigent le Québec. Il a donné sa parole aux électeurs de faire quelque chose pour les aider. Déjà, une baisse de la facture mensuelle de la Québec Power serait un merveilleux début.

Les questions de principe lassaient le marchand de voitures.

— Es-tu certain de ne pas vouloir entrer ? Je sais bien que nous sommes plus confortablement assis ici, mais quand même, deux gars de notre âge qui finissent la soirée dans une machine, ça peut faire jaser.

— Non, vraiment, je dois rejoindre ma famille.

Le politicien fit mine d'ouvrir la portière. Édouard s'empressa de dire :

— Non, attends encore une minute. As-tu pu faire comme on avait dit ?

Devant les grands yeux surpris de son interlocuteur, il comprit que non.

— Dire un mot en ma faveur ! Juste dans ton futur ministère, combien compte-t-on de voitures ? Tous les services ensemble, ça doit en faire des dizaines !

— Je ne m'occupe pas de ces choses-là.

— Juste une petite recommandation. J'ai fait ma part lors des élections. Paraît que toutes les machines à écrire libérales sortent par une porte et que les machines unionistes rentrent par une autre. Ce sera pareil pour les véhicules.

Cette fois, Drouin sortit de la Cadillac en lançant :

— Parle de ça au trésorier du parti.

Celui-là se faisait déjà une réputation pour sa compétence à trouver des fonds et à distribuer des faveurs. Le marchand d'automobiles descendit pour raccompagner son compagnon jusqu'à sa Dodge.

— Le gouvernement va faire quelque chose pour le pèlerinage ?

Drouin demeura un instant intrigué, puis il comprit :

— Tu veux dire la cérémonie à Arthabaska ? Le gouvernement ne s'impliquera certainement pas. Au cours des ans, Armand Lavergne ne s'est pas fait que des amis. C'est plutôt le contraire : des gens le détestent dans tous les partis politiques.

— Quand même, son rôle dans l'histoire du Québec a été très important.

Le ministre unioniste secoua la tête de droite à gauche, incertain.

— Des discours enflammés, des manifestations bruyantes… Finalement, il ne s'est associé à aucune grande réalisation, il n'a occupé aucune fonction de responsabilité.

Presque un an après son décès jour pour jour, de jeunes nationalistes entendaient se réunir sur la tombe d'Armand Lavergne. Cela ressemblerait à la célébration des espoirs déçus d'une génération et des grandes aspirations de la nouvelle.

— Des membres de l'Union nationale seront là par amitié, conclut Drouin, rien d'officiel toutefois.

— Tu en seras ?

— Moi, non. Je ne le connaissais pas tant que ça.

— J'irai. Par amitié, comme tu dis.

Ils se quittèrent sur un dernier bonsoir. Un peu chancelant, Édouard se dirigea vers son établissement commercial. Au cours des dernières années, il en avait doublé la surface, en plus d'ajouter un atelier mécanique. Son petit logis à l'arrière montrait même les signes d'un confort grandissant. Avec des amis bien placés, les choses ne pouvaient que s'améliorer. Cette affaire-là ne lui était pas venue en héritage. Cela l'incitait à en prendre bien soin.

Tous les soirs, le même rituel se répétait, immuable. Un peu après neuf heures, Béatrice frappait à la porte de la pièce réservée à l'usage de sa grand-mère. Comme convenu, sans attendre la réponse, elle ouvrit. L'aïeule était assise dans son fauteuil habituel, la tête renversée vers l'arrière, les yeux fermés. Le chapelet entre ses doigts noueux prouvait toutefois qu'elle ne dormait pas.

— Grand-maman ? murmura la visiteuse.

La vieille dame se redressa, prononça d'une voix heureuse :

— Viens t'asseoir près de moi.

De la main, elle désignait une chaise placée tout à côté d'elle.

— Le jeune avocat de la rue voisine a pris bien soin de toi, cet après-midi ?

Il s'agissait de Jacques Bourgeois, un camarade de classe d'Antoine qu'elle voyait quelquefois. Aucun des deux ne s'attendait à ce que cette relation devienne sérieuse un jour.

— Il n'est pas encore avocat. Il sera membre du barreau dans trois ou quatre ans, si tout va bien. En ce moment, il étudie.

— Puis, cet après-midi ? Tu m'en parles un peu ?

Béatrice s'appuya contre le dossier de son siège et répondit en souriant :

— Nous sommes allés du côté de Sillery, à la plage.

— Tu as bien raison d'en profiter, nous vivons les dernières belles journées d'été.

Cette façon de dire peina la blonde. Dans le cas de son aïeule, il fallait prendre ces mots au pied de la lettre.

— L'eau était bonne ?

— Je ne me suis pas baignée. Tu sais, moi, les maillots…

— Ne me dis pas que tu t'en fais encore avec ça.

Le « ça » en question, c'était une inquiétude tenace au sujet de sa silhouette. Pourtant, les rondeurs de l'adolescence ne suscitaient pas un si mauvais souvenir, et surtout, quelques années plus tard, il n'en restait rien. À dix-neuf ans, Béatrice s'avérait une jolie femme plutôt grande et athlétique.

— Les costumes de bain, de nos jours, couvrent à peine de là à là.

La blonde montra vaguement son entrejambe et le haut de ses seins.

— En plus, c'est tout serré sur le corps.

La grand-mère laissa échapper un rire amusé.

— Pour ça, je ne me sentirais pas à l'aise accoutrée de cette façon. Remarque, je n'ai jamais eu un corps comme le tien, même à vingt ans. Dans ta peau, je me montrerais sans problème.

L'aïeule avait traîné son embonpoint toute sa vie, mais depuis un an, les chairs semblaient fondre sur son squelette. Cela n'améliorait en rien sa silhouette. Ses cheveux se raréfiant, son bonnet de dentelle ne la quittait plus. Surtout, la grisaille du teint laissait deviner l'issue prochaine.

— … Je devrais tout remettre à plus tard, suggéra Béatrice.

Devant les sourcils levés de sa parente, elle précisa :

— Mes études peuvent attendre.

— Que ferais-tu ? Tu resterais là à me regarder dépérir ?

La voix de la vieille dame trahissait une lassitude sereine. Elle n'en était plus à se révolter contre l'inéluctable.

— Je serais là. Je peux au moins faire ça pour toi. Après toutes ces années où tu as pris soin de moi…

La voix de Béatrice s'arrêta sur un hoquet, elle prit la main de sa grand-mère dans les siennes.

— Nous nous sommes bien occupées l'une de l'autre. Maintenant, si tu veux continuer à me faire plaisir, tu iras à McGill pour poursuivre tes études. Tu pourras m'écrire, me téléphoner même, une fois de temps en temps. Je n'aime pas ça, parler dans un cornet, mais avec toi, ça me fera plaisir.

En réalité, jamais elle ne pourrait marcher jusqu'à l'appareil.

— Je pourrais tout aussi bien reprendre les cours l'an prochain.

La vieille dame esquissa l'ombre d'un sourire, reprit en exerçant une pression sur les doigts de sa petite-fille.

— Non. Je suis tellement fière de toi. Pour une fois, je vais te demander de m'obéir sans dire un mot de plus.

La pause dans la conversation dura un long moment. La voix de madame Dupire s'avérait presque gaie au moment où elle reprit :

— La semaine prochaine, tu vas étudier quoi, exactement ? Je sais, tu me l'as dit, mais ma mémoire me joue des tours.

— Des cours généraux… littérature anglaise, sociologie, économie. Il s'agit surtout pour moi d'apprendre l'anglais, puis ça me laissera le temps de réfléchir à ce que je ferai ensuite.

— L'an dernier, tu parlais de… tu me rappelles le mot?

— De psychologie.

Pour réaliser un pareil projet, elle devrait nécessairement fréquenter un établissement canadien-anglais. L'année à venir lui permettrait de juger de ses chances de réussir dans cette entreprise.

— Je ne pense pas que j'aimerais me faire jouer dans la tête… Mais si jamais je change d'idée, il faudrait que ce soit avec une gentille fille comme toi.

La preuve était faite, la mémoire de la grand-mère se portait plutôt bien. La conversation se poursuivit encore quelques minutes. Au moment où Béatrice s'apprêtait à ouvrir la porte pour sortir, l'aïeule l'arrêta:

— Tu sais, ma belle, je ne suis pas malheureuse. J'ai eu beaucoup de chance dans la vie. Mon mari s'est montré le meilleur pour moi, à presque cinquante ans mon fils demeure attentionné, et mes petits-enfants sont merveilleux. Tu le sais, j'aime même ma nouvelle belle-fille. Je prie pour que tu puisses en dire autant à mon âge.

La jeune femme hocha la tête, hésitante, comme si un pareil avenir lui paraissait bien improbable. Pourtant, un nombre suffisant de garçons lui témoignait de l'intérêt pour la rassurer au moins sur le premier élément de ce bilan.

— Profite bien de ta vie. Ça te permettra de regarder la fin venir sans éprouver trop de regrets.

Béatrice hocha la tête en se mordant la lèvre inférieure afin de réprimer ses sanglots.

Le mercredi soir suivant, un peu après sept heures, toute la famille Dupire était réunie à table, excepté la grand-mère que l'on ne voyait plus guère.

— Je devrai partir en vitesse, précisa Antoine en prenant sa place habituelle.

— Moi aussi, ajouta Charles.

Fernand leur adressa un sourire entendu, puis se tourna vers Béatrice.

— Et toi, te joindras-tu à la jeunesse en marche vers son avenir rayonnant ?

La blonde secoua la tête de gauche à droite.

— Comme je n'aurai pas le privilège de voter en 1940, tout comme les fous de l'hôpital Saint-Michel-Archange et les prisonniers de la geôle sur les Plaines, je resterai sagement à la maison. L'avenir ne concerne pas les femmes, dans notre cher Québec.

La jeune adulte reprenait la formule popularisée par Idola Saint-Jean et Thérèse Casgrain : éternelle mineure comme les imbéciles et les criminels, la femme ne participait pas au suffrage à l'échelle provinciale, ni vraiment à la vie politique et sociale.

— Auparavant, il y aura le scrutin fédéral, remarqua son cadet. Là tu pourras voter, puisque tu auras vingt et un ans.

Plus jeune qu'elle d'un an, lui n'était pas absolument certain de participer au scrutin, tout dépendrait de l'empressement, ou de la lenteur, du premier ministre King à déclencher les élections.

— Alors, je me mêlerai de politique fédérale, et je laisserai celle de la province au sexe fort.

Si Charles se sentit mal à l'aise devant la gentille rebuffade, il n'en laissa rien paraître. Le père relança la conversation après que Gloria et Élise se furent occupées du premier service.

55

— Finalement, le cabinet de l'Union nationale ne s'enrichira pas d'une forte présence des anciens membres de l'Action libérale. Pas de Hamel, pas de Chaloult, pas de Grégoire.

Le notaire se souvenait très bien de leur dernière conversation sur le sujet. Finalement, sa prédiction se révélait juste. Les noms de ces nationalistes revenaient immanquablement dans la bouche des jeunes militants, ils incarnaient leurs espoirs de changement.

— Justement, plaida Antoine, le rassemblement de ce soir doit permettre de corriger la situation. Nous ferons en sorte que Philippe Hamel devienne ministre.

Une semaine plus tôt, Maurice Duplessis prenait le pouvoir. Depuis, tous les militants se perdaient en conjectures sur la formation du conseil des ministres. Après la rupture avec l'Action libérale, certains réformateurs lui étaient demeurés fidèles. Restait encore à savoir si ceux-ci joueraient un rôle significatif ou non. Les rumeurs à ce sujet s'avéraient décevantes pour tous les jeunes demandant des changements.

— Tu ne vois pas que c'est exactement le contraire? remarqua son père. Du moment où des politiciens déçus tentent de forcer la main du premier ministre en utilisant la pression populaire, il ne peut leur faire une place. Ce serait comme abandonner son pouvoir à ces gens.

— Ce ne sont pas les anciens de l'Action qui ont lancé le mouvement, mais des patriotes.

— Dans ce cas, les voilà donc victimes de leurs amis.

Élise toussa un peu, un signal discret à son époux. Quelqu'un d'autre que leur père se chargerait de leur faire perdre leurs illusions politiques. Gentiment, le notaire chercha d'autres sujets de conversation.

Quand ils quittèrent la table vers huit heures, Fernand les accompagna jusqu'à la porte. Au moment où ils partaient, il glissa, cette fois sans aucune pointe d'ironie :

— Tout de même, essayez d'éviter les mauvais coups. Si les policiers sortent leur matraque, revenez à la maison.

— Voyons, ça n'arrivera pas, déclara Charles en sortant.

Antoine s'attarda un peu, juste le temps de dire :

— Puis, si ça arrive, je lui ferai un rempart de mon corps.

Les mots vinrent avec un gros clin d'œil. Le père aurait préféré la promesse de le ramener au premier éclat de voix, de gré ou de force.

Tout l'après-midi, les stations de radio avaient répété le mot d'ordre. Les nationalistes étaient invités à se réunir au Palais Montcalm pour une grande assemblée politique en faveur de la nomination du docteur Philippe Hamel au poste de ministre de « l'électricité ». Des Ressources naturelles, disaient les plus instruits. Comme si le peuple pouvait imposer une candidature au cabinet...

Marchant d'un pas rapide, les deux frères arrivèrent bien vite devant la nouvelle salle de spectacle érigée sur le site du vieux marché du même nom. Des dizaines de jeunes gens se massaient là, surexcités. Il s'agissait en bonne partie d'étudiants du Petit Séminaire, du collège et de l'Université Laval. Parmi cette foule de gens, à la maigreur et à la mine hâve, on reconnaissait aussi de nombreux chômeurs. Ceux-ci attendaient tout du nouveau régime, avec un plus grand sentiment d'urgence encore.

Antoine reconnut une silhouette familière.

— Nous avons de la parenté sur les lieux, murmura-t-il. Viens que je te présente.

Un grand garçon se tenait près de l'entrée du grand théâtre, seul dans cette foule. Il portait le « suisse », le capot bleu serré à la taille par une ceinture de laine, qui était l'uniforme des élèves du Petit Séminaire.

— Un parent?

Charles ne cachait pas sa surprise. Son aîné s'approcha de l'écolier, la main tendue:

— Thomas, comment vas-tu?

— ... Oh! Antoine.

Le garçon parut tout heureux de reconnaître un visage familier.

— Voici Thomas Picard... tu sais, le neveu de maman.

Chaque fois que le jeune homme évoquait sa mère, Eugénie, invariablement sa voix trahissait son émotion par un infime changement de ton.

— Mon frère, Charles, enchaîna-t-il.

Il continua pour ce dernier:

— Nous nous sommes connus à l'école, même si nous n'avons jamais été dans la même classe.

L'écart de deux ans entre eux expliquait ce fait.

— Moi, je vais à l'Académie commerciale, précisa Charles. Enfin, j'y allais, car au mois de septembre, je serai à l'École des hautes études commerciales.

Sans cesse, le benjamin des Dupire apportait cette précision, comme pour se justifier de faire faux bond à la tradition des élites canadiennes-françaises de fréquenter le cours classique. Thomas ne sut quoi répondre. Heureusement, un bruit attira leur attention, on ouvrait les portes de la grande salle.

— Entrons tout de suite, proposa Antoine, sinon nous passerons la soirée dehors.

Le trio fut pris dans une bousculade qui le conduisit dans les premiers rangs pour le tasser dans l'aile droite. Les garçons comptèrent parmi les chanceux à pouvoir s'asseoir: des dizaines d'entre eux demeurèrent debout dans les allées.

— Bouchard! hurla quelqu'un à l'arrière. Voilà Paul Bouchard.

L'homme ainsi accueilli en héros aurait bientôt trente ans. Pratiquant le droit depuis 1934, il se faisait surtout remarquer par son travail journalistique dans le périodique de droite *La Nation*. La page titre affichait la devise suivante : « Pour un État libre français en Amérique ».

Sur son passage, des jeunes faisaient le salut fasciste, le bras droit levé, la main ouverte. Thomas junior faisait partie du lot. Après un moment d'hésitation, Charles Dupire l'imita. L'initiative étonna son aîné.

— Un discours ! Un discours ! cria-t-on bientôt de toutes parts.

Le politicien leva les bras, visiblement heureux de cet accueil. Peut-être se prit-il un instant pour le *duce* canadien-français.

— Un discours ! Un discours !

— Non, non, cria-t-il. Il s'agit de la soirée de Philippe Hamel.

Quelqu'un quitta son siège au premier rang pour le lui céder.

— C'est qui ? demanda le benjamin, une fois la commotion passée.

« Donc il s'extasie en toute ignorance de cause », songea son frère. Après avoir rappelé le nom, la profession et l'engagement politique de ce guide d'une certaine jeunesse, Thomas junior continua :

— Il a créé les Faisceaux républicains. On dit parfois les Faisceaux séparatistes.

Le grand adolescent avait baissé le ton sur le dernier mot, comme s'il énonçait une grossièreté. L'idée de l'indépendance de la province circulait dans les milieux étudiants, mais aucune personnalité en vue ne la reprenait à son compte. Pourtant, dans l'expression, l'autre mot retint l'attention d'Antoine.

— Faisceaux comme dans… ?

— Les Faisceaux de Mussolini, répondit Thomas avec enthousiasme. Il faut en finir avec les partis politiques traditionnels. Il nous faut un vrai chef…

— Ne crois-tu pas que nous en avons un depuis le 17 août ?

Ailleurs qu'auprès de sa famille immédiate, Antoine reprenait à son compte l'ironie amusée de son père, aimant poser comme un homme très bien informé et un peu blasé.

— Avec la façon dont il traite les hommes les plus importants du mouvement nationaliste, je ne sais plus. Les gens auraient dû voter pour l'Action libérale de Paul Gouin. Lui paraissait plus fidèle à ses idéaux.

Maurice Duplessis établissait un curieux record : un peu plus d'une semaine après son élection, son parti paraissait sur le point d'éclater. Cette assemblée spontanée de militants venus contester la composition du cabinet en donnait la meilleure preuve. Le plus grand drame de l'Action libérale nationale était d'avoir une majorité de partisans encore trop jeunes pour voter.

Un animateur radio vint sur la scène afin d'annoncer l'arrivée très prochaine du docteur Philippe Hamel. Le politicien déçu dans ses ambitions serait accompagné de René Chaloult, député de Kamouraska, et de Son Honneur le maire de Québec et député de Montmagny, Ernest Grégoire.

— Hamel ! Hamel ! commença à scander la foule.

Les gens s'égosillèrent pendant une vingtaine de minutes encore avant que les vedettes de la soirée ne fassent leur entrée. Des employés obligeants avaient disposé une demi-douzaine de chaises sur la scène ; à l'ouverture du rideau, elles étaient occupées. René Chaloult fut le premier à s'approcher du micro.

— Lorsque monsieur Duplessis, mon chef, est venu dans mon comté de Kamouraska…

Au moins, celui-là ne faisait pas mystère de son intention de rester fidèle au premier ministre. Pendant de longues minutes, il lui reprocha toutefois de demeurer l'esclave des «puissances d'argent», les fameux trusts, en particulier celui de l'électricité. Puis, un autre sujet attira sa critique :

— Comment se fait-il que le premier ministre réussisse à placer trois Anglais dans son cabinet, mais n'a aucune place pour le docteur Hamel ?

Dans cette assemblée de Canadiens français désireux d'obtenir enfin le respect et des perspectives de carrière, l'allusion à cette situation souleva un murmure de colère.

— Et comme toujours depuis 1867, l'un d'eux s'occupe du Trésor.

Jamais encore on n'avait osé confier ce portefeuille à un francophone, tellement l'incompétence en finance de tous les membres de cette communauté paraissait évidente.

— C'est malheureusement toujours la minorité qui domine, conclut-il.

Régulièrement, tout au long de son allocution, quelqu'un dans la salle avait hurlé : «Hamel ! On veut Hamel !» L'événement prêtait mal au ressassement des griefs habituels, un sujet paraissait plus urgent et un personnage, plus important.

Le député Chaloult lui céda enfin sa place devant le micro. L'homme se présentait bien, avec son lorgnon cerclé d'écaille de tortue pour corriger sa vue et une moustache étroite sous le nez. Fils de médecin, diplômé en médecine et en médecine dentaire, il partageait son temps entre son cabinet, l'Université Laval, où il enseignait depuis plusieurs années, et la Société symphonique de Québec, où il jouait de la trompette. Pourtant, ces occupations représentaient un intérêt secondaire dans sa vie, comparées à son obsession : la nationalisation de l'électricité.

— J'aurais préféré être tranquille et méditer chez moi les événements de la journée, commença-t-il. Je suis cependant ici sans amertume, ayant foi en la providence que tout arrive pour le mieux. Je n'ai pas demandé la tenue de cette assemblée…

En effet, il paraissait tout à fait ennuyé de se trouver là. Il incarnait à merveille le citoyen modèle, arraché à sa quiétude domestique par l'enthousiasme de ses compatriotes. Un homme capable de sacrifier ses intérêts personnels pour venir en aide à sa communauté.

— J'ai eu la possibilité d'accepter un bâillon d'or quand le premier ministre m'a offert la présidence de la Chambre. Si j'avais accepté, le trust aurait triomphé parce que, on le sait, l'orateur de la Chambre ne peut prendre part aux débats.

Pendant de longues minutes, il poursuivit sa campagne contre le trust de l'électricité qui saignait les consommateurs, plaida pour la nationalisation des ressources hydrauliques, comme cela avait été le cas des décennies plus tôt dans la province voisine, avec Hydro-Ontario.

Au moment où le dentiste quitta la scène, Ernest Grégoire vint expliquer qu'il refuserait d'entrer au cabinet aussi longtemps qu'on n'y ferait pas une place à Philippe Hamel.

— Sept mille piasses comme maire de Québec, cé bin en masse, hurla un spectateur. T'as pas besoin d'un salaire de minisse en plusse.

Tout de suite, la foule réclama que l'on sorte l'importun. Ernest Grégoire et le docteur Hamel, revenu un instant devant le micro, unirent leurs voix pour qu'on le laisse tranquille. Il leur procurait l'occasion de se présenter comme de parfaits démocrates.

Le cœur n'y était plus, une défaite couronnait tous ces discours. Duplessis et tous ses ministres seraient assermentés dès le lendemain. Les absents sombreraient finalement dans l'oubli. À cause de la foule, malgré toutes les portes demeurées ouvertes, la chaleur devenait étouffante dans la grande salle de spectacle. Deux personnes plantées dans l'allée centrale avaient déjà tourné de l'œil. Un organisateur s'avança pour proposer :

— Si on allait tous dire au chef de mettre Hamel au conseil des ministres ? Il loge au Château Frontenac, c'est juste à côté.

— Oui, répondirent mille voix.

Depuis sa chaise, le dentiste faisait des gestes de dénégation. Visiblement, être la cause d'une émeute ne lui disait rien. Il ne demandait rien de plus que de rentrer à la maison. De son côté, Ernest Grégoire retrouva son sens des responsabilités de premier magistrat de la ville :

— Non, messieurs, rentrez paisiblement chez vous. On nous reprochera tous les désordres.

Voilà que les incendiaires entendaient maintenant jouer aux pompiers. Cela ne servirait à rien. Les spectateurs quittèrent leur siège en répétant le mot d'ordre :

— Au Château Frontenac. On va le forcer, le chef !

Antoine interrogea son frère des yeux.

— Bien sûr, nous y allons.

Puis, Charles se leva en hurlant avec les autres :

— Au Château, tous au Château.

Le benjamin semblait renouer avec le rôle de chef scout. Il fit preuve de son esprit d'initiative. Au lieu de se placer derrière tous les autres, il utilisa la sortie de secours située tout à côté. Faute d'avoir mieux à faire, Thomas junior suivit les deux frères.

# Chapitre 3

En sortant de sa visite quotidienne à sa grand-mère, Béatrice vint s'asseoir au salon pour s'absorber dans le roman *Emma* de Jane Austen. Selon toutes les religieuses du couvent de Sillery – qui en réalité n'en savaient rien –, il s'agissait là d'une lecture essentielle à chaque personne souhaitant fréquenter une université anglaise. De son côté, Élise parcourait un magazine américain alors que Fernand se collait l'oreille à sa grande radio Crosley, passant d'une station à une autre afin de suivre les comptes rendus de la rencontre au Palais Montcalm. Après onze heures, apprit-il, la foule se déplaçait vers le Château Frontenac. À ce moment, sa fille annonça :

— Je vais monter. Quant à vous, attendez-vous le retour des patriotes de la maison ?

Elle se pencha pour faire la bise à sa belle-mère. Son père se leva à son approche, posa ses lèvres sur sa joue.

— Non. Nous irons aussi bientôt au lit. Ces deux-là peuvent se débrouiller, je ne m'inquiète pas pour eux.

— C'est pour ça que tu n'as pas quitté cet appareil d'un pouce.

Béatrice s'esquiva en souriant. Quand elle fut partie, sa femme murmura :

— Tu ne t'inquiètes pas, vraiment ?

— Aux informations tout à l'heure, on parlait du déplacement de dizaines et de dizaines de voitures de police.

— La ville n'en compte pas tant que ça.

À son ton moqueur, Fernand jugea inutile de se défendre. Depuis leur naissance, il se préoccupait du sort de ses rejetons, ça ne changerait pas de sitôt. Autant se faire une raison.

— Tu ne crois pas qu'ils soient vraiment en danger ? demanda-t-elle.

— Sans doute pas, mais dans une atmosphère survoltée, notre courageuse force policière pourrait distribuer des coups de matraque en trop grand nombre.

Déjà, il reprenait sa place près de l'appareil radio. « Un vrai père poule », songea-t-elle, attendrie. L'animateur commentait :

— Dès centaines de jeunes gens se trouvent maintenant devant le Château Frontenac. Notre reporter, Paul Beaulé, revient justement de là. Monsieur Beaulé, que se passe-t-il présentement ?

Des doigts, Élise lui fit signe de monter un peu le volume. Malgré l'assurance affichée, elle aussi tenait à savoir ce qui se passait.

— Quand je suis parti, commença une voix plutôt voilée, il y avait deux ou trois cents personnes, des étudiants pour la plupart. Ils chantaient *Ô Canada* et réclamaient de voir le nouveau premier ministre. Une cinquantaine de policiers municipaux essayaient de leur bloquer le passage.

Le couple écouta tout le reportage de la station CHRC. Quand l'animateur enchaîna avec une pièce de musique, l'épouse commença, un peu hésitante :

— Je ne veux pas m'immiscer dans tes affaires de famille, mais tes taquineries, ces derniers jours, ne risquent-elles pas de froisser un peu les garçons ?

— Ils nous ont rebattu les oreilles, pendant toute la campagne électorale de l'an dernier, puis encore cette année, avec toutes les réformes merveilleuses de l'Action libérale nationale d'abord, puis de l'Union nationale ensuite. Il me semble important de leur faire remarquer combien le chef Maurice, c'est du Taschereau réchauffé.

Sa femme ne perdit pas son sourire pour observer :

— Compte tenu de l'affreuse situation dans laquelle les vieux partis ont placé tous les jeunes gens, les nouveaux partis ne peuvent pas vraiment faire pire, tu ne crois pas ? En plus du chômage, les journaux évoquent tous les jours une guerre mondiale.

Fernand préféra taire son opinion sur le sujet : dans de nombreux pays d'Europe, l'ordre nouveau prenait des allures tout à fait lugubres. Les magouilles traditionnelles des politiciens canadiens lui paraissaient innocentes, en comparaison. Changer, ce n'était pas toujours pour le mieux.

— Dorénavant, je réprimerai mon envie de leur inculquer un peu de réalisme politique… Au moins, j'essaierai. De toute façon, la vie leur remettra les pieds sur terre, si je comprends bien ce qui se passe présentement.

— Tu ne crois pas aux promesses de réforme ?

— Certaines sont inévitables, on les adoptera. Cependant, tous ces enthousiastes se trompent en voyant un novateur en Duplessis. Il s'agit d'un vieux bleu proche de l'Église catholique, comme son père Nérée avant lui. Il voudra faire plaisir aux curés et aux cultivateurs, mais pour ce qui est des autres…

Le notaire fit comme s'il chassait une poussière du revers de la main.

— Nous allons nous coucher ? suggéra-t-il en se levant après un silence. Antoine saura bien ramener son cadet à la maison.

Une fois la radio éteinte, Fernand se donna la peine d'allumer la lumière du porche, comme si les garçons risquaient de ne plus retrouver leur chemin.

— On veut Hamel ! Hamel au cabinet.

Les cris devenaient un peu chantants, la foule, railleuse. Les policiers formaient une seule ligne devant le Château Frontenac, la matraque à la main. Une vingtaine de pieds tout au plus les séparaient des manifestants.

— Allez, rentrez chez vous, disait un officier dans son porte-voix.

Son insistance se révélait inefficace : personne ne faisait mine de s'en retourner.

— Ça leur fera quelque chose à raconter, ricana Antoine en levant la main pour désigner la grande bâtisse.

Aux fenêtres en façade, les touristes surveillaient la masse grouillante. Certains imaginaient peut-être des hordes de Canadiens français forçant les portes pour leur faire un mauvais sort. Dans les autres provinces et aux États-Unis, on aimait les présenter comme les pires extrémistes.

— On veut voir Maurice ! cria quelqu'un.

— Oui, on veut voir Maurice ! reprirent deux cents voix.

Les manifestants demeuraient bon enfant, comme les agents ne paraissaient pas enclins à charger. De toute façon, ces derniers accumulaient des heures supplémentaires. Après avoir réclamé la venue du premier ministre à de nombreuses reprises, les jeunes gens entonnèrent de nouveau *Ô Canada*. Alors qu'ils chantaient « Sous l'œil de Dieu, près du fleuve géant », l'officier recommença :

— Rentrez chez vous maintenant. Tout le monde à l'hôtel veut aller dormir, et nous aussi.

— On veut voir Maurice.

— Le premier ministre ne viendra pas. Il est dans son lit.

— Bin, on va coucher icitte.

Un jeune farceur commença *Vive la Canadienne*, les autres suivirent. Comme chant révolutionnaire, on aurait pu trouver mieux. Même l'enthousiaste Charles devait se rendre à l'évidence : aucun événement spectaculaire ne conclurait cette journée d'excitation. La ligne «... et ses jolis yeux doux doux doux » eut raison de son entêtement.

— Bon, moi je suis fatigué de tout ça, dit-il.

— Ça fait une bonne heure que je rêve d'entendre ces mots, commenta son frère.

À tour de rôle, ils serrèrent la main de Thomas junior, puis ils s'en allèrent. Le jeune Picard ne devait pas avoir envie de retrouver la maison du juge Paquet, car il ne bougea pas.

Dans l'antichambre du bureau du grand patron, Flavie avait pris ses aises. Les photos des enfants trônaient sur sa table de travail, à côté de quelques bibelots. Les fournisseurs comme les employés affichaient le plus grand respect, la voyant, un peu comme la Vierge Marie, capable d'intercéder auprès de Dieu. En vertu de son contrat de mariage, les lieux lui appartenaient un peu. Aussi prenait-elle à cœur la prospérité du commerce.

Aux inquiétudes de septembre 1932 avait succédé un certain soulagement : une fois l'ordre revenu dans la gestion et les salaires cruellement réduits, l'entreprise s'avérait tout à fait profitable. Bien sûr, son mari n'avait rien voulu tenir pour acquis ; ainsi, un banquier rassuré par les nouvelles colonnes de chiffres avançait les sommes requises pour rénover le commerce. Quarante ans plus tôt, on avait vu chez PICARD le dernier cri des équipements modernes, comme l'éclairage électrique et un ascenseur. Une petite génératrice fournissait l'énergie. Mathieu souhaitait que ce soit de nouveau le cas.

« En venant ici, les gens doivent sentir que leur futur sera resplendissant, comprendre que nous sommes résolument modernes », commentait le nouveau directeur lors des rencontres entre actionnaires. À titre de secrétaire de direction – cela sonnait mieux que secrétaire du directeur –, sa femme assistait à toutes les discussions. Sa présence ne s'avérait pas absolument nécessaire, mais les propriétaires lui réservaient toujours un accueil cordial.

« Si nos clients constatent que nous ne craignons pas d'investir, notre confiance en l'avenir se communiquera à eux, ils achèteront. » Pour Mathieu, la crise se nourrissait de l'inquiétude des consommateurs. Quand ils délieraient leur bourse, les ateliers et les manufactures réembaucheraient, la roue de l'économie se remettrait à tourner.

Son mari, à tout le moins, faisait sa part pour le retour de la prospérité. Elle en était là dans ses réflexions quand une voix la fit sursauter :

— Te voilà en train de rêvasser à notre richesse future ?

Fernand Dupire se tenait entre elle et la fenêtre, une large silhouette imposante.

— Non, je t'assure…

Elle se leva à son approche, présenta ses joues l'une après l'autre.

— Voyons, ne fais pas cette tête. Chaque fois que j'entre ici, moi je ne pense qu'à ça.

La confidence ne lui ramena qu'un demi-sourire sur le visage.

— Décidément, Élise a raison. Mon humour laisse à désirer. La prochaine fois que Ti-Zoune se produira à

Québec, je vais lui demander des leçons. J'aurais plus de succès en déboulant un escalier.

Le comédien montréalais Olivier Guimond donnait des spectacles dans les théâtres de la Basse-Ville, et même parfois de la Haute-Ville, avec une certaine régularité. Plus personne n'ignorait ses facéties.

— Je suis peut-être tout simplement inquiète. J'ai bien du mal à me sentir tout à fait rassurée. Je vais prévenir Mathieu de ton arrivée.

L'instant d'après, le directeur sortait de son bureau la main tendue.

— Ah! Tu viens voir comment nous dépensons tout cet argent? demanda-t-il.

— Je viens voir l'avancement des travaux, comme tu m'y as si souvent invité.

— Alors, tu seras servi, le sixième est un vrai bordel.

Flavie allait reprendre sa place, Mathieu l'arrêta.

— Tu ne viens pas avec nous?

— Vous allez parler affaires.

— Justement, nous allons parler affaires.

Elle saisit le bras offert en lui adressant son meilleur sourire. Ils passèrent dans la section du commerce construite en 1890. Dans le rayon des vêtements pour dames, Marie, occupée avec une cliente, leur adressa un salut de la main. L'ascenseur les conduisit au dernier étage. À l'ouverture de la porte de laiton, des bruits de marteau et de scie les accueillirent.

— Ça s'entend depuis le quatrième, expliqua Mathieu. Je me demande combien de clients tournent les talons pour éviter de se faire casser les oreilles.

Une douzaine de travailleurs s'affairaient dans le grand espace occupé par le restaurant. La plupart des meubles en avaient été sortis.

— Les murs et le plafond seront rénovés en entier, l'éclairage changé. Quand même, la réfection de la cuisine coûtera plus cher que tout le reste.

Ils firent le tour de l'endroit. Bientôt, une voix résonna dans le grand espace.

— Tiens, le gendre asteure. On te voit pas souvent icitte.

Le directeur jeta un regard un peu impatient à son ami, comme pour s'excuser, puis il se dirigea vers son beau-père charpentier, toujours flanqué de ses deux fils.

— Pourtant, je suis dans mon bureau tous les jours. Vous allez bien, monsieur Poitras ?

— À mon âge, plié en deux toute la journée…

Le bonhomme allait sur ses soixante ans. Il s'esquintait à la tâche depuis quarante-cinq ans peut-être, un labeur interrompu tous les hivers à cause du chômage.

— Le chantier achève, bientôt vous serez chez vous, à vous reposer.

— Bin cé ça, pis qui va gagner pour nourrir la vieille ?

Mathieu prit une grande aspiration. Jamais ce vieux monsieur ne se montrerait satisfait. Le travail le fatiguait, mais l'absence de salaire entraînait d'interminables jérémiades.

— Les aménagements intérieurs sont presque terminés, c'est la même chose avec la réfection de la façade. On ne va pas tout recommencer pour le plaisir de fournir des emplois.

— Ouais, tu s'ras dans ton grand bureau de bourgeois, pis nous autres su l'secours.

Depuis le premier mot prononcé, le rouge était monté aux joues de Flavie. Un pli au milieu du front, elle s'approcha.

— Papa, voilà quatre ans que Mathieu te donne du travail, à toi et à mes frères.

— Pis là, on va faire quoi ?

La femme jeta un regard désespéré à son mari, comme pour lui dire «On ne choisit pas ses parents». Lui-même lui disait souvent cela pour la rassurer. Un sourire, un regard lassé, puis le directeur invita Fernand à passer dans la pièce voisine d'un geste de la tête. Sa compagne continua ses efforts pour amener le vieux malcommode à se montrer raisonnable.

— Mathieu ne peut inventer du travail. Maintenant, les rénovations sont terminées.

Cette logique toute simple paraissait peu susceptible de convaincre la parentèle.

— Voilà le bureau de Flavie, dit le directeur à son copropriétaire.

— Charmante, ta belle-famille, glissa Fernand entre ses dents. Chacune de nos rencontres fortuites me la rend un peu plus sympathique.

— Ne tourne pas le fer dans la plaie. Ces trois-là me tombent sur les nerfs, mais imagine combien cela devient pénible pour Flavie.

Le notaire hocha la tête, cette fois tout à fait sérieux.

— On comprend comment elle est devenue si charmante : il s'agissait de faire exactement le contraire du paternel.

— Je suppose que tous les enfants ont le choix d'imiter leurs géniteurs ou de prendre leurs distances. Je me demande ce que vont faire les miens.

— J'espère que tu blagues, rétorqua le notaire.

Tous les deux se montraient plutôt fiers de leurs qualités d'éducateurs. Cette préoccupation commune alimentait la sympathie entre eux.

— Ève demeure en admiration devant moi. Quant à Alfred, il me harcèle pour que je le recrute comme liftier.

Si je ne lui fais pas une place l'été prochain, il risque de se lever en pleine nuit pour aller s'engager dans la marine marchande.

Les journaux relataient parfois des histoires de ce genre. Le sort des jeunes garçons en fuite se révélait probablement beaucoup moins romantique.

— Chez moi, Béatrice est adorable. Mes gars semblent résolus à trouver le chef qui conduira les Canadiens français à la liberté et à la richesse. Bon, pour la richesse, je ne suis pas certain que ça figure au programme des nationalistes, plusieurs rêvent plutôt d'une province rurale placée sous la houlette de ses curés.

Mathieu mit un moment avant de comprendre, puis il déclara :

— Dans tous les collèges, je suppose qu'on parle de la séparation de la province. Tes fils sont dans un mouvement politique ?

— Au cours des deux dernières années, je les ai entendus chanter les louanges de Paul Gouin et de Philippe Hamel. Depuis ce matin, ils doivent porter un brassard noir. Charles est le plus enclin à s'enthousiasmer, donc c'est le plus déçu. Si tu le vois vêtu d'un sac avec de la cendre sur la tête, à la façon du pauvre Job de la Bible, ne sois pas surpris.

— Chez les moins de trente ans, ils doivent être des milliers à se désoler sur leurs illusions perdues. Hier soir, tes garçons étaient là ?

La ville entière ne parlait plus que des discours prononcés au Palais Montcalm, et chaque journal les reprenait sans en sauter une ligne.

— Les deux y sont allés. Toute une génération me paraît en révolte. Si elle ne trouve pas le moyen de s'exprimer par les voies démocratiques, il restera la rue.

74

Fernand Dupire ne songeait qu'à cela : ces jeunes prendraient-ils le même chemin que ceux de France ou de Belgique, où les conflits sociaux ne faisaient pas relâche ? Tout en parlant, les deux hommes étaient passés dans le bureau de direction. La pièce, de taille assez impressionnante, comportait deux fenêtres donnant sur le boulevard Charest.

— C'est ce que je préfère, ici, dit une voix féminine depuis l'entrée de la pièce.

Flavie se tenait là, un peu penaude, visiblement au bord des larmes. Le dernier esclandre de son père lui resterait un moment sur le cœur, au point de faire faux bond à la prochaine rencontre à L'Ancienne-Lorette.

— Je veux dire ces fenêtres circulaires, comme les hublots des grands navires.

Elle marqua une pause, puis tendit la main vers l'interrupteur, souleva le bouton. Au plafond, une plaque de verre, circulaire aussi, s'illumina.

— Les fenêtres et ça ! C'est comme si le ciel se dégageait pour nous.

Mathieu marcha vers elle, passa son bras autour de ses épaules pour la serrer contre lui.

— Alors, demanda-t-il, nous avons bien utilisé tous ces fonds ?

— Ce sera le plus beau magasin de la ville.

Fernand tourna sur lui-même pour apprécier une nouvelle fois la pièce.

— Oui, décidément, ce sera bien.

Il ajouta, après un bref silence :

— Bon, le moment en vaut un autre pour aborder le sujet. Lors de notre entente en 1932, je précisais que je n'avais pas l'intention de m'éterniser dans le commerce de détail. Je donnais une échéance de cinq ans à mon investissement...

Le couple afficha un réel désarroi.

— Mais nous terminerons les rénovations d'ici un mois, dit Mathieu. Avec mes dettes, aucun banquier ne voudra me prêter la somme suffisante pour acheter deux parts.

Fernand leva la main pour les calmer. L'inquiétude de Flavie, en particulier, lui fit de la peine.

— Je ne suis pas en train de vous acculer au pied du mur. Nous pourrions nous entendre pour prolonger ma participation de quelques années.

— Tu touches déjà une part intéressante des profits, plaida Mathieu.

— Grâce à tes bons soins. Tellement que trouver quelqu'un pour acheter le tiers de l'entreprise que je détiens me procurerait un joli gain. Je ne le ferai pas parce que je sais que tu voudras t'en porter acquéreur. Je veux juste rappeler qu'un jour, cette transaction sera sur la table, entre nous.

Le directeur hocha la tête. Évidemment, sa revanche sur les conditions de sa naissance ne serait complète qu'au moment où la même proportion des parts que celle de Thomas autrefois serait entre ses mains. Pour le moment, le poids de ses dettes ne le lui permettait pas.

— D'ici là, conclut le notaire, je rêverai de me dénicher un espace de travail aussi élégant que celui-là. Nous redescendons?

Les autres acquiescèrent d'un mouvement de la tête. Quand ils passèrent dans le restaurant, le trio des Poitras jeta vers eux un regard assassin. Flavie garda ses yeux rivés au sol jusqu'à la fermeture de la porte de l'ascenseur. Au troisième étage, les deux hommes se dirent au revoir dans l'espace de travail de la secrétaire. Mathieu retourna dans son bureau et Fernand allait quitter les lieux quand la femme l'interpella :

— Je m'excuse pour tout à l'heure.

— … Pourquoi donc ?

— Mes parents, cette scène absurde. Ils ont profité d'un emploi ici depuis quatre ans. Au lieu de montrer leur reconnaissance, ils se comportent comme des égoïstes.

« Recevoir, même s'il ne s'agit pas tout à fait de charité, n'est jamais facile », songea-t-il. Il pouvait tout à fait les comprendre.

— Toi, tu demeures la plus charmante des amies.

— Tout de même, à chaque fois qu'on les croise, c'est la même chose.

Le visiteur lui sourit, alla jusqu'à poser une main sur son épaule.

— Cesse de te soucier de cela. Tes parents sont pénibles, mais Mathieu a la chance d'avoir la meilleure des Poitras dans sa vie. Cela seul compte, n'est-ce pas ?

Il lui fit une bise sur la joue gauche.

— Moi, j'ai eu droit à la pire des Picard…

Ses lèvres se posèrent sur la joue droite. Quand il se redressa, Flavie avait les plis d'un sourire au coin des yeux.

Quand la famille Dupire se trouva de nouveau autour de la table familiale, Fernand réprima son envie de dire à ses fils quelque chose comme « Je vous l'avais bien prédit ». Il commença d'un ton chargé de sympathie, comme s'il partageait leur deuil de voir Philippe Hamel ainsi tassé dans un coin :

— Ce matin, je ne vous ai pas vus au déjeuner. J'ai dû partir très tôt pour aller voir des clients.

— De toute façon, nous nous sommes levés en retard, commenta son aîné. Après la soirée d'hier…

L'homme échangea un regard avec sa femme, comme pour lui signifier : « Tu vois, je fais attention de ne pas les bousculer. »

— Que s'est-il passé exactement ?

— Rien. Je veux dire, rien à part des discours très défaitistes. Ça se résumait à : "Il devrait être au cabinet", "Je n'irai pas au cabinet si lui n'y va pas…"

— Les ministres ont prêté serment cet après-midi, annonça le notaire.

Antoine remarqua avec lassitude :

— Je sais, à la radio, on ne parlait que de ça. Toutes les entrevues revenaient en boucle : "Je suis le chef, je suis le seul chef." À ce sujet, tu avais raison : aujourd'hui, il ne peut plus changer son équipe. S'il le faisait, ce ne serait plus lui le chef, justement.

— À Montréal, le maire Camillien Houde a démissionné.

Comme son fils ouvrait de grands yeux, le notaire précisa :

— Je n'en sais pas plus. Il y avait un petit encadré de trois lignes dans *L'Action catholique*. Houde et Duplessis ont été assez longtemps collègues pour apprendre à se détester, le maire a sans doute considéré que la vie deviendrait trop difficile avec Duplessis premier ministre. Si on répétait le spectacle du Comité des comptes publics pour la ville de Montréal, dans le cadre d'une commission d'enquête par exemple, le P'tit gars de Sainte-Marie serait crucifié.

— Son administration soulève tellement de critiques, je suppose qu'on relèverait bien des malversations.

— Une démission le jour de l'assermentation du cabinet en fait une question personnelle, un règlement de compte entre eux.

Tout en parlant, Fernand avait récupéré *L'Action catholique*, l'organe de l'archevêché, près de sa chaise.

— Je ne sais pas si ces mots te paraîtront rassurants ou pas, mais voici comment le nouveau premier ministre concluait toute cette histoire ce matin : "Nous voulons, je le répète, réaliser l'ensemble de notre programme. Il est impossible de corriger en un jour tout le mal qui a été fait dans le passé. Mais nous orienterons tout de suite notre politique vers ce que nous avons de plus cher : la sauvegarde de notre capital humain et l'avenir de notre jeunesse."

Antoine secoua la tête, formula avec une certaine lassitude :

— Voilà une bonne finale, adaptée aux circonstances. Dans la foule réunie hier, au moins les deux tiers auront l'âge de voter en 1940 ou en 1941. Il les prépare déjà à l'appuyer.

Le prochain rendez-vous électoral aurait lieu à ce moment.

— En tout cas, il peut oublier ma voix, dit Charles avec mauvaise humeur. Si on veut des changements, autant ne pas compter sur ces politiciens d'ancienne mode. Le lendemain des élections, ils cherchent l'appui des puissances d'argent pour gagner les prochaines.

Lors de la dernière campagne, grâce au *Catéchisme des électeurs* publié par l'Union nationale, les Canadiens français avaient appris un certain nombre d'expressions commodes pour traduire leur perception de la réalité. « Puissances d'argent » devenait la façon courante de désigner le grand capital, très souvent américain, et toujours de langue anglaise.

— Ces changements viendront d'où, alors ? demanda Béatrice.

La jeune femme ne se mêlait que rarement aux discussions politiques. La conjoncture, depuis le début de l'année précédente, la condamnait souvent au silence devant ses frères. Quel autre sujet pouvait occuper l'esprit des jeunes gens à une période aussi effervescente ? La crise s'éternisait au point de donner à penser qu'elle durerait toujours, la guerre menaçait en Europe. Partout, des hommes se présentaient comme les détenteurs de nouvelles vérités. Si la plupart proposaient des théories fumeuses, des signes de ralliement plus tangibles s'offraient à la population. Des regroupements politiques portant des noms comme les Casques d'acier, les Faisceaux, républicains ou autres, les Chemises noires, brunes, bleues ou argent se côtoyaient au Canada. Ils s'inspiraient de l'Allemagne, de l'Italie ou de l'Espagne.

— Les jeunes en ont assez, expliqua le benjamin. L'avenir est fermé pour nous, tout le monde ressasse de vieilles idées qui ne marchent pas. Il faudrait qu'on reste à ne rien faire ? Nous n'en pouvons plus d'attendre.

Le chômage ou des emplois insignifiants demeuraient le lot non seulement des jeunes, mais aussi d'une très large partie de la population plus âgée. Fernand s'étonna tout de même d'entendre ces mots dans la bouche d'un garçon qui n'avait jamais souffert, même pas juste un peu, du ralentissement économique.

Le souvenir du salut fasciste adressé à Paul Bouchard revint à la mémoire d'Antoine. Cette main ouverte, ce bras tendu, tout le monde les connaissait grâce aux actualités filmées. La politique internationale figurait tous les jours en première page des journaux. En ce seul jour du 27 août 1936, chacun avait pu lire des informations sur les défis lancés aux alliés par Adolf Hitler, sur l'aventure de l'Italie fasciste en Éthiopie, sur les progrès des armées de Francisco Franco en Espagne et sur les provocations de Léon Degrelle à l'égard du gouvernement belge. Dans cet univers dangereux, des mesures comme la nationalisation de l'électricité, ou même la séparation de la province de Québec et du Canada, paraissaient bénignes.

Les emportements du benjamin alternaient avec des sujets tout à fait innocents.

— Hier, nous avons passé la soirée avec Thomas, notre cousin. Sans la présentation faite par Antoine, je ne l'aurais jamais reconnu.

— Tu sais bien que depuis la séparation de son père, le garçon vit dans la famille de sa mère. Même quand Édouard venait encore nous visiter, du vivant d'Eugénie, jamais il ne l'amenait. Je ne pense pas l'avoir vu ici au cours des dix dernières années.

Toutes les allusions à sa première épouse, ou à la famille de celle-ci, plongeaient Fernand et ses deux enfants les plus âgés dans une certaine morosité. Charles ne se troublait guère à ce sujet.

— Je comprends très bien pourquoi on ne le voit plus, mais tu admettras que c'est bizarre : mon seul parent en dehors de cette maison vit à mille pieds peut-être d'ici, mais je n'aurais même pas pu le reconnaître si je l'avais rencontré dans la rue, hier. J'aurais pu passer la soirée près de lui sans me douter de rien.

— Tu sais, les histoires de famille, ça rime rarement avec la logique, remarqua son père.

Le notaire savait que même en partageant la même maison, on pouvait vivre en parfaits étrangers, feindre de ne jamais se connaître. Il en avait fait l'expérience cruelle.

Un bref instant, Béatrice avait eu envie de corriger son cadet. Thomas Picard junior n'était pas leur seul parent à l'extérieur de cette grande demeure. Il n'était même pas le plus proche. Jacques Létourneau, le fils illégitime d'Eugénie, avait dû terminer ses études de droit trois ans plus tôt. Jamais il ne s'était manifesté depuis le jour des funérailles, jamais on n'avait évoqué ce grand garçon blond, si beau, dans cette demeure.

Cela justifiait-il l'envie qui la prenait d'entrer en contact avec lui ?

Quelqu'un portant ce nom occupait un logement dans le quartier Saint-Jean-Baptiste ; elle l'avait repéré dans l'annuaire téléphonique. S'agissait-il de lui ? Ses yeux se levèrent pour se poser sur son père. Si elle tentait de le revoir, ce dernier verrait-il cela comme une trahison ? Le silence au sujet de ce garçon, au fil des ans, lui pesait.

Puis, son regard alla vers Élise. Celle-là connaissait tout de leurs secrets de famille. Le mieux serait d'en discuter avec elle. « Mais je n'oserais jamais, songea Béatrice. C'est bien trop gênant. »

Décidément, plus le temps passait, moins Édouard comptait sur Oscar Drouin, le ministre au long visage dépité, pour parler de lui au nouveau premier ministre de la province. Il était de notoriété publique que le chef vivait au Château Frontenac, comme quelques autres politiciens nantis. Au milieu des touristes, ils formaient une petite clique fréquentant le bar et la salle à manger.

Au petit matin du second jour de septembre, le vendeur de voitures de seconde main se tenait à l'entrée principale du grand hôtel. Il chercha des yeux un visage connu, quelqu'un se trouvant là depuis ses années d'opulence, pour en tirer quelques renseignements. Il reconnut un portier, s'avança avec son meilleur sourire de commerçant, la main tendue.

— Euclide, c'est bien ça ? Ça fait longtemps.

— M'sieur Picard ! On vous voit presque pus. Avez-vous quitté Québec ?

L'employé posait sur lui un regard moqueur. La remarque visait à le rendre mal à l'aise. Picard s'était tout de même présenté en ces lieux à quelques reprises, une fois les bases de son petit commerce d'automobiles établies.

— Comment ça, déménagé ? Moi, je suis fait pour vivre en ville, à Québec, pas loin de l'Assemblée législative.

Un silence inconfortable suivit, puis Édouard continua :

— Vous avez du monde important, parmi vos locataires.

L'employé demeura un peu perplexe, puis remarqua :

— C'est le meilleur hôtel de la ville. Ceux qui peuvent payer sont pas des deux de pique.

Tous deux savaient qu'un vendeur d'automobiles usagées ne comptait pas parmi ceux-là. Rien de mieux qu'une conversation avec un planton à l'uniforme de singe savant pour mesurer sa vraie place dans la société. Celui-là devait chasser les resquilleurs à grands coups de pied au cul et se montrer d'une obséquiosité rampante avec les grands de ce monde. Dans sa situation présente, Édouard ne pouvait attendre mieux qu'un semblant de politesse, dissimulant à peine une dose de mépris.

— Je parle du nouveau premier ministre. Il demeure ici, à ce qu'on dit.

— Le chef ? Oui, c'est parti pour être un client régulier.

— Il doit avoir du travail, ces temps-ci. Tout le monde doit vouloir lui quêter une place, une subvention, une faveur.

— Ça arrête pas. J'y pense, minisse, ça s'rait bon pour vous un jour, m'sieur Picard, dit l'employé sur un ton sarcastique. Bin sûr, avant faudrait commencer par vous faire élire député. La prochaine fois, vous s'rez candidat ?

— Je préfère travailler à faire élire les autres…

Un taxi s'arrêtant à ce moment devant la grande porte, Euclide replaça son képi bien droit sur son crâne puis murmura :

— Là moé, faut que j'travaille.

Le marchand n'avait même pas pu lui poser sa question toute simple : «À quelle heure Duplessis part-il pour se rendre au Parlement?» Au moins, le quidam serait occupé quelques minutes avec les valises du nouveau venu; cela lui permit d'entrer dans l'hôtel sans plus de façon.

Aucun visage connu ne se trouvait derrière le comptoir. Édouard profita d'une accalmie pour s'approcher et demander :

— J'aimerais connaître le numéro de la chambre de monsieur Duplessis.

— Nous ne donnons pas ce genre de renseignement.

— Alors, dites-lui que je suis arrivé.

Autant jouer d'audace, sinon il passerait des heures à faire le pied de grue. Son interlocuteur chercha une feuille sous le comptoir.

— Votre nom ?

— ... Édouard Picard.

— Je n'ai aucun Picard ici.

Le réceptionniste jaugea l'inconnu, apprécia le complet un peu démodé, mais fait sur mesure.

— Vous comprenez, ces temps-ci, monsieur Duplessis est sollicité de toutes parts. Les journalistes, les quémandeurs, bref, tout le monde se l'arrache. Alors, nous avons ordre de ne donner accès au premier ministre qu'aux personnes inscrites sur la liste mise à jour tous les matins.

— ... Je comprends. C'est vrai que bien des gens doivent vouloir lui parler.

Tout en essayant de se donner un air digne, Édouard se dirigea vers la salle à manger. Depuis l'entrée, il chercha des yeux la silhouette du politicien de Trois-Rivières, mais ne le reconnut pas. Il se dit que, quant à se trouver là, il pouvait en profiter pour y déjeuner. Son mécanicien se chargerait des clients du garage, si nécessaire.

Édouard prit son temps, espérant que le grand homme finisse par se présenter sur les lieux. Bien sûr, il crut reconnaître quelques politiciens, mais la nouvelle équipe ne se trouvait pas en place depuis suffisamment longtemps pour que des visages lui soient déjà vraiment familiers. Au moment où le serveur lui présenta l'addition, il remarqua :

— Je croyais bien voir le premier ministre en train de déjeuner, ce matin.

— Ah ! Depuis son élection, il prend tous ses repas dans sa chambre. Ce matin, j'ai monté son déjeuner moi-même.

Le client allongea un généreux pourboire, le garçon n'oserait pas abréger la conversation.

— Il doit être bien occupé, ces temps-ci.

— Sa chambre ne désemplit pas, on dirait que toute la province veut le voir. Des maires, des préfets de comté... Ils viennent de tous les coins de la province.

— Après trente-neuf ans avec le Parti libéral au pouvoir, ils veulent se faire connaître du nouveau chef.

Le serveur hocha la tête devant la justesse de l'observation.

— Puis, c'est sans compter la formation de son nouveau cabinet, remarqua Édouard. Bien des gens ont dû se battre pour passer sa porte, au cours des deux dernières semaines.

— Pour ça, le chef a été patient... "J'veux ce portefeuille-là." "Non, tu l'auras pas, il me l'a promis."

L'employé prenait le ton d'enfants se disputant pour des étrennes, ou de députés pour des ministères. Les deux pouvaient aisément être confondus. Il continua :

— Ils se prennent pour qui, Hamel et sa bande ? S'ils voulaient se distribuer les fonctions, ils n'avaient qu'à s'arranger pour diriger le parti.

— Il y a une dizaine de jours, j'ai soupé avec Oscar Drouin, dit Édouard. Celui-là semblait déjà certain de siéger au cabinet. Il ne s'était pas trompé.

— Oui… Il se montre raisonnable.

Il voulait dire « Pour un réformiste ». Quelqu'un claqua des doigts à une autre table, la conversation se conclut sur un « Au revoir ». Après tout ce temps perdu, alors qu'Édouard quittait la salle à manger, le hasard le servit enfin. Il croisa un homme à l'air d'un commis un peu égaré dans ce grand hôtel.

— Monsieur Gagnon, dit-il en tendant la main, je suis heureux de vous revoir.

— … Picard, dit l'autre après un moment d'hésitation, vous allez bien ?

— Après le résultat du 17 août, je me porte comme un charme. Nous voilà enfin débarrassés de la bande à Taschereau.

Onésime Gagnon avait disputé à Maurice Duplessis la direction du Parti conservateur provincial quelques années plus tôt. Comme l'idée d'être un bon second ne lui déplaisait pas, le chef lui réservait une place importante au cabinet.

— Dans ce cas précis, il s'agissait de la bande à Godbout.

— Celui-là est passé si vite sur la chaise du premier ministre que j'oublie même son nom. Quand on y pense, le chef du parti au pouvoir qui se fait battre dans son propre comté ! Je suis content d'avoir fait ma part dans ce grand ménage, assura le commerçant.

Au moins, ce Gagnon avait été témoin de ses services rendus dans les comtés de la ville et de la région de Québec.

— Pour ça oui, vous avez fait votre part !

Édouard avait mis toutes les voitures de son commerce à la disposition de l'Union nationale pour transporter des politiciens lors de la campagne électorale. Puis le 17 août, il répétait le même geste afin que les travailleurs d'élection aillent chercher les gens chez eux pour les amener au bureau de scrutin et les reconduisent ensuite.

— Bah! Je n'allais pas laisser les libéraux s'incruster pour un autre quarante ans!

Voilà qu'il se donnait l'air d'avoir balayé la province à lui seul. Comme Gagnon montrait des signes d'impatience, Édouard s'empressa de dire :

— Écoutez, monsieur le ministre, moi je vends des automobiles. Des camions aussi, quand ça adonne. Au gouvernement, vous devez en acheter souvent. Penserez-vous à moi ?

Bien sûr, personne ne faisait de travail d'élection pour l'amour du bon Dieu. Gagnon ne broncha pas.

— Si jamais quelqu'un cherche un fournisseur, je me souviendrai de vous. Mais vous savez, dans mon propre ministère, on n'achète pas de véhicules.

— Pourtant, les mines, la chasse et les pêcheries, ça exige de nombreux déplacements. Puis, si vous pouvez donner ça à vos collègues...

Le marchand lui tendit une dizaine de ses cartes professionnelles. Son interlocuteur les jetterait peut-être à la poubelle dans une minute, mais tenter sa chance ne coûtait rien.

— Je verrai ce que je peux faire, dit le politicien en les glissant dans sa poche.

— Je vous vendrai de bonnes automobiles, à un prix honnête, assura Édouard. Cependant, là où j'aimerais particulièrement l'appui des membres éminents de l'Union nationale, le vôtre en particulier, ce serait pour me recommander auprès d'une compagnie d'automobiles. J'aimerais devenir concessionnaire pour Chevrolet, Ford ou Chrysler, et vendre des voitures neuves.

Gagnon ouvrit de grands yeux, surpris. On ne devait pas lui demander souvent ce genre de patronage.

— Personne dans le parti n'a d'influence là-dessus, déclara-t-il.

Picard hocha la tête, guère convaincu.

— Rien ne doit échapper totalement au bon vouloir du premier ministre. Bon, je vais vous laisser, mais bientôt, je vous contacterai à ce sujet.

Les deux hommes se quittèrent sur une poignée de main. En sortant, Édouard se demandait si vraiment des soutiens de ce genre serviraient à quelque chose. Surtout, il regrettait que le hasard ne l'ait pas mis sur le chemin de Johnny Bourque, le député de Sherbrooke, ministre des Transports. Lui n'aurait pu s'esquiver : ses employés devaient utiliser toute une flotte de véhicules.

# Chapitre 4

Un voyage à Montréal par la route tenait de l'expédition, malgré les investissements consentis par le gouvernement Taschereau dans la «politique des bons chemins». Heureusement, comme la voiture longeait le fleuve, le panorama en valait la peine. Le notaire Dupire abandonnait ses clients pour conduire deux de ses enfants à Montréal.

Fernand avait réussi à arrimer la grosse malle de Béatrice sur le toit du véhicule. Celle de Charles devait arriver le lundi suivant à bord d'un train du Canadien National. Au terme d'une brève discussion, tous avaient convenu qu'une jeune femme ne pouvait se passer de l'ensemble de ses vêtements pendant deux jours. Le garçon ne se montrait pas si regardant.

Pendant de longues heures, les deux jeunes adultes demeurèrent silencieux. Ce premier départ, non seulement de la maison, mais aussi de la ville de Québec, leur donnait le trac. Les commentaires de Fernand sur le paysage ou les villages pittoresques obtenaient de brèves réponses. À la fin, Élise et lui s'en étaient tenus à échanger des propos entre eux. Cela dura les deux tiers du chemin.

— Ce matin, Antoine paraissait passablement ému, commenta le benjamin au moment où ils entraient dans la ville de Sorel.

En réalité, Charles trouvait là une façon d'évoquer son propre malaise. Son père ne s'y trompa pas.

— Voilà une étape importante de la vie. Ça signifie se faire une place dans un milieu inconnu, se présenter aux autres sous un jour nouveau. À Québec, vous êtes les enfants du notaire de la rue Scott. À Montréal, ça ne dira rien à personne.

— Dans une autre langue, ce sera encore pire, précisa Béatrice d'une voix douce.

C'est ce qui l'effrayait le plus. Le père chercha son visage dans le rétroviseur, leurs yeux se croisèrent un instant.

— Je ne voudrais pas être à ta place pour ça, commenta Charles.

Ces paroles ne devaient pas tranquilliser la jeune femme.

— Je suis certaine que ça ira, dit Élise, sur la banquette avant, en se tournant à demi afin de la regarder. Après tout, tu as dû te confronter à l'anglais lors des camps d'été.

— Ça ne me rassure pas beaucoup. Je demeurais dans mon coin, toute rougissante. Certaines me croyaient sourde et muette, tellement je ne faisais pas de bruit.

— Tes Américaines n'étaient pas bien informées, répliqua son frère. Les sourds font du bruit, car ils ne s'entendent pas.

Lors des jamborees ayant marqué son enfance et sa prime adolescence, le garçon avait croisé une troupe de scouts composée de malentendants.

— Voyons, certaines de ces filles t'ont envoyé des lettres, à ton retour. Il y en a même une avec qui tu corresponds depuis trois ou quatre ans.

Élise entendait apaiser un peu l'anxiété de sa belle-fille. Son effort lui valut un sourire reconnaissant, mais pas tout à fait convaincu.

— Après deux semaines, les autres découvraient que je pouvais parler. À la quatrième, elles comprenaient un peu ce que je disais.

— Tu auras jusqu'en mai pour créer des liens, dit Fernand. Tiens, je parie qu'aux vacances de Noël, à la maison, tu t'ennuieras de tes amies de l'Université.

À travers le rétroviseur, la jeune femme remercia son père pour ses bonnes paroles. «Le plus drôle, c'est qu'il a sans doute raison», se dit-elle.

Le clou du trajet consistait en la traversée du pont Jacques-Cartier. Amorcés en 1926, les travaux s'étaient terminés en 1930, avec largement plus d'un an d'avance sur le calendrier initial. Tous les passagers retinrent leur souffle en passant sur le segment le plus haut. L'image d'une voiture basculant dans le vide traversa les esprits. La grande courbe avant d'atteindre l'île de Montréal suscita un commentaire de Charles:

— Voilà une curieuse idée. Tu sais pourquoi ils ont fait ça? Je suppose que des obstacles au fond du fleuve empêchaient de poser les piliers.

— L'obstacle était un vieil entrepreneur têtu, commenta son père. Il a obstinément refusé de vendre le terrain où aboutissait la ligne droite, d'une rive à l'autre.

— Le gouvernement pouvait l'exproprier, non? Dans ces cas-là, parfois il est même possible de réaliser une bonne affaire en faisant monter le prix.

— Ça devait être un bon électeur libéral que le gouvernement n'a pas voulu déranger.

Le notaire disait cela d'une voix railleuse.

— Antoine dirait plutôt un conservateur à qui le gouvernement ne voulait pas donner une grosse somme. Au Comité des comptes publics, Duplessis a montré comment les libéraux avantageaient leurs amis et privaient leurs ennemis.

— Je me demande comment ça se passera, quand on fera le même exercice après le passage de l'Union nationale au pouvoir.

Depuis la dernière année, les journaux n'abandonnaient jamais le sujet des malversations. Les prudents exprimaient un sain scepticisme.

Une fois sur l'île de Montréal, Fernand abandonna les histoires politiques. Si la ville ne lui était pas inconnue, la voir au volant d'une auto donnait une tout autre perspective. Tout de même, il trouva le boulevard Dorchester sans se tromper, roula un peu vers l'ouest jusqu'à Saint-Denis. Cela permit à Charles d'entrevoir l'École des hautes études commerciales. Pendant les prochaines années, il y passerait l'essentiel de son temps. Il cherchait déjà les écrits d'Esdras Minville ou de François-Albert Angers, ses futurs professeurs, afin de prendre un peu d'avance.

— Tous ces hommes, sur les trottoirs... remarqua Béatrice.

Allant par deux ou trois, les visages hâves, les vêtements fripés, usés, déchirés parfois, les chômeurs s'avéraient aisément identifiables.

— C'est la même chose à Québec, tu sais, expliqua son père. Seulement, on ne les aperçoit pas dans la Haute-Ville. Quand je vais au magasin, je les remarque partout dans Saint-Roch ou Saint-Sauveur.

— Je croyais que la situation s'améliorait.

— Comparé à 1932, ça va mieux. Toutefois, les emplois sont rares, les salaires stagnent. Les fonctionnaires fédéraux voient leurs appointements réduits et Duplessis menace de renvoyer tous ceux de la province.

Dans la grande rue bourgeoise, les sans-emploi se raréfiaient. Un peu plus haut dans Saint-Denis, au coin de Sainte-Catherine, Fernand signala :

— Voici l'église de la paroisse Saint-Jacques. Ce sera votre église paroissiale.

Les jeunes gens acquiescèrent d'un mouvement de la tête. Ils feraient bien d'en mémoriser le décor, car à leur prochaine visite à Québec, mine de rien, leur père glisserait quelques remarques sur la beauté de ce temple dans la conversation. La présence à la messe lui paraissait importante.

Les maisons de chambres se trouvaient l'une en face de l'autre, ou presque, juste au nord de la rue Sherbrooke. Fernand stationna du côté droit, afin de réduire la distance à parcourir avec la grosse malle. Béatrice se planta sur le trottoir pour lever les yeux et contempler l'édifice devant elle.

La grande demeure bourgeoise comptait trois étages en plus du rez-de-chaussée. Des cloisons érigées dans les grandes pièces avaient permis d'y délimiter une vingtaine de chambres. Seules quelques-unes n'avaient aucune fenêtre donnant sur l'extérieur. Dans leur cas, une ouverture vitrée en haut des portes laissait passer la lumière. Les occupantes les maintenaient toujours entrouvertes afin de faire circuler l'air. Tout cela, la jeune femme le savait grâce à une visite effectuée début juillet.

— L'endroit te paraît aussi bien que la dernière fois ? demanda Élise.

La famille s'était livrée à la même expédition quand les jeunes gens avaient reçu leur lettre d'acceptation.

— L'éloignement de la date d'occupation embellissait un peu les choses, je pense. Maintenant, je vois plutôt la peinture écaillée et les mauvaises herbes dans ce carré de pelouse.

Tout de même, elle se forçait à sourire.

— Entrons, nous bloquons le chemin à ces hommes forts.

Tenant chacun une extrémité de la malle, le père et le frère avançaient vers l'escalier. La future étudiante gravit les quelques marches pour utiliser le heurtoir en laiton. Une dame un peu corpulente vint ouvrir.

— Ah! Mademoiselle Dupire, bienvenue. Bientôt, tout mon monde sera là.

De la tête, elle salua Élise tout en s'écartant pour laisser entrer les deux hommes chargés du bagage. La plupart de ses nouvelles pensionnaires arrivaient ainsi avec toute une délégation. Cela devait les rassurer.

— Vous vous souvenez du numéro de la chambre? C'est au second.

La matrone décrocha une clé du mur. Comme derrière le crochet se trouvait le chiffre 25, cela rafraîchit la mémoire de la pensionnaire.

— Je vous laisse vous installer. Souperez-vous avec nous?

— Non, ce soir, je mangerai à l'extérieur avec mes parents.

Le petit groupe, semblable à une caravane, monta les escaliers. À l'étage, des résidentes, attirées par le bruit, entrouvrirent leur porte. Certaines dirent «Bonjour», l'une y alla d'un «Bienvenue». Toutefois, comme le regard de la jeune fille se portait à ce moment sur Charles, Béatrice ne prit pas ce mot pour elle.

La prise de possession du logis du garçon se fit de la même façon. Avec une vingtaine de jeunes hommes vivant là, l'endroit devait vibrer de maintes discussions politiques.

Le reste de l'après-midi fut consacré à des courses dans l'Ouest de la ville. Les magasins Morgan et Eaton se situaient l'un près de l'autre ; Ogilvy, un peu plus loin. La température du début septembre s'avérait propice à la marche et au lèche-vitrine. Ensuite, tout le monde se rendit à l'hôtel Windsor pour le repas.

Très courte, la rue Saint-Denis, dans la Haute-Ville de Québec, comptait plusieurs demeures plutôt majestueuses. Antoine pénétra dans une grande maison de chambres. Il connaissait assez bien les lieux, à cause de ses visites régulières. Le petit salon se situait immédiatement à droite de l'entrée. L'année scolaire commencerait le lundi suivant, une malle traînait au milieu de la pièce, deux autres dans le couloir. L'homme de peine de la maison, Georges Bernier, verrait à les monter avant l'arrivée de leur propriétaire.

Comme lors de ses visites précédentes, Antoine occupa un fauteuil. Après quelques minutes, Jeanne arriva.

— Je m'excuse de vous avoir fait attendre.

Le jeune homme quitta son siège et prononça d'un ton faussement sévère :

— Voyons, tu peux faire mieux que ça.

— Ce n'est pas comme quand tu avais trois ans, dit-elle en riant. Je m'excuse de t'avoir fait attendre. Tu as une bonne mine.

— Tu n'es pas en retard, je suis en avance.

Il se pencha pour lui embrasser les joues, tout sourire.

— Ah ! Je me disais, aussi. Allez, viens à côté.

L'ancienne domestique de la maison de la rue Scott avait pris un peu de poids. Sa chevelure était frisée par une permanente, comme le voulait la mode. Antoine constata la présence de cheveux gris de plus en plus nombreux. Derrière un comptoir, une porte donnait accès à un petit salon réservé au couple responsable de la gestion de l'établissement. La cafetière fumante occupait déjà la table basse avec les tasses.

— Assois-toi là, dit-elle, je vais chercher des biscuits.

Un instant plus tard, elle revenait avec une soucoupe.

— Tu me donnes l'illusion d'avoir encore sept ans. Tu me servais les mêmes quand je revenais de l'école.

— Là, tu en as vingt, tu me dépasses de plus d'une tête.

Le passage du temps ne lui faisait visiblement pas plaisir. Il en allait sans doute toujours de même quand arrivait la cinquantaine.

— Dire que dans quelques jours, tu seras déjà à l'université, continua-t-elle. C'est une étape importante.

Les études du jeune homme firent l'objet de la conversation pendant quelques minutes. Puis, vint la question habituelle, un ton plus bas, comme si Jeanne commettait une indiscrétion :

— Tu vas faire les mêmes études que Fernand… Comment va-t-il ?

Plus de dix ans plus tôt, cette femme mettait fin à une relation amoureuse avec son patron. La situation entre eux devenait impossible, avec la présence d'une épouse maussade au point de devenir cruelle.

— Papa va bien. Aujourd'hui, il reconduit Béatrice et Charles à Montréal.

— Seigneur ! Les deux plus jeunes aussi à l'université. Encore un peu et je vais me sentir comme une grand-mère.

La remarque troubla un peu Antoine. Pendant les premières années de leur vie, cette femme avait représenté la seule présence maternelle. Son dévouement alors qu'Eugénie négligeait tout à fait ses enfants et son amour pour le maître de la maison ne lui conféraient pourtant aucun droit. Son départ, avec l'espoir d'avoir un jour sa propre famille, s'était avéré la seule façon de remédier à sa souffrance. Or, la vie ne lui avait pas donné d'enfant, et voilà que depuis ses seize ans, ce colosse venait passer quelques minutes avec elle, plusieurs fois dans l'année.

— Il demeure en bonne santé ?

— Il marche une bonne heure tous les jours. Finalement, il se porte sans doute mieux qu'il y a une dizaine d'années.

— Ses raisons de vouloir vivre vieux s'avèrent bien meilleures qu'en 1925.

Le sous-entendu peina son visiteur. Évidemment, Fernand prenait soin de lui afin de profiter le plus longtemps possible de sa relation avec Élise. Son interlocutrice devina sans peine le cours des pensées d'Antoine.

— Ça me fait plaisir de le savoir heureux, tu sais. Cette femme d'abord, puis le…

La suite ne se formulait pas à haute voix. Antoine le fit pourtant :

— Puis, un décès providentiel lui a rendu sa liberté.

Jeanne acquiesça d'un geste de la tête.

— Fernand mérite ce qui lui arrive, ajouta-t-elle. Il s'est toujours montré si bon. Avec vous comme avec moi.

Aux yeux d'Antoine, la meilleure attitude aurait été d'obtenir une séparation de corps afin de mettre fin à la présence destructrice de sa mère. À la place, une fois la domestique disparue, la marâtre était restée. Jeanne semblait deviner tout ce qui se passait dans sa tête.

— C'est moi qui suis partie, tu le sais. Pas le contraire.

Pour un garçon qui ferait son entrée à l'université quelques jours plus tard, il était bien informé des réalités des vies conjugales complexes. Il resta encore une bonne demi-heure à discuter, puis quitta son siège pour rentrer. En l'embrassant une dernière fois, Jeanne lui dit :

— Madame Picard aimerait te saluer.

— Madame Picard ?

— Élisabeth.

Antoine ne cachait pas sa surprise.

— Je ne la connais pour ainsi dire pas.

— Voyons, elle venait à la maison quand tu étais enfant. Il s'agit de ta grand-mère… en quelque sorte.

Malgré son malaise, il donna son assentiment d'un geste de la tête.

La maison donnant rue Saint-Denis communiquait avec celle de la rue Sainte-Geneviève. Quand Antoine arriva dans le hall de cette dernière, ce fut pour se trouver devant deux députés comptant parmi les locataires.

— Je cherche madame Picard, dit-il. Savez-vous où elle se trouve ?

Après l'avoir soumis à un examen des pieds à la tête, l'un des hommes répondit :

— Les étudiants doivent s'adresser à madame Bernier.

— C'est elle qui m'envoie ici.

— Bon. À cette heure, madame Picard s'affaire dans la cuisine.

Le jeune homme remercia son informateur, frappa quelques coups contre la porte avant de l'ouvrir. Une cuisinière s'activait devant un énorme appareil de cuisson, alors qu'une grande femme élégante se penchait sur un livre de cuisine.

— Oh ! Antoine, fit-elle en levant la tête. Je vous attendais. Je suis heureuse de vous revoir, après tout ce temps. Vous ressemblez beaucoup à votre père, vous savez.

Quand Élisabeth avait connu Fernand, celui-ci avait moins de vingt ans. Elle le retrouvait en son fils.

— Jeanne me disait tout à l'heure que vous veniez à la maison, quand j'étais petit. Malheureusement, je ne m'en souviens pas.

— Et moi, je me rappelle vous avoir eu sur mes genoux, et là, je me trouve devant un homme.

Un peu embarrassé par cette allusion à sa prime enfance, Antoine accepta la main tendue.

— Venez à côté, que nous parlions un peu. Je vais demander à ce qu'on nous prépare du thé.

— Non merci, ne vous dérangez pas, pas après le café et les biscuits.

La maîtresse des lieux habitait un petit appartement, considérablement plus élégant que celui d'où il sortait. La scène se répétait, de nouveau il se trouvait assis près d'une petite table.

— Je suppose que vous commencerez bientôt vos études universitaires.

Élisabeth tenait une liste des anniversaires de ses petits-enfants, jamais elle ne manquait l'occasion d'envoyer une carte de vœux. Cela lui permettait de deviner les progrès scolaires de chacun.

— Oui, à la faculté de droit.

— Comme votre père. Vous souhaitez reprendre son étude ?

— Si cela n'arrive pas, le pauvre serait très déçu.

— Comment se porte-t-il ?

Une fois encore, le garçon évoqua la situation de Fernand, de son frère et de sa sœur. Tout en parlant, il contemplait son hôtesse, la belle Élisabeth Picard. Bien sûr, dans la Haute-Ville de Québec, tous les habitants finissaient par se croiser, et son allure ne lui était pas inconnue. De si près, il réalisait combien elle avait dû être magnifique, des décennies plus tôt.

— Je voulais vous voir depuis un moment, vous savez. Vous êtes l'un des petits-enfants de Thomas, je me considère un peu comme votre grand-mère, même si je n'ai pas donné naissance à Eugénie.

Antoine hocha la tête. Elle avait élevé les enfants d'un premier lit.

— Vous pensez à elle, parfois ? demanda-t-elle.

Il passait des semaines sans qu'elle effleure son esprit, et aujourd'hui, voilà qu'on l'évoquait pour la seconde fois.

— Parfois. Sans plaisir, toutefois.

— Je comprends. La pauvre a été si malheureuse et si seule.

— Moi, je me souviens surtout qu'elle rendait les autres malheureux.

Son interlocutrice demeura songeuse un long moment, avant de retrouver son sourire.

— Vraiment, vous ressemblez beaucoup à votre père. Physiquement bien sûr, mais moralement surtout. Le même bon cœur. Vos visites à Jeanne, depuis quelques années, le prouvent.

— Vous évoquiez ma mère, il y a un instant. Jeanne a joué ce rôle auprès de moi.

Quelques minutes plus tard, Antoine rentrait chez lui.

Depuis plus d'une heure, Édouard Picard refaisait ses additions pour se rassurer sur sa situation. Les affaires de l'été le laissaient plutôt satisfait. Finalement, vendre des autos usagées ressemblait à la pratique de l'agriculture. Tout au plus les saisons étaient-elles inversées. L'hiver, alors que le chômage augmentait, il achetait des véhicules à des personnes rendues à la dernière extrémité. L'été suivant amenait un regain d'optimisme qui poussait certains à se mettre en difficulté pour en obtenir un. Édouard gardait les coordonnées de ses acheteurs. Rien de tel qu'un coup de téléphone en janvier, afin de s'informer des performances du bolide, pour connaître l'état des finances du client. Parfois, le commerçant rachetait une auto vendue quelques mois plus tôt avec un escompte de trente pour cent. Une Chevrolet était passée ainsi à trois reprises dans la cour de son garage.

— Bon, je n'y passerai pas toute la soirée. Le bilan est bon, mais à ce rythme, je mettrai trente ans avant de retourner dans la Haute-Ville.

Il referma son registre d'un geste brusque, le rangea dans le tiroir de son vieux bureau de chêne. Tout de même, avec une peinture fraîche, de bons fauteuils pour les clients, un distributeur d'arachides pour les plus affamés, son espace de travail ressemblait moins à un taudis qu'en 1932. Deux rallonges ajoutaient surtout à son confort. La section « logis » s'avérait maintenant deux fois plus grande. La présence d'une véritable salle de bain lui permettait de recevoir des invitées. Sa vie amoureuse connaissait une embellie.

Il passa dans l'atelier de réparations attenant, une charpente de bois couverte de feuilles de tôle.

— Alors, cette Ford roulera-t-elle encore ?

Il s'adressait à une paire de jambes dépassant sous un véhicule. D'un mouvement, leur propriétaire fit rouler la planche sur laquelle il travaillait, couché sur le dos. Son visage couvert de graisse de machine s'éclaira d'un sourire.

— A va marcher pendant un an, pas plus.

— Six mois suffiront. Bon, tu vas mettre le cadenas sur la porte en sortant.

— Certain, j'voudrais pas qu'vous vous fassiez voler vot' beau linge.

Le mécanicien acceptait de travailler toutes les heures demandées. Avec quatre bouches à nourrir, impossible de faire le difficile.

— Alors, bonne nuit.

La réponse de l'ouvrier fut couverte par le bruit des roulettes de la planche. Dehors, le marchand examina la quinzaine de véhicules joliment alignés, chacun avec un carton portant son prix glissé sous un essuie-glace. Ses yeux se posèrent sur la motocyclette rangée contre le mur, puis sur son costume. Il ne possédait pas suffisamment de bons vêtements pour risquer de le gâcher. Puis, dans son métier, il avait le loisir de choisir dans sa cour la voiture dans le meilleur état.

— La Cadillac serait parfaite, si je vais faire un tour au Château Frontenac ensuite.

Lorsqu'il fut assis derrière le volant, son enthousiasme tomba d'un cran.

— Aller écouter ce dentiste ne me rapportera rien, puis ça risque de me faire mal voir par les gens du parti. Il se fait des ennemis à une vitesse ahurissante.

Son habitude de se parler à haute voix durait. Une vie de solitaire ne lui convenait peut-être pas. Philippe Hamel retrouvait goût aux grandes assemblées, une semaine après celle du Palais Montcalm. Il reprenait le bâton du pèlerin pour prêcher la nationalisation de l'hydroélectricité.

— De toute façon, la province ne peut administrer une société comme la Shawinigan Water and Power. Les fonctionnaires, ça ne sait même pas compter leurs doigts.

De la part d'un homme réduit quelques années plus tôt à céder son affaire pour éviter la faillite, le jugement paraissait bien sévère. Une autre raison rendait la belle automobile inutile : début septembre, les touristes se raréfiant dans les grands hôtels, il risquait de ne trouver personne sur qui essayer son charme latin et son anglais lourdement accentué. « *So charming* », lui disait-on parfois.

— Ah ! Christ !

Édouard sortit, claqua la porte de la Cadillac. Prendre une voiture pour se rendre dans la rue Saint-Joseph serait ridicule. En traversant le pont, il contempla un moment les eaux boueuses de la rivière Saint-Charles. Tout de même, la ville de Québec connaissait des progrès, l'odeur d'égout s'avérait à peine perceptible.

Dans la rue Dorchester, il s'arrêta devant un concessionnaire de voitures Dussenberg. C'était sa nouvelle ambition, ce qui lui permettrait de vraiment se refaire au niveau financier : vendre des voitures neuves d'une marque populaire. Jusque-là, toutes ses tentatives s'étaient soldées par un échec, faute d'argent à investir. S'il réussissait à obtenir quelques contrats de fournitures avec l'Union nationale, ou peut-être seulement la recommandation de l'un de ses dirigeants, il y arriverait.

Il répétait ce petit pèlerinage avec régularité. En s'engageant dans la rue Saint-Joseph, il changea d'idée et poursuivit jusqu'au boulevard Charest. Les échafaudages dissimulaient toujours la majeure partie de la façade, mais tout de même, on pouvait sans mal apprécier l'ensemble.

— Ça ne ressemblera plus du tout au commerce de papa. Il restera juste le mot PICARD.

Après avoir presque ruiné l'entreprise, Édouard craignait qu'un autre plus compétent ne la défigure. Malgré les regards un peu curieux de certains employés, car en dépit de ses visites fréquentes, il n'achetait jamais rien, il marcha entre les présentoirs de marchandise. Presque personne ne l'interpellait par son nom. De toute façon, très peu de vendeuses devaient l'avoir eu comme employeur : elles quittaient toutes le magasin au moment de leur mariage, sinon à la naissance de leur premier enfant.

Il en allait différemment des chefs de rayon. Au troisième, dans la section des vêtements pour enfants, la responsable fixa son regard dans le sien.

— Bonsoir, mademoiselle Faucher. Vous avez pris du galon, à ce que je vois.

Les produits pour fumeurs ne l'avaient occupée que pendant un an, le temps de son apprentissage. Maintenant, Rita Faucher dirigeait une demi-douzaine de vendeuses. Les économies qu'elle avait accumulées lui permettaient d'envisager l'achat d'une maison.

— Monsieur Picard, dit-elle avec un salut de la tête.

Ces rencontres la rendaient terriblement mal à l'aise. Un jour, elle n'en doutait pas, il n'hésiterait pas à la traiter haut et fort de sale traîtresse. Il ne pouvait ignorer le rôle qu'elle avait eu en 1932. Finalement, l'homme continua son errance. Un peu plus loin, Marie Dubuc s'empressait auprès de clientes, une mère et sa fille, à en juger par leur ressemblance. Celle-là, impossible de la défier de la même façon : elle lui donnait l'impression de redevenir un gamin.

Au-delà du rayon des vêtements pour dames se trouvait l'accès aux bureaux administratifs situés dans l'édifice voisin. Un vendredi soir, le nouveau directeur devait toujours être là, tout comme sa femme-secrétaire, pensa Édouard. Bien sûr, ces Picard se montraient sérieux, engagés dans leur travail. Ceux-là aussi demeuraient hors de sa portée. Jusqu'à ce jour, à tout le moins.

— Mais, quand je serai prêt… grommela-t-il comme une menace en s'engageant dans l'escalier.

Mettre le feu figurait toujours au premier rang de ses fantasmes. D'autres s'avéraient plus amusants, comme dans un film américain : libérer des coquerelles ou des souris dans les allées, boucher les éviers et les toilettes et laisser l'eau faire ses dégâts. Tout compte fait, il savait que faire fortune serait la meilleure façon de restaurer sa dignité.

Vers neuf heures, le notaire stationnait une nouvelle fois devant les maisons de chambres. Élise embrassa Charles et laissa Fernand l'accompagner seul dans sa nouvelle demeure. À titre de belle-mère, son absence valait mieux à certains moments. Cette prudence maintenait l'harmonie dans cette famille recomposée.

Le père et le fils se firent face dans l'entrée de la maison.

— Prêt pour cette aventure ? demanda Fernand.

— Oui, j'ai juste hâte que ça commence.

Pourtant, la confiance de Charles allait en décroissant, le trac le gagnant de plus en plus. Le père marqua une pause, puis continua, un ton plus bas :

— Tu garderas un œil sur ta sœur, d'accord ? Tu devrais aller manger avec elle une fois de temps en temps. Autrement, j'ai peur qu'elle se sente très seule, surtout au début.

— Bien sûr. Comme ni l'un ni l'autre n'avons le dîner compris dans le coût de la pension, ça nous fournira des occasions de nous retrouver dans les cafés aux alentours.

— Par exemple, demain ?

Charles marqua une pause avant d'admettre :

— Non, pas demain. J'ai déjà convenu d'un rendez-vous avec deux gars de Montréal.

— Tu connais des gens à Montréal ?

— … Des scouts. Je leur ai écrit pendant l'été. J'en retrouverai quelques-uns aux HEC.

Fernand hocha la tête. Cette correspondance ne lui avait pas échappé.

— Toi, tu ne souffriras pas de solitude, j'en suis certain.

Son cadet lui adressa un sourire satisfait.

— Ta vie sociale ne nuira pas à tes études, j'espère.

— Papa… tu as toujours vu mes bulletins.

«Oui, mais à la maison, je t'avais à l'œil», pensa le père. À haute voix, il dit plutôt:

— Tu as raison, tu as toujours été responsable. Bon, maintenant je te laisse.

Après une brève accolade, ils se quittèrent. Fernand trouva les deux femmes en grande conversation sur le trottoir, de l'autre côté de la rue. En le voyant, Élise prit sa belle-fille dans ses bras et lui murmura «Bon, profites-en bien». Dans l'immeuble, on accédait d'abord à un bref couloir où les locataires pouvaient laisser leur manteau et leurs chaussures. Une autre porte donnait accès à l'ère de vie proprement dite. D'abord, le père s'assura aussi du bien-être de sa fille:

— Ça ira pour toi?

— Tu le sais, j'aimerais demeurer plus proche de grand-maman, dans les circonstances.

— Elle n'aimerait pas que tu mettes ta vie entre parenthèses.

La vieille dame avait même émis le désir de disparaître avant la rentrée, tant elle souhaitait voir sa petite-fille donner suite à ses ambitions.

— Pourquoi n'achèterais-tu pas un lot de cartes postales sur les lieux que tu fréquenteras cette année? suggéra-t-il après une pause. Tu pourrais y écrire quelques mots et lui en envoyer de temps en temps.

Béatrice esquissa un sourire. Cette attention comblerait sa grand-mère. Elle pourrait même préparer toute une série de cartes le dimanche, afin de ne jamais négliger cette attention.

— Je suis content que tu habites juste en face de Charles. Mine de rien, tu pourras exercer ton influence sur lui.

— Moi?

L'idée paraissait amuser la jeune fille.

— Je ne pense pas qu'il me laissera le tenir en laisse.

— Je l'espère bien, sinon je serais bien désolé pour lui. Cependant, n'en doute pas, il respectera ton opinion, tes conseils. Je crains que sa vie sociale n'empiète sur ses études. Déjà, il doit dîner demain avec d'anciens scouts.

La blonde accepta de jouer son rôle de grande sœur d'un geste de la tête. Une longue étreinte marqua la fin de la conversation. La porte donnant accès au hall s'entrouvrit, une voix dit:

— Pardon, je ne savais pas…

La propriétaire de la maison disparut sans un mot de plus. Le père fut rassuré, cette femme ne laissait pas à ses locataires l'occasion de prolonger les baisers avec leur chevalier servant. L'instant d'après, il rejoignait sa femme. Tous les deux dormiraient à l'hôtel Windsor, pour rentrer chez eux le lendemain matin.

Plusieurs jours après son arrivée dans sa maison de chambres, Béatrice demeurait encore tout aussi intimidée. Un brin de conversation dans les couloirs allait encore, mais au moment du repas du soir, quand toutes les locataires se rassemblaient à table, elle se faisait l'impression d'être soumise à un examen. Le regard des autres lui pesait.

Toutes ces jeunes femmes travaillaient pour gagner leur vie plutôt chichement, en tant que vendeuse, secrétaire ou commis. Son statut la distinguait déjà ; son niveau d'instruction, la richesse de sa mise aussi.

— Comme ça, c'est vrai, tu vas à l'université ? demanda l'une, pour la seconde fois depuis son arrivée, comme si l'information demeurait suspecte.

— Oui, c'est vrai.

Béatrice se tenait à un bout de la table, parmi les plus jeunes. Deux locataires dépassaient les trente ans. Cela pouvait tenir à leur désintérêt à l'égard des hommes, ou à leur malchance dans la quête d'un bon parti. Le chômage ambiant retardait nombre d'unions.

— En anglais, en plus, remarqua celle qui lui faisait face, de l'autre côté de la table.

— Pis avec des protestants, ajouta une autre.

Clairement, aux yeux de cette vendeuse de chez Dupuis Frères, il s'agissait là d'une situation trouble. L'interrogatoire porta ensuite sur la ville de Québec et la fonction de son père. Quand l'attention dévia enfin sur un autre sujet, Béatrice respira mieux. Avec un peu de chance, les pensionnaires reviendraient de leur surprise et concentreraient de nouveau leurs échanges sur des vedettes de cinéma.

Au moment où l'étudiante montait au second étage, la jeune femme occupant la chambre voisine de la sienne lui emboîta le pas. Dans le couloir, elle demanda :

— Le garçon que tu vois tous les jours, c'est ton amoureux ?

— Quel garçon ?

— Celui qui habite de l'autre côté de la rue, un peu en biais.

— Il s'agit de mon frère.

L'autre parut heureuse de la précision. Elle demanda encore :

— Il va aussi à McGill ?

— Non, plutôt à l'École des hautes études commerciales.
La châtaine hocha la tête, comme pour approuver ce choix. En entrant dans sa chambre, elle dit :
— Bonne soirée, Béatrice.
— Bonne soirée...
— Je m'appelle Annette.
La précision vint avec un sourire. La nouvelle venue ne connaissait pas encore les prénoms de toutes ses voisines. Bien sûr, en limitant ses conversations à répondre aux questions, sans jamais en poser, elle ne risquait pas de les apprendre.

Les jeudis soirs s'avéraient toujours propices à la vente de disques. Peut-être les jeunes gens souhaitaient-ils se réserver des activités agréables pour la fin de semaine à venir. Victor verrouilla soigneusement la porte de son commerce, empocha les clés et se mit en route. Le Château Saint-Louis ne se trouvait pas suffisamment éloigné pour justifier de prendre sa voiture.

Il s'arrêta dans un petit commerce situé près de chez lui pour acheter de la gomme à mâcher. La publicité de la compagnie Spearmint promettait des rendez-vous remplis de fraîcheur. Au moment de payer, il remarqua le titre du journal *Le Soleil*, évoquant le sort des fonctionnaires provinciaux.

— Voilà une curieuse habitude, le renvoi de tous les employés du gouvernement lors d'un changement de régime.

— Ces gens-là ne me font pas tellement pitié, remarqua son collègue. Ils ont eu quarante ans à se graisser la patte.

Répondre que la plupart de cet effectif ne gagnait pas grand-chose s'avérait inutile. Depuis le début de la crise, le niveau d'imposition ne cessait de croître, les marchands se lassaient de mettre la main dans leur poche.

— Si on les embauchait sur la base de leurs compétences, dit Victor, ce serait mieux que de les choisir d'après leur façon de voter. Il paraît que le ministre des Transports, Johnny Bourque, a reçu huit mille candidatures pour remplacer les gens en poste. Je parie que ceux qu'on verra sur nos routes ne seront pas les meilleurs.

— Ouais, ouais ! Pour moi, ça ne changera rien. Mais dis-moi donc, Baril, à force d'aller te promener du côté de la Grande Allée, tu penses pas t'installer là, toujours ?

Victor eut envie de lui dire de se mêler de ses affaires, mais les règles de bienséance devaient prévaloir entre collègues et voisins.

— Mon commerce se trouve ici, mon logement aussi, je ne déménagerai pas.

— Alors, c'est-tu elle qui va venir par icitte ?

— C'est la même chose de son côté. Elle a son logement.

— On sait bien, une docteure. Ça doit être beau chez elle.

La présence de Thalie dans la vie de Victor n'était pas restée secrète bien longtemps. Dans une petite ville comme Québec, tout se savait. Au gré de ces remarques fréquentes, le marchand de musique se demandait ce qui troublait le plus ses voisins : la présence d'une femme dans sa vie à l'extérieur des liens sacrés du mariage ou le fait qu'il soit allé la chercher chez les notables. Très vite, tout le monde concluait à la mésalliance.

— Bon, je dois y aller, sinon elle va m'attendre.

Après l'avoir salué, Victor pressa le pas pour rejoindre la Grande Allée.

Béatrice gardait l'impression d'être invisible même après une semaine à l'Université McGill. Chaque matin, elle montait dans le tramway au coin de la rue pour se diriger vers l'ouest. Les grands édifices de brique et de pierre l'impressionnaient toujours autant. Un peu avant tous les autres, elle prenait place dans un coin, dans les amphithéâtres. Des garçons jetaient un regard vers elle en gagnant leur siège, parfois avec le sourire. Aussitôt, elle les imaginait moqueurs.

Le mot *Frenchie* parvenait parfois à ses oreilles. Il ne s'agissait certes pas d'une insulte blessante, on en entendait de bien plus malsonnantes. Tout de même, le rose lui montait aux joues, elle baissait les yeux vers le sol, prenait la résolution de se faire plus discrète encore.

Les classes se ressemblaient toutes. À l'avant, le pupitre du professeur trônait sur une petite estrade haute de dix pouces. L'enseignant, tout comme les trois quarts des étudiants, était un homme. Les vestons de tweed étaient si nombreux qu'on aurait dit un uniforme obligatoire. Les étudiants les plus soigneux leur ajoutaient des pièces de cuir aux coudes pour les faire durer au moins jusqu'à la fin de leurs études.

Les jeunes femmes, quant à elles, toutes au tournant de la vingtaine, étaient vêtues de manière sobre. Les robes descendaient bas sur le mollet, alors que les vestes atteignaient la taille. Aucune fille ne s'aventurait dans des mises un peu avantageuses, de crainte de ne pas être prise au sérieux. À force de vouloir paraître studieuses, elles devenaient austères.

Au terme de la leçon, ce jour-là comme les autres, Béatrice feignit de s'absorber dans ses notes jusqu'à ce que la classe soit à peu près vide. Cela lui évitait de se trouver coude à coude avec ses camarades. Si on le lui avait demandé, elle n'aurait su dire pourquoi la perspective d'échanger quelques mots l'inquiétait autant. Elle sortait de l'amphithéâtre quand cinq ou six jeunes femmes se trouvèrent sur son chemin. Toutes des brunettes, elles aussi l'objet de remarques parfois mesquines. Elles portaient des noms se terminant par « berg », « stein » ou d'autres syllabes tout aussi peu canadiennes. Des sourires empruntés furent échangés, quelqu'un d'attentif aurait pu entendre un « *Have a good day* » murmuré.

« Au moins, elles ne sont pas seules », songea la blonde, une fois dans le couloir. Évidemment, la présence d'un petit contingent de couventines en ces lieux aurait été si rassurante.

# Chapitre 5

Même s'il ne venait pas souvent à Montréal, Antoine ne craignait guère de se perdre dans le Quartier latin. Autour de la gare Viger, le nombre de sans-emploi tendant la main pour recevoir quelques sous l'étonna. Les chômeurs profitaient de la cohue des badauds. Une demi-heure plus tard, le jeune homme parcourait la rue Saint-Denis vers le nord. En passant devant l'Université de Montréal, il s'arrêta pour contempler l'édifice. La rentrée avait eu lieu quelques jours plus tôt. Des étudiants discutaient sur les marches du grand escalier, certains encore tout à la joie de retrouvailles avec les camarades de l'année précédente, les autres un peu effrayés par le nouvel environnement.

Depuis quelques années, l'établissement faisait surtout parler de lui pour ses ennuis financiers. On discutait de sa mise en tutelle par le gouvernement provincial. Les conséquences de la crise pesaient encore de tout leur poids, même si plus tôt, les professeurs avaient renoncé à leur salaire afin de redresser la situation.

Un peu au nord de la rue Sherbrooke, Antoine trouva la maison de chambres de Béatrice. Le bruit du heurtoir de laiton contre la porte n'attira d'abord l'attention de personne. Il allait recommencer à l'agiter quand on ouvrit enfin.

— Monsieur ? demanda une petite bonne au visage chafouin.

— Je voudrais voir Béatrice… Béatrice Dupire.

— Les pensionnaires ne sont pas autorisées à recevoir des visiteurs.

L'employée voulait dire des visiteurs de l'autre sexe.

— Je suis son frère.

La précision lui valut un meilleur accueil. Après un examen un peu plus attentif de ses traits, elle s'écarta pour le laisser passer. Il entra dans un salon aux meubles défraîchis. Une dame un peu forte arriva bientôt pour et s'approcha la main tendue.

— Monsieur Dupire, vous ressemblez à votre sœur, commenta-t-elle d'emblée.

Antoine se leva pour la saluer. Oui, les trois membres de la fratrie présentaient des traits de famille, on ne pouvait s'y tromper.

— Rose est allée l'avertir de votre arrivée. Toutefois, elle ne peut vous inviter à souper ici.

Déjà, l'autorisation d'utiliser cette pièce pour se rencontrer semblait heurter son sens des convenances.

— Alors, nous irons ailleurs.

Sans un mot de plus, la matrone tourna les talons pour disparaître du côté de la cuisine. Son bref passage tenait simplement à sa curiosité ou au désir d'imposer son autorité. L'instant d'après, Béatrice arrivait, souriante.

— Tu as fait un bon voyage ?

Leur étreinte pouvait laisser croire à une longue séparation. Pourtant, pas plus de dix jours plus tôt, ils occupaient des chambres voisines dans la grande demeure de la rue Scott, à Québec.

— Très bon. Te plais-tu dans cette maison ?

— Ça peut aller, répondit-elle.

L'appréciation manquait d'enthousiasme.

— En tout cas, je pourrai rassurer papa, dit Antoine : ta vertu s'avère bien protégée, avec cette dame.

Pendant cet échange, tous les deux s'étaient installés sur le canapé.

— Je suis certaine qu'il n'a pas besoin d'être rassuré.

La complicité entre le père et la fille ne faisait pas de doute, la confiance entre eux non plus.

— À vrai dire, continua-t-elle avec le souci de donner une réponse plus positive, la plupart des autres pensionnaires sont gentilles. Ça me rappelle un peu mes années au couvent avec des petites différences : ici, nous avons chacune notre chambre et je suis la seule étudiante.

Timide, elle mettrait un moment avant de se créer un réseau. Antoine commenta :

— Si tu logeais parmi des Anglaises, tu apprendrais plus vite.

Effectivement, la maîtrise de la langue anglaise était nécessaire pour poursuivre ses études à McGill d'abord, peut-être ailleurs dès l'an prochain.

— Mieux vaut demeurer dans cette grande bâtisse. Je m'y sens plus à l'aise avec des compatriotes, puis je suis juste en face de la maison où loge Charles. S'il existait des demeures où peuvent cohabiter des pensionnaires des deux sexes, papa se serait arrangé pour nous en trouver une.

— Quand notre cadet va-t-il nous rejoindre ?

— Demain matin, si nous avons de la chance.

La jeune femme prononça ces mots en riant. L'horaire de Charles devenait échevelé, il avait déjà déplacé deux fois une rencontre avec elle.

Deux de ses voisines passèrent la tête dans la porte du salon et retraitèrent en murmurant « Excusez-nous ». La présence d'un jeune homme en ces lieux meublerait la conversation lors du souper. Antoine verrait tous ses atouts longuement évalués, et avec un peu de chance, l'une ou l'autre des pensionnaires lui trouverait un certain charme.

— Je n'ai pas bien compris les motifs de ta visite à Montréal, continua sa sœur. Ce congrès nationaliste t'intéresse à ce point?

— Je voulais surtout sortir un peu de la maison, me frotter à la grande ville, et voir mon frère et ma sœur. La politique ne vient pas vraiment en tête de mes motivations, quoique ce rassemblement peut être intéressant.

De nouveau, des bruits de pas et des conversations murmurées se firent entendre à l'entrée de la pièce.

— Autant y aller tout de suite, dit-elle en se levant. Là, nous privons mes voisines de leur moment de papotage avant le repas.

Peu après, ils marchaient, bras dessus bras dessous, dans la rue Saint-Denis, à la recherche d'un café accueillant.

La clientèle du petit restaurant se composait essentiellement de jeunes hommes, des étudiants pour la plupart. À deux ou trois par table, ils évoquaient le grand événement susceptible de changer l'histoire de la province : l'élection de l'Union nationale. Tout y passait, de la domination des trusts sur la vie politique à l'urgence de nationaliser la production et la distribution de l'énergie électrique. Les mieux informés sur la situation internationale, ou les plus inquiets, ignoraient toutefois les questions locales pour évoquer plutôt la menace de guerre en Europe. Tous les pays, le Canada parmi eux, annonçaient ces jours-là une augmentation de leurs dépenses militaires.

En rejoignant une table tout au fond, Béatrice attira sa part de regards intéressés. Le rose marquait ses oreilles quand elle occupa une chaise.

— Dans ces parages, tu n'auras pas de mal à te trouver de la compagnie, la taquina son frère.

— Si quelqu'un aime les filles qui rougissent pour rien, me voilà. Je ne pense pas qu'ils soient si nombreux.

Pourtant, la jeune femme souhaitait le contraire. Elle n'osait pas parcourir la salle des yeux, mais à la table juste en biais, un étudiant avait du mal à se concentrer sur ses frites.

— Pourquoi n'est-il pas avec nous ? demanda Antoine.

— Charles ? Savais-tu que c'est un phénomène ?

Son frère aîné leva les mains en signe d'ignorance. L'arrivée inopinée de la serveuse retarda les explications quelques instants.

— En un peu plus d'une semaine, il semble avoir réussi à se faire une centaine d'amis.

— Une centaine ! Tu crois ça possible ?

— Bon, disons que la plupart ne sont pas des intimes, mais à tout le moins des connaissances. Il a commencé en relançant les anciens scouts rencontrés dans divers jamborees.

— Tu parles de milliers de personnes !

Antoine se souvenait de ces grands rassemblements, tous les étés. Leur père s'était fait un devoir d'emmener toute la famille contempler des adolescents en culottes courtes réduits à loger dans des tentes et à manger des repas à moitié cuits. Tout cela pour signifier au benjamin que ses aventures les intéressaient tous.

— Sans doute se limite-t-il à ceux qui habitent les environs et étudient à l'université, à Polytechnique ou aux HEC. Charles s'est aussi intégré aux associations étudiantes et à certains groupes politiques. Le voilà membre des Jeunesses Patriotes.

Ces jeunes gens rêvaient de l'indépendance de la province. Les journaux évoquaient leurs propositions avec régularité.

— Ça, papa va apprécier.

Sur ces mots, Antoine se recula un peu pour permettre à la serveuse de poser une assiette devant lui.

— Papa va écarquiller un peu les yeux, précisa Béatrice, puis il le tournera gentiment en ridicule quand l'occasion va se présenter.

La prévision se révélerait exacte. Croyant très fort avoir de bons enfants, le paternel les laissait suivre leur chemin tout en commentant leurs choix avec une douce ironie plutôt que de les admonester, convaincu qu'ils arriveraient tous les trois à bon port, cela même si les trajets parcourus l'étonnaient parfois.

Antoine approuva sa sœur d'un hochement de la tête tout en murmurant «Bon appétit».

— Dans le tourbillon de sa vie, tu arrives parfois à le voir?

— Il me téléphone, toujours à des heures étranges, au point de faire froncer les sourcils à ma logeuse. Un froncement qui signifie: «C'est une maison respectable, ici, pas un échangeur téléphonique de Bell Canada.»

La multiplication des associations nationalistes, l'agitation et les espoirs éperdus de leurs membres les occupèrent un moment.

Avant d'entrer dans le magasin, Thalie leva les yeux pour regarder les grands échafaudages devant la façade. Les travaux progressaient, bientôt on aurait fini de poser les tuiles blanches. Déjà, un panneau d'aluminium portait le mot PICARD en lettres rouges, soulignées de dizaines d'ampoules électriques de la même couleur, alignées à la verticale.

— Si l'idée était d'attirer l'attention, ce sera réussi. Les automobilistes verront cette enseigne à un mille de distance.

L'ampleur des investissements consentis depuis 1932 ne cessait de l'impressionner. D'abord, tout l'intérieur avait fait l'objet d'un rafraîchissement, puis l'extérieur, de travaux majeurs. Les premières gelées arrivées, ces échafaudages disparaîtraient. Il resterait seulement à compléter le réaménagement du troisième et du sixième étage. Ce serait terminé cet automne.

— Bonjour, docteure Picard, dit le liftier d'un ton railleur.

Douze ans, et déjà le gamin se sentait supérieur à toute personne portant un jupon. Jamais il ne risquait une parole déplacée. Le ton et l'attitude suffisaient. Il rappelait à Thalie le planton de garde à l'entrée du Château Saint-Louis.

— Vous verrez encore plein de femmes toutes nues, aujourd'hui?

Cette curiosité aussi revenait sans cesse.

— Sais-tu que monseigneur Buteau est mon oncle? Je lui parlerai de toi, et je sens qu'il te posera d'intéressantes questions lors de ta prochaine confession... Puis, mon frère ne garderait pas un liftier malpoli envers la clientèle.

La référence au curé de la paroisse Saint-Roch et au grand patron renfrogna un peu l'employé.

— Vous n'êtes pas une cliente.

Le naturel lui revint bien vite. Une fois qu'ils furent rendus au sixième étage, il annonça:

— Le restaurant, si vous voulez manger du bran de scie.

La médecin pénétra dans un véritable chantier de construction. Une douzaine d'hommes s'affairaient dans la grande pièce. On ne retrouvait plus rien du décor conçu trente ans plus tôt, mais le prochain aménagement se laissait deviner. L'entrepreneur avait proposé quelque chose de résolument moderne, de style *streamline*, ou paquebot. Le tout s'avérait tout à fait séduisant, avec ses longues courbes et son éclairage intégré aux éléments architecturaux.

Les bureaux administratifs se situeraient bientôt à cet étage, du côté du boulevard Charest. En attendant, la future salle de travail du patron faisait office de cabinet de consultation. Le grand cercle de verre au plafond, derrière lequel se trouvait une batterie de tubes fluorescents, rappelait tout à fait un hôpital. Un drap placé sur un fil de fer tendu en travers de la pièce créait un espace discret pour se dévêtir. Une vieille table et deux chaises assorties complétaient l'ensemble. Cela donnait un cabinet plutôt étrange, entre le grand luxe et l'improvisation.

— Bien sûr, on ne peut pas toujours exercer dans la Haute-Ville, bougonna-t-elle.

Au cours des trois années précédentes, on lui avait offert différents locaux de fortune pour procéder aux examens. Sur un cycle d'un an, elle voyait toutes les employées au moins une fois.

Ils en étaient au dessert quand Antoine remarqua :

— Tu n'as pas l'air dans ton assiette. Tout se passe comme tu le souhaites à l'université ?

— Je m'imaginais une situation semblable à ce que l'on voit dans les films américains... avec Mickey Rooney et Peggy Conklin, dit Béatrice.

— Ce film-là se passait dans une école secondaire.

Ils avaient vu ensemble *The Devil is a Sissy* au cours de l'été, l'histoire d'un élève arrivant un peu difficilement à s'intégrer dans un nouvel établissement. La fin se révélait d'un optimisme charmant.

— Ils te font la vie dure ? demanda l'aîné.

— Jamais je n'aurais cru que la politique pouvait diviser autant un campus. Tous les prétextes mènent les Canadiens anglais à mépriser les Canadiens français : les mouvements nationalistes, voire indépendantistes, l'opposition farouche à tous les efforts de recrutement des volontaires pour défendre le gouvernement élu contre les nationalistes en Espagne, l'opposition à toute participation à une guerre probable en Europe. Imagine, la lutte des curés contre les communistes les agace, même si aucun d'entre eux n'a de sympathie pour cette idéologie.

Sur tous ces sujets, les deux communautés linguistiques s'opposaient de façon véhémente, assez pour que les étudiants de McGill et de l'Université de Montréal se livrent parfois à de véritables bagarres dans les rues.

— Dans un contexte pareil, la blonde avec un lourd accent jure un peu.

— Je vais m'inquiéter, tu sais, remarqua Antoine.

— Je vais survivre. Pour l'instant, ma mince connaissance de l'anglais me permet de faire semblant de ne pas comprendre les remarques les plus mesquines. Dans quelques mois, ce ne sera plus possible, sinon je passerai pour une vraie sotte.

Le ton de fausse gaieté ne trompa personne, tellement qu'elle ajouta :

— Ne dis rien à papa. Il voudrait me ramener à la maison.

Le garçon hocha la tête. Malgré ses craintes, sa sœur désirait construire sa propre vie, pas revenir s'enfermer dans la demeure familiale en attendant un bon parti.

— Tu pourras te faire des amies à ta pension, je suppose. Tu te sentiras moins seule. Que font tes voisines ?

— La plupart travaillent dans les environs, certaines dans le grand magasin Dupuis Frères, d'autres à la société Bell. Je détonne un peu avec mes projets professionnels.

Comme les jeunes filles de langue française accédant aux études supérieures se comptaient sur les doigts d'une main, on en dénombrait bien peu dans les maisons de chambres environnantes. Des travailleuses plus ou moins bien payées ne partageaient pas les aspirations de Béatrice.

— Dommage. Dans tes cours, jamais personne ne t'adresse le moindre sourire?

— Ma situation crée de drôles de rapprochements, répondit-elle sur le ton de l'autodérision, ceux des laissés-pour-compte. Les étudiantes juives fixent sur moi des yeux timides, mais chargés de sympathie.

— Voilà qui ne doit pas faire monter ta cote auprès des autres.

Sa sœur hocha la tête. Toutes les universités tentaient de réduire le nombre d'israélites dans leurs murs. À McGill, les Canadiens français n'étaient guère mieux accueillis.

— De ton côté, demanda-t-elle, un peu lassée de parler de ses misères, comment ça se passe?

Le garçon eut un rire bref avant de répondre:

— Rien de nouveau, c'est comme dans le temps de mes études classiques. Je pars le matin pour me rendre à pied à l'Université Laval, je rentre régulièrement dîner à la maison et je couche dans mon lit tous les soirs.

Cette routine ne semblait pas lui procurer une bien grande satisfaction.

— Si tu avais demandé de venir à Montréal, ou dans une autre ville, papa aurait accepté.

— Pour faire des études de droit civil, ce serait du gaspillage. Trois enfants qui commencent l'université en même temps représentent une jolie dépense.

La plupart des familles auraient choisi le meilleur moyen d'économiser : garder ou ramener la jeune fille à la maison. Jamais son frère ne s'était étonné de son désir ni de son droit de poursuivre des études.

— Je me questionne toujours sur l'étendue des avoirs de papa, dit-elle plutôt. Il ne semble pas attiré par les biens de luxe. Nous constituons certainement son fardeau financier le plus lourd.

— Je saurai tout dans quelques années, lorsque je mettrai le nez dans les contrats qu'il rédige. Sa prudence semble bien le servir. Pour certains, la crise a créé une occasion de s'enrichir.

— L'achat du magasin a dû lui coûter cher.

— Aujourd'hui, l'opération semble très rentable. Quand Mathieu Picard vient à la maison pour le voir, son sourire en dit long.

Le propriétaire majoritaire et sa mère faisaient le point sur les opérations du commerce avec le notaire environ une fois par mois. À ces occasions, les jeunes gens entendaient les rires à travers la porte du bureau.

— Je suis aussi raisonnable que lui, je pense, résuma Antoine. Toi et Charles avez de bonnes raisons d'être à Montréal. Pour moi, ce serait sans utilité.

Il s'arrêta avant de reprendre, moqueur :

— Puis, si nous les laissions tout à fait seuls, sans aucun enfant dans les parages, ils se croiraient en voyage de noces permanent.

Le rouge marqua encore les oreilles de la jeune femme.

— Il l'a tellement attendue, cette lune de miel, dit-elle. Tu penses à elle, parfois ?

En apparence vague, la question lui parut pourtant limpide. La jeune femme parlait de leur mère, Eugénie.

— … Quelquefois, répondit Antoine.

Il eut envie d'évoquer ses visites à Jeanne, se retint par pudeur.

— Moi, tous les jours. Finalement, le seul de ses rejetons à qui elle a témoigné de l'affection, c'est Jacques. Je me demande ce qu'elle lui trouvait, à part son côté bellâtre.

Ce garçon, né hors mariage, réapparu en 1929, leur laissait un souvenir un peu trouble, où la jalousie prenait beaucoup de place.

— Il n'a pas le même père que nous, remarqua Antoine. Ça lui donnait un bel avantage. Ils se méritent l'un l'autre.

Les enfants vivaient avec la certitude d'avoir été inclus dans la haine que vouait leur mère au notaire.

— Que papa en profite, conclut Béatrice à voix basse, qu'ils en profitent tous les deux.

— La lettre... la fameuse lettre qu'elle a laissée avant de disparaître, tu l'as lue ?

Eugénie avait écrit une missive à chacun de ses enfants avant de mourir. Béatrice fit « non » d'un geste de la tête :

— Elle est toujours cachetée, sous mes vêtements dans un tiroir. J'ai peur de savoir ce qu'elle contient, je suppose.

Après cette évocation, le repas s'acheva dans un silence attristé.

Passé huit heures, il restait un seul nom sur la liste.

— Madame Yvette Leduc, dit Thalie en entrouvrant la porte.

L'espace qu'occuperait la secrétaire du patron après les rénovations servait de salle d'attente. Deux chaises de l'ancien restaurant suffisaient pour ses patientes. Une grande femme toute maigre se leva, s'approcha, intimidée.

— C'est la première fois que je vois une docteure.

— Vous êtes nouvelle, mais si vous passez toute votre vie ici, ça deviendra une habitude.

De la main, la praticienne lui désigna un siège.

— Aujourd'hui, vous avez demandé à me voir. Quelque chose vous inquiète ?

La femme resta silencieuse, visiblement très mal à l'aise. Après un moment, la médecin proposa :

— Bon, alors je vais vous examiner.

Le drap permit à la vendeuse de se débarrasser discrètement de sa robe un peu trop grande.

— Je peux venir ?

Sans attendre la réponse, Thalie la rejoignit. Tout de suite, elle remarqua la poitrine très maigre, avec ses os visibles sous la peau. Les seins ressemblaient à de tout petits sacs un peu pendants, terminés par de gros mamelons. Aussitôt, la tuberculose vint à l'esprit de la médecin. Pourtant, le stéthoscope ne perçut aucun chuintement un peu trouble et le cœur battait à un rythme régulier.

Alors qu'elle frappait du bout des doigts dans le dos de la patiente, elle demanda :

— Vous me dites ce qui vous a conduite ici ?

— Chus mariée depuis deux ans…

De nouveau, la vendeuse demeura coite. « Veut-elle que je la félicite ? Après deux ans, cette envie devrait lui être passée », se dit Thalie. Puis, une idée lui vint :

— Vous vous inquiétez de ne pas être déjà enceinte.

— C'est le contraire.

Le murmure s'avérait à peine audible.

— J'veux pas partir pour la famille, se reprit-elle sur un ton plus haut. Enfin, pas tu suite. Là, on peut pas.

La médecin demeura derrière l'employée, certaine de rendre les confidences plus faciles en se soustrayant à sa vue.

— Quelque chose vous empêche d'avoir un enfant ?

— Gérard a été trois ans su l'chômage. Y vient juste de rentrer icitte. Bin là, on a encore des dettes. Pas d'job, c'est toffe, vous savez.

— Oui, je sais.

Yvette se tourna à demi pour la fixer brièvement, surprise.

— Pas personnellement, admit Thalie. Toutefois, à force de voir des patientes dans mon bureau, je peux me faire une idée.

Le regard de son interlocutrice lui signifia bien clairement combien l'expérience de la pauvreté différait de ce qu'on pouvait en apprendre à voir des malades dans son cabinet.

— Vous allez m'dire comment on fait. Y a des moyens d'empêcher la famille. Vous, vous les connaissez.

En ces temps difficiles, la contraception paraissait préoccuper toutes les femmes, la praticienne la première. Pour elle-même, il s'agissait d'une question morale : donner naissance sans époux constituait la pire des fautes. Pour d'autres femmes, c'était une question de survie.

— Vous savez que l'Église interdit ces pratiques ?

Thalie disait ces mots avec un sentiment de honte. Quelques jours auparavant, elle ne se privait pas d'aider sa belle-sœur. L'hypocrisie la mettait en rage, mais elle ne pouvait prendre aucun risque.

— Comme ça, c'est bin vrai, vous êtes apparentée à monseigneur Buteau.

— C'est votre curé ?

— J'reste tout proche d'icitte.

« Me voilà devenue l'auxiliaire du saint homme », songea Thalie avec dépit. L'envie de parler d'éponge et d'huile d'olive la démangeait. Toutefois, irrémédiablement, de tels conseils seraient répétés d'une oreille à l'autre. Ce genre de secret se partageait, et tôt ou tard, ses paroles viendraient à l'oreille d'un confesseur. Dans cette éventualité, elle ne serait pas la seule à écoper. Pour lui permettre de donner des consultations dans son commerce, Mathieu serait condamné sans nuance.

La recommandation de moyens contraceptifs à des femmes mariées était légale, mais l'église québécoise la transformait en véritable crime. Ce qui se faisait sans risque dans son bureau de la Haute-Ville avec des habituées devenait dangereux en exerçant à cinquante verges de chez son oncle.

— Vous avez certainement entendu votre pasteur parler de la seule façon chrétienne de prévenir les grossesses.

— Ça paraît qu'vous êtes une vieille fille. J'voudrais vous wère expliquer ça à un homme.

L'Église conseillait l'abstinence, dans ces cas-là, et encore, en y mettant toute sa réticence. Un homme privé de toute satisfaction conjugale était conduit tôt ou tard à chercher sa satisfaction ailleurs, un péché grave. La vendeuse remettait maintenant sa robe avec des gestes brusques.

— Si vous êtes mariée depuis deux ans, comment avez-vous fait jusqu'ici ? demanda Thalie.

Un couple actif sexuellement ne pouvait jouer avec le feu aussi longtemps et s'en tirer, à moins que l'un des deux s'avère infertile.

— Bin… y la sort.

— Toujours à temps ?

Yvette riva ses yeux dans les siens. Pour la première fois depuis le début de la consultation, une certaine connivence passait.

— Si y est pas assez vite, j'prends une bouteille de Coke.

Thalie parut si interdite que la patiente ajouta, les sourcils froncés, comme étonnée qu'elle ne comprenne pas.

— Si on la brasse, ça sort et ça nettoie.

«Ça vaut peut-être l'huile d'olive, réfléchit la médecin, mais la douche devrait peut-être précéder le coït...»

À la fin de l'examen, quand la vendeuse fut prête à partir, Thalie commença :

— Madame Leduc...

L'employée lui jeta un regard où brillait un éclat d'espoir.

— Ce que je ne peux pas vous donner, votre mari peut le trouver dans n'importe quelle taverne.

Dans cette société conservatrice, les pharmaciens ne pouvaient offrir de condoms. Les fameuses capotes circulaient dans les lieux glauques, avec les photographies pornographiques et les petits romans salaces. Yvette la comprit bien.

— Merci, docteure, dit-elle en quittant la pièce.

Pendant la semaine suivante, la médecin se demanderait si sa remarque, nécessairement répétée par l'époux de cette maigrichonne, lui vaudrait des ennuis.

Peu après la consultation avec Yvette Leduc, Thalie descendit trois étages afin de rejoindre sa mère dans le rayon des vêtements pour dames. Celle-ci discutait avec une femme d'une trentaine d'années, un registre ouvert sur le comptoir devant elles. Marie continuait de former sa remplaçante éventuelle.

— Bonjour, madame, commença la praticienne. Vos enfants se portent bien?

En plus de passer dans le cabinet improvisé dans le magasin, cette employée avait conduit sa progéniture au bureau de la rue Claire-Fontaine.

— Très bien. Vous aviez raison, l'huile de foie de morue fait une différence.

Que la médecin oublie de lui facturer cette consultation rendait plus facile la décision de venir la voir. L'employée considérait qu'il s'agissait d'un prolongement naturel de ces rencontres au magasin, dont Mathieu assumait le coût. Évidemment, cette générosité ne demeurerait possible que si de très rares travailleuses cherchaient à s'en prévaloir.

— Je peux te laisser fermer ce soir, Georgette ?

— Ne vous inquiétez pas, Marie. Je m'occupe de tout.

L'usage du prénom témoignait de la familiarité entre elles. La directrice du rayon récupéra sa veste dans un cagibi. Avec sa fille, elle traversa du côté des locaux de l'administration.

— Bonsoir, dit Flavie en se levant pour les accueillir. Tu vas bien, Thalie ?

Les belles-sœurs s'embrassèrent. La secrétaire frappa avant d'ouvrir la porte du bureau de son patron. Le lien d'emploi tempérait un peu les rapports entre mari et femme dans les murs du commerce.

— Mathieu, lança Thalie, ton nouveau bureau ressemble de moins en moins à un chantier. Ce sera le grand luxe, tu ressembleras à un *tycoon* américain là-dedans.

— Regarde autour de toi. Tu ne penses pas qu'il est temps ?

La pièce sans fenêtre ne payait pas de mine. Le puits de lumière devenait de plus en plus opaque à cause des souvenirs laissés par les pigeons. Il fallait allumer les lumières presque tout le temps même en plein jour.

— Normalement, continua le directeur, les espaces de travail aménagés ainsi comptent un mur de moins. La cloison entre mon bureau et celui de Flavie devrait être de verre. Je me demande pourquoi mes prédécesseurs n'y ont pas pensé.

— Tu poses sérieusement la question ?

Le ton de Marie contenait une bonne dose d'acidité. Ces lieux lui laissaient les pires souvenirs de sa vie. Trente ans plus tôt, le propriétaire du commerce, Thomas Picard, l'avait culbutée sur le bureau, alors qu'elle était plus ou moins consentante. Mathieu ne commenta pas, sa naissance était la conséquence de cet abus. Dans d'autres circonstances, juste pour faire taire les racontars à ce sujet, lui-même aurait fait défoncer ce mur pour le remplacer par une paroi de verre. Le choix d'avoir son épouse comme secrétaire l'en avait dispensé, car si on les soupçonnait de petites privautés sur les lieux de travail, cela n'écorchait pas la morale. Puis, très vite, l'idée d'engager de grands travaux s'était imposée, rendant inutile la réalisation de petits aménagements.

— Je suppose que cet espace-ci deviendra mon cabinet de consultation, commenta Thalie. Pour y voir quelque chose, je devrai monter moi-même décrotter là-haut.

La remarque se voulait un rappel : il conviendrait de lui assigner un local convenable. Son intervention eut au moins la qualité de ramener Marie au temps présent.

— Non, cette section du magasin me reviendra. Tout sera abattu, mentionna-t-elle avec satisfaction, et quand l'endroit sera au goût du jour, on y transférera le rayon des vêtements pour dames.

— Tout cet étage pour toi ? Ça ressemblera à la boutique ALFRED, remarqua la médecin.

— Au point où nous mettrons un panneau portant ce nom sur toutes les entrées de cet espace, déclara le directeur. Les deux frères seront représentés dans ce commerce.

L'envie de redresser les injustices du testament du fondateur du magasin, puis de celui de Thomas, le tenaillait toujours.

— Je travaille à l'augmentation de ton héritage, déclara Marie en riant. Tu vas voir, tu ne regretteras pas de nous avoir fait confiance en 1932.

La mère tenait à traiter ses deux enfants sur un pied d'égalité. Pour cela, elle relevait le défi de réinventer sa boutique au sein du grand magasin, avec l'espoir d'augmenter la valeur de sa part.

— Descendons, proposa Mathieu en allant décrocher la veste de sa femme dans l'antichambre de son bureau.

Il aida Flavie à l'enfiler, puis lui offrit son bras. Dans l'escalier, Thalie prit le bras de sa mère et imita le couple devant eux.

Cette branche des Picard gagnait en influence dans la ville. Avec cinq parts du magasin, Mathieu aurait la même stature que Thomas avant lui. Ça ne lui paraissait pas impossible. Le soir des élections, Marie avait évoqué sa retraite. Depuis, le directeur refaisait des calculs dans sa tête, pour conclure que ce serait trop tôt pour accroître sa mainmise. Les travaux ambitieux drainaient une trop grande fraction de ses ressources.

Le directeur du magasin stationnait sa voiture boulevard Charest. Tous les quatre y prirent bientôt place. Encore une fois, Thalie saisissait l'occasion de se faire reconduire chez elle. Sa vie de piétonne ne s'avérait confortable qu'à cause de la gentillesse des autres.

En s'approchant du Château Saint-Louis, le conducteur dit à sa sœur :

— Fernand m'a encore répété au téléphone que Victor serait bienvenu chez lui, demain soir. Après tout, nous serons entre nous.

La présence de cet homme, sans lien avec un autre invité – du moins officiellement –, entraînerait sans doute les commentaires des voisins. Combien de personnes les avaient aperçus ensemble dans la ville ? Qu'une vieille fille et un veuf se fréquentent ne heurtait le sens moral de personne… à la condition stricte que cela se termine au pied de l'autel. Tous les confesseurs le savaient, les longues fréquentations conduisaient au péché.

— Je le lui ai répété à quelques reprises. Il semble résolu à jouer au timide, ou alors chacune de mes activités sociales tombe un jour où ses enfants ont absolument besoin de sa présence.

D'habitude, Thalie abordait le sujet en riant, quoique de mauvaise grâce. Cette fois, l'impatience marquait sa voix. Marie, assise à ses côtés, la contempla sans oser la moindre remarque. Peu après, la jeune femme descendit devant la porte de son logis. Au moment où la voiture redémarrait, la mère remarqua :

— Ça ne va pas bien entre ces deux-là.

Comme aucune réponse ne lui parvint, elle se fit insistante :

— Voyons, elle te dit tout depuis sa naissance, tu sais ce qui se passe.

— … Pas tout.

Toutefois, personne ne la connaissait effectivement mieux que lui.

— Victor voudrait se marier, je pense, avoua-t-il. Sans jamais oser le demander.

— Quelle bonne nouvelle !

Flavie se tourna vers la banquette arrière.

— Pas pour Thalie, dit-elle. Elle continue de clamer que personne ne l'enchaînera à un gros poêle à charbon pour le restant de ses jours.

La remarque ne portait aucun jugement, la femme évoquait un simple fait.

— Voilà qui est ridicule ! Ça fera bientôt vingt ans que je vis avec Paul, jamais il ne m'a empêchée de mener mon commerce.

Marie choisissait de ne pas évoquer ses propres réticences, formulées pendant la Grande Guerre, exactement pour la même raison. Le politicien avait mis des années à la convaincre. La différence tenait peut-être à sa confiance en lui, à son assurance. Avoir une épouse hors normes ne lui semblait pas menaçant. De son côté, Victor affichait son malaise dans ce milieu bourgeois. Se sentant étranger devant ces gens, il vivait toutes les hésitations de Thalie comme autant d'atteintes personnelles.

— Elle a une liste de très bons partis, dit Mathieu, un peu sarcastique. Fernand et Paul sont en tête de sa liste.

— Mon mari vient tout de suite après, précisa Flavie.

— Avec moi, il y a un petit empêchement supplémentaire, dit l'homme. Avec notre lien de parenté, même l'évêque le plus libéral ne nous donnerait pas de dispense.

Qu'aucun homme disponible ne l'intéresse faisait douter de son désir d'être en couple.

— Vous le savez, renchérit la secrétaire, chaque fois que le sujet vient sur le tapis lors des réunions familiales, elle nomme ces personnes, en ajoute quelques autres, mariées aussi. Il n'existerait aucun autre bon parti à Québec.

La mère demeura muette un long moment, jusqu'à ce que la voiture soit stationnée boulevard Saint-Cyrille. Debout sur le trottoir, elle conclut cet échange :

— Dans son esprit, le célibat perpétuel va de soi… Pourtant, elle adore les enfants de cet homme.

— En conséquence, elle promène partout sa mauvaise humeur, commenta Mathieu. Il lui faudrait peut-être enfin prendre un risque, parier sur la bonne foi d'un amoureux et s'engager pour de bon.

« Ça, c'est trop lui demander, songea la mère. Peut-être que son instinct est sûr. Si c'est le cas, elle fait bien. » Marie lui conseillait toujours de suivre son instinct.

# Chapitre 6

Depuis la fin des années 1920, l'édifice de la Palestre nationale se dressait rue Cherrier. Pour s'y rendre, cette fois tous trois réunis, les jeunes Dupire marchèrent dans la rue Sherbrooke, puis dans Saint-André, avant d'atteindre la grande bâtisse de quatre étages.

— L'Association athlétique d'amateurs Le National a lancé ce projet, expliquait Charles avec l'assurance d'un vieux Montréalais. Maintenant, c'est la propriété de l'Association catholique de la Jeunesse canadienne-française.

Qu'une société à la fois catholique et nationaliste s'occupe d'une entreprise de ce genre ne devait pas surprendre : il s'agissait de rendre plus robustes l'âme et le corps de la race, en vue de la réalisation de grands projets.

— Tu ne vas pas nous dire que tu fais aussi partie de cette association athlétique ? ironisa l'aîné.

— Non, pas encore, mais ça ne saurait tarder.

Le benjamin prenait les moqueries avec bonne humeur. Lorsqu'ils pénétrèrent dans la grande institution, tous les trois pieds, quelqu'un l'interpellait avec un « Salut, Dupire » assez familier pour témoigner d'une réelle complicité. Toutefois, au détour d'un couloir, ce fut lui qui s'exclama :

— Walter, t'as une minute ?

L'homme âgé d'un peu plus de vingt ans se retourna.

— Oui, une minute, pas plus.

— Mais ton discours aura lieu dans plus d'une heure.

Son interlocuteur ne répondit rien, mais son visage tendu témoignait de son inquiétude à l'idée de s'exprimer devant une foule.

— Je veux juste te présenter mon frère et ma sœur, continua Charles sans se formaliser de l'accueil un peu froid. Voilà Antoine.

Celui-ci tendit la main, échangea un « Enchanté, monsieur » pas très convaincu.

— Cette jolie femme, c'est Béatrice.

Elle ne trouva pas de trace d'ironie dans la voix de son cadet, mieux valait prendre le compliment avec grâce. Puis, le regard appréciateur de l'inconnu la rassura sur l'élégance de sa mise. Cette seconde poignée de main dura un peu plus longtemps.

— Mon ami s'appelle Walter O'Leary.

Les yeux de Charles passèrent de sa fratrie à l'orateur un peu nerveux.

— Tu vas nous parler de corporatisme ?

Le grand adolescent le savait bien, tous les journaux du matin donnaient le programme de la journée. Il tenait surtout à montrer à ses proches sa familiarité avec les vedettes du mouvement nationaliste.

— Oui, puis juste après moi, ce sera Hector Grenon. Il doit résumer les aspects sociaux et politiques des encycliques pontificales.

O'Leary avait suffisamment sacrifié à l'amitié ; il s'éclipsa pour s'isoler dans un coin désert afin de relire une nouvelle fois le texte de son allocution.

— C'est un gars extraordinaire, affirma l'étudiant des Hautes études commerciales à ses proches. Il vient de

LES ANNÉES DE PLOMB

Berthierville, mais il a étudié en Belgique, à Paris et même à l'Université autonome de Mexico.

— On l'a mis à la porte de chacun de ces endroits? demanda Béatrice, amusée.

Comme tous les nouveaux croyants, Charles se raidit devant des paroles si irrespectueuses envers le chef des Jeunesses Patriotes.

— Là, tu dis des sottises, répondit-il de façon un peu abrupte. Venez, on va s'inscrire là-bas.

Devant les tables alignées en face des bureaux administratifs, se massaient des jeunes hommes. L'un d'eux offrit tout de suite:

— Vous voulez passer la première, mademoiselle?

— Non, répondit la blonde. Je préfère attendre avec mes frères.

L'individu enregistra l'information avec un sourire. Il enchaîna:

— Vous vous intéressez à la politique?

— Moins que le reste de ma famille. De toute façon, comme les femmes n'ont pas le droit de vote au Québec... Quelle est la position des jeunes nationalistes sur la question?

«Et c'est ma sœur timide qui nargue ainsi les nationalistes», songea Antoine en souriant.

— Quand on aura un pays, on décidera ce qu'on y fera, grommela son interlocuteur.

— Je me demande bien pourquoi je n'ai pas confiance de voir tous ces grands patriotes reconnaître que l'autre moitié de la population peut accéder à l'âge adulte...

Le militant préféra poser son regard dans le dos de la personne devant lui. Béatrice n'avancerait pas d'une place grâce à sa gentillesse.

— Tu es dure pour tes prétendants, ricana Antoine dans son oreille.

— Il y a tellement de curés pour guider ces exaltés, je pense que nous en serons quittes pour attendre encore cent ans avant qu'ils ne remarquent notre existence.

De nouveau cet automne-là, les associations féministes réclameraient le droit de suffrage devant la Chambre d'assemblée. Personne n'espérait vraiment que le nouveau gouvernement se montre plus réceptif que l'ancien à cet égard.

Une quarantaine de minutes plus tard, ils payaient leur inscription et se dirigeaient plus loin dans l'immeuble.

— Les discours vont se dérouler dans la grande salle, indiqua Charles.

L'amphithéâtre ne se révéla pas particulièrement vaste. Toutes les places assises se trouvaient déjà occupées. Les femmes ne représentaient pas plus de dix pour cent de l'assemblée. La blonde afficha son dépit.

— On peut s'installer dans les allées, proposa Charles, ou encore le long des murs.

Même la plupart de ces espaces étaient pris.

— Passer des heures assis sur ce plancher crasseux ne me dit rien, déclara Antoine.

— Moi, je n'ai pas envie de montrer mes jambes à tous ces gars.

De nombreux regards se tournaient vers le trio, inutile de les attirer davantage.

— Je ne me suis pas rendu ici pour tout rater.

Le benjamin tenait à voir l'histoire en marche. Il se faufila entre les militants, se logea entre deux étudiants contre le mur, tout près de la scène.

— Tu te rends compte, commenta Béatrice sur un ton amusé, il nous a entraînés ici en nous disant que nous ver-rions la destinée de la province changer. Nous voilà debout à nous faire bousculer.

— On est habitués. Ça ressemble à toutes les réunions scoutes où nous sommes allés.

La jeune femme se rangea contre le mur pour laisser passer un religieux, un jésuite à en juger par sa défroque. Les places d'honneur demeuraient encore disponibles, à l'avant.

— On peut s'installer dans une autre salle, proposa Antoine. Les autres nous rendront compte des discussions.

La blonde n'était là que pour passer un moment en compagnie de ses frères, pas pour entendre des discours sans cesse rabâchés. Vraisemblablement, son aîné avait fait le trajet depuis Québec pour la même raison.

— Moi, je pense que nous pourrions tout aussi bien nous rendre dans la rue Sainte-Catherine, dit la jeune femme. Ce n'est pas si loin.

— … Il va nous chercher.

— Si on repasse en fin d'après-midi, il ne se sera même pas aperçu de notre absence.

Le ton exprimait une certaine lassitude. L'indélicatesse du benjamin la froissait bien un peu. Une certaine agitation du côté de la scène attira leur attention, les discours commenceraient bientôt. Son aîné lui tendit son bras, elle l'accepta avec le sourire.

Après d'intimes rapprochements sans chaleur, Victor passait en revue la collection de 78 tours de Thalie. Celle-ci s'enrichissait, depuis 1932. La part des disques de jazz témoignait de l'influence de son amoureux sur ses goûts musicaux.

— Je me demande encore pourquoi tu ne m'accompagnes pas. Tu connais tous ceux qui seront là, dit-elle en revenant dans le salon.

Au cours de la dernière semaine, Thalie avait dû répéter ces mots une demi-douzaine de fois, sur tous les tons.

— Tu le sais, je me sens mal à l'aise au milieu de ces gens-là. La dernière fois, je me suis retrouvé assis à côté d'un ministre. Je ne savais trop quoi lui dire.

— Mon beau-père ne l'est plus, il a perdu ses élections.

La voix trahissait une pointe d'impatience.

— Tu sais ce que je veux dire…

Sa compagne comprenait, ou au moins aurait dû comprendre. Placé dans la même situation, juste après la guerre, le prétendant de Françoise Dubuc, Gérard Langlois, avait gardé une attitude empruntée pendant des années. Deux ans plus tôt, sa nomination à la tête de la succursale de la Banque Nationale de la rue Saint-Joseph, tellement plus importante que celle de Limoilou, lui avait conféré une petite hausse de son estime de soi, sans le rendre tout à fait détendu dans sa belle-famille.

Le meilleur exemple, celui-là tout aussi durable, concernait Flavie. La pauvre ressemblait encore à une élève soumise à un examen, certains jours, malgré tous les efforts de ses proches pour la rassurer.

— Ce n'est pas juste mon veston trop usé et mon ignorance du latin qui me gênent, renchérit le marchand de disques. Je suis qui, moi, dans ce groupe? L'ami de l'une des membres du clan?

Un peu plus et il réclamait sur-le-champ un statut officiel, dont témoignerait un anneau au doigt.

— Si tu ne sais pas qui tu es pour moi…

Le visage de la médecin exprimait une déception inquiète. Comme aucun des deux ne formulait vraiment le fond de sa pensée, crever l'abcès devenait impossible.

— Je ne sais pas bien exprimer ces choses-là. De toute façon, pour ce soir, je ne peux pas. Je me suis engagé auprès des garçons.

Il s'approcha, posa les mains sur les hanches de son amie. Thalie se raidit un peu, mais accepta le contact de ses lèvres sur les siennes.

— Je m'excuse de ne pouvoir rester plus longtemps, continua-t-il, mais je tiens à fermer ma caisse moi-même. Mon commis est bien gentil, cependant sa compétence en mathématiques laisse à désirer.

— Comme premier critère de recrutement d'un employé, les goûts musicaux ne constituent pas nécessairement le meilleur choix.

Mieux valait orienter la conversation sur la gestion de ses affaires plutôt que de donner libre cours à sa frustration. Comme ils ne se verraient pas en soirée, l'homme avait quitté son commerce pour passer une petite heure avec elle dans l'intimité de son logis.

— Nous nous voyons toujours demain ? voulut-il savoir malgré la mauvaise humeur apparente de Thalie.

— Je croyais la chose convenue.

— Bien sûr, c'est convenu. Je serai dans la rue juste en face de l'église quand la messe se terminera.

Le dernier baiser échangé manquait à la fois de passion et de chaleur.

Antoine gardait les yeux fixés sur la murale située à l'extrémité du restaurant Île-de-France, au neuvième étage du magasin Eaton. Elle représentait des cavalières dans un décor fleuri, avec divers éléments picturaux, du château aux cygnes en vol.

— C'est magnifique, commenta sa sœur. On n'arrive pas à en détacher les yeux. Surtout des jolies amazones.

— On dirait la salle à manger d'un navire, si j'en crois les images publiées dans les magazines, avec ce décor qui se termine tout en courbes à chacune des extrémités du plafond.

— Regarde les luminaires, ceux encastrés dans les parois, ou ces immenses vases avec une ampoule à l'intérieur. On dirait du jade.

Tous les deux ressemblaient à de parfaits touristes, leurs yeux détaillant tous les éléments du décor.

— C'est l'allure que PICARD veut donner au restaurant de son magasin, n'est-ce pas ? demanda Béatrice.

— Oui, si j'ai bien compris. Dans une version moins… opulente. Juste cet étage a dû coûter plus cher que tout le commerce de la rue Saint-Joseph.

Le garçon exagérait à peine.

— Voilà un thème de discussion qui plairait aux Jeunesses Patriotes : la modestie des commerces des Canadiens français comparés à ceux des Anglais.

— Les camarades de jeu de Charles préfèrent discourir sur les établissements juifs qui menacent ceux des Canadiens français.

Antoine déplaça quelques sacs posés sous la table, afin d'allonger un peu les jambes.

— Ce sera amusant de trimbaler ça jusqu'à ce soir, remarqua-t-il.

Béatrice contempla ses emplettes posées près de la table.

— Tu aurais dû y penser, avant de passer à la caisse du rayon des vêtements pour dames, insista-t-il.

Les sourcils froncés de sa cadette lui signifièrent de cesser ses taquineries.

— Je t'aiderai à les porter, dit-il enfin de bonne grâce.

— Tant mieux. Tu as vu le grand magasin juste à côté ?

Antoine acquiesça. La métropole la changeait : au rythme de ses achats, elle devenait une femme élégante. Une serveuse vint prendre leur commande. Béatrice fut la première à s'exprimer, Antoine eut plus de mal. L'anglais appris au Petit Séminaire de Québec lui valut de répéter trois fois. Étonnant que le mot *potatoes* paraisse si incompréhensible dans sa bouche. Devant l'air moqueur de sa sœur, il se justifia :

— Ce n'est pas moi qui allais passer les étés dans des camps de vacances au Vermont.

— Pour une fois que j'entends un accent plus prononcé que le mien, laisse-moi m'amuser un peu à tes dépens.

La conversation porta un moment sur les apprentissages de Béatrice, puis celle-ci revint à la rencontre du matin :

— Ce Walter…

— O'Leary. Voilà un autre de ces Irlandais assimilés par nos compatriotes.

— Tout à l'heure, il devait discourir de corporatisme.

Elle ne lui demandait pas de lui expliquer ce concept. Pourtant, il commença :

— C'est inspiré du Moyen Âge. Les patrons et les ouvriers forment des associations, des corporations en fait, pour gérer leurs affaires dans la bonne entente au lieu de faire des grèves.

— Les partisans de ces idées ne s'entendent pas bien avec la démocratie, n'est-ce pas ?

Son sourire semblait lui dire : « Tu penses que j'ignorais tout ça. » Il continua :

— Avec ses plus mauvais côtés, en tout cas. On en a parlé pendant toute la dernière campagne électorale. Des politiciens financés par les industriels…

— Les fameux trusts.

— C'est ça. Des entrepreneurs se concertent pour obtenir des lois favorables à leurs intérêts, tout en donnant des enveloppes brunes aux ministres. Puis, les députés ne pensent pas aux citoyens, mais seulement à leur réélection et à leurs magouilles.

— Alors, autant les remplacer par les corporations dont tu parlais tout à l'heure.

Toutes ces questions devenaient familières à Béatrice. Antoine découvrait une nouvelle personne. Maintenant qu'ils étaient sortis du cadre familial, leur conversation empruntait des avenues inédites. Peut-être se joindrait-elle aux manifestations pour obtenir le droit de vote des femmes, en novembre.

— Tu crois que Charles soutient vraiment ces âneries? demanda-t-il.

— Pas plus que celles des scouts, je suppose. Il aime se retrouver dans un groupe, appuyer des associations, participer à des conversations enflammées, évoquer des projets un peu fous.

Quand sa mère Eugénie affrontait le cancer, leur cadet échappait à la morosité de la maison en portant une chemise kaki et un grand foulard jaune. Les Jeunesses Patriotes l'aidaient peut-être à croire en un avenir radieux, au moment où la crise économique semblait peser toujours un peu plus sur la population de la province.

Thalie frappa à la porte de la grande maison de la rue Scott un peu avant six heures. Fernand Dupire vint ouvrir lui-même. Une fois les bises échangées, il lui enleva son sac de cuir des mains, puis l'aida à faire glisser son manteau de ses épaules.

— Je m'excuse, commença la visiteuse, je suis un peu en retard.

— Tout le monde en est à l'apéritif, nous ne passerons pas à table avant une bonne demi-heure.

— Chaque fois, je suis la dernière arrivée, et je dois encore avoir une conversation avec ta mère avant de me joindre à vous.

— Nous comprenons très bien les exigences de ton métier.

Ce jour-là, elle avait plutôt été occupée à soulager les désirs d'un commerçant. Les siens connaissaient une accalmie depuis quelques semaines. Ces temps-ci, sa relation avec Victor occupait plus de temps dans ses pensées que la multiplicité de ses patients. Fernand lui rendit sa petite valise de praticienne. Thalie commença par embrasser son hôtesse, puis Marie et Paul, Mathieu et Flavie. Une fois encore, ils seraient à table en nombre impair.

Puis, elle se dirigea vers l'arrière de la demeure, son sac noir à la main. Au passage, elle salua les deux domestiques au travail, puis frappa à la porte de la retraite de la vieille dame.

— Feriez mieux d'entrer, commenta la cuisinière, a l'entend pas toujours.

La médecin suivit le conseil. Assise à sa place habituelle, la vieille madame Dupire eut un petit sursaut.

— Tiens! Moi qui me demandais justement si j'aurais de nouveau l'occasion de dévoiler mes appâts, et vous voilà, fit-elle dans un rire franc.

— J'imagine que ce n'est pas à un médecin que vous pensiez...

— Pas vraiment, mais je vais faire avec.

Malgré l'état de la vieille dame, Thalie venait toujours la voir avec plaisir.

— Est-ce que je dois aller sur le lit?

— Avez-vous constaté des changements depuis ma dernière visite ?

— Du nouveau ? Non.

— Dans ce cas, pourquoi ne pas rester dans ce fauteuil ?

L'aïeule ne protesterait certainement pas. Chacun de ses déplacements devait mobiliser les efforts d'au moins deux personnes. Thalie souleva la petite table pour la déplacer vers la gauche. Elle remarqua des cartes postales dessus.

— L'un de vos proches se trouve au loin ?

— La belle Béatrice est partie samedi dernier. J'ai reçu une carte mercredi, une autre jeudi, puis vendredi et samedi. Elle m'en envoie tous les jours.

— Vous avez de la chance.

La vieille femme ferma brièvement les yeux, un sourire béat aux lèvres.

— C'est une soie, cette petite.

— La pomme ne tombe jamais loin de l'arbre.

L'affirmation laissa un moment la grand-mère songeuse.

— Dans son cas, j'en doute. Te rappelles-tu sa mère ?

Eugénie resterait dans la mémoire de la médecin. L'évoquer l'attristait toujours. Tout le monde s'arrêtait à sa méchanceté sans aller plus loin. Personne n'évoquait sa souffrance.

— Parfois, peut-être l'arbre est-il moins bien que la pomme. Tout de même, votre petite-fille été bien entourée, non ? Fernand, vous, les domestiques.

À la liste, il aurait sans doute fallu ajouter les religieuses du couvent de Sillery. Pendant cet échange, madame Dupire tentait de défaire les boutons de son corsage avec des doigts tremblants, en vain. La médecin prit sur elle de l'aider.

— J'ai reconnu l'Université McGill sur ces cartes postales, dit Thalie.

— Béatrice étudie là. Toi aussi, tu y es allée.

— Oui, pendant quatre ans.

— Ce ne fut pas facile, je pense.

Les yeux bleus de la vieille dame cherchaient les siens. Lui mentir ne donnerait rien.

— Très difficile. Je suppose que maintenant, ils se sont habitués à voir des femmes parmi eux.

— Comment as-tu fait?

— Je voulais absolument devenir médecin. Le reste ne comptait pas.

Le reste comptait-il un peu plus, maintenant? se demandat-elle. Thalie préféra éluder sa propre interrogation. La poitrine osseuse s'offrait à son regard. Elle tint un moment le bout du stéthoscope sur le dos de sa main pour le réchauffer un peu. Madame Dupire sursauta toutefois légèrement sous le contact.

Le cœur lui parut battre plus faiblement que la dernière fois, plus lentement aussi. Les poumons s'avéraient dégagés, mais la respiration manquait d'ampleur.

— Comme vous le voyez, je ne m'attarde pas sur vos appâts, dit la jeune femme en reboutonnant bientôt le chemisier, l'air rieur.

— À ta place, je ne le ferais pas non plus.

Thalie lui adressa un demi-sourire, approcha une chaise pour s'asseoir juste en face d'elle, puis saisit son poignet pour prendre son pouls trop lent, trop faible. À cause de la proximité, l'aïeule pouvait l'examiner à loisir.

— Quand tu viens, on parle toujours de moi. Toi, comment vas-tu?

La question la troubla vraiment, surtout quand son interlocutrice ajouta :

— Tes yeux paraissent si tristes.

La praticienne aurait pu éviter de répondre, mais elle préféra opter pour la sincérité.

— Les choses ne vont pas très bien.

— Même pour une femme comme toi, cette tristesse ne tient pas au travail. Ça vient de là.

La main décharnée désigna la poitrine de son interlocutrice.

— Une femme comme moi? C'est vrai, je ne dois pas être comme les autres.

— Ça te donnerait quoi de leur ressembler?

— Je m'entendrais mieux avec les hommes, ou ils s'entendraient mieux avec moi.

La vieille dame donna son assentiment d'un signe de la tête.

— S'ils n'apprécient pas ce qu'ils voient, ils n'ont pas les yeux en face des trous. Mon avis vaut ce qu'il vaut : n'essaie pas de changer. Ça ne te mènerait nulle part, car dans ce cas, ton homme s'intéresserait nécessairement à ce que tu n'es pas en réalité.

Thalie murmura un «Au revoir» rempli de reconnaissance, replaça la table à sa place habituelle sans faire le moindre bruit, puis quitta la pièce.

— Ça ressemble à une assemblée des actionnaires, remarqua Fernand après le «Bon appétit» adressé à ses invités. Nous y sommes tous.

— Monsieur Dubuc… commença Élise.

— Paul, je te prie.

Ces gens se voyaient assez régulièrement depuis quelques années, sans pour autant se sentir tout à fait à l'aise.

— Paul, reprit l'hôtesse, si vous acceptez d'appuyer ma proposition, je suggérerais de bannir le magasin PICARD de la conversation.

L'ancien ministre se troubla un peu. Par respect, il lui répondit :

— Élise, je serai heureux de t'appuyer.

— Je voudrais juste…

Le sourire de son époux la rassura tout à fait, puis il expliqua :

— Tu voudrais faire en sorte que ce souper ne devienne pas une réunion de travail. Autrement, ce serait exclure la moitié d'entre nous de la conversation.

Leurs regards laissaient deviner une complicité intacte.

— Les parts, les chiffres, les achats, les ventes, je veux bien, intervint Thalie. L'interdit touche-t-il aussi l'enveloppe extérieure de l'entreprise ?

Devant le visage intrigué du notaire, elle précisa :

— Le style ! Toutes ces courbes sont de plus en plus présentes partout dans la ville.

— Le *streamline*, dit Mathieu avec une fierté évidente. Justement, nous voulions quelque chose de très moderne.

— J'aime beaucoup, commenta sa cadette. Curieusement, ce décor me donne des envies de voyage.

Elle aussi reconnaissait l'inspiration des grands paquebots. La tendance se communiquait un peu partout : des voitures, des locomotives, même des grille-pain reprenaient cette même esthétique.

— Moi, intervint Flavie, j'aime surtout les lumières intégrées dans la construction. Dans mon bureau, de longs tubes sont placés au plafond, avec des plaques de verre dépoli pour les dissimuler.

Visiblement, la secrétaire du grand patron s'emballait pour son nouveau lieu de travail. On ne la ramènerait pas dans sa cuisine de sitôt.

— Nous passons nos soirées à feuilleter de gros catalogues américains de matériaux de construction et d'articles de décoration.

Tout de même, on en revenait au magasin. De façon un peu indirecte, Marie proposa un autre sujet de conversation.

— Tu viens de parler de voyage, dit-elle en se penchant vers sa fille. Tu comptes prendre des vacances, dis-moi ?

— Des fois, j'aimerais me voir ailleurs, très loin.

À sa mine déprimée, tout le monde le devinait bien.

— Je regarde les publicités dans les journaux. Tous les jours, on découvre des annonces de voyage pour toutes les destinations. De Rome aux Antilles. M'imaginer en maillot de bain en janvier me fait du bien.

— Tu pourrais te permettre de passer du rêve à la réalité ?

Déjà, sa mère songeait à la façon de lui venir en aide, si ses épargnes ne suffisaient pas.

— Depuis 1933, ça va mieux, je fais des journées complètes au cabinet du docteur Caron. Financièrement oui, je pourrais me le permettre, mais partir seule me déprimerait un peu.

— Évidemment, pour un marchand, s'absenter est tellement difficile.

L'allusion à Victor Baril amena la médecin à river ses yeux sur son assiette. Son malaise s'avérait si évident que Paul jugea bon d'attirer l'attention sur lui.

— Moi aussi, je regarde ces publicités. Un voyage pendant quelques semaines sur un grand navire à bien manger et à regarder la mer me changerait des sessions du Comité des comptes publics.

— Vous serez invité à répondre une nouvelle fois à des questions ? demanda Fernand.

Même rendu au pouvoir, Maurice Duplessis continuait de tenir des assemblées de ce comité. Son intention sautait aux yeux : il voulait ruiner la réputation de tous les libéraux de la province pour se faciliter le travail lors du prochain rendez-vous électoral.

— Comme j'ai dû subir cette expérience l'hiver dernier, je ne crois pas me retrouver sur le gril encore une fois.

— Le grand chef devrait se calmer bientôt. À la fin, son acharnement lassera même ses partisans.

Le notaire jugea inutile de préciser pourquoi, tous comprenaient. Les nouveaux élus pouvaient enfin se servir de leur position pour se donner de petits avantages. La mise à jour de toutes les stratégies pour y parvenir les empêcherait finalement de profiter de la situation.

— J'espère que vous avez raison, l'exercice tourne au burlesque.

L'ancien politicien se laissait envahir par la tristesse. Le souvenir de sa défaite était encore trop cuisant.

— Vous rêvez de quelle destination ? voulut savoir Élise, pour ramener un sourire sur son visage.

— La même que Thalie. Dans trois mois, la température passera sous le zéro. Après soixante ans, cette perspective devient plus difficile à supporter.

— Ce n'est déjà pas facile avant, alors je vous comprends, dit Fernand.

De grands encarts publicitaires dans les journaux francophones pour des voyages au soleil alimentaient les rêves de toute la population. Leur multiplication témoignait de la présence d'une classe de gens en mesure de s'offrir ce luxe. La crise ne pesait pas sur les Canadiens français de manière uniforme.

— Mais il y a plus exotique encore… La lecture de *L'Action catholique* ne ravive pas ma foi, elle me donne plutôt envie d'aller plus loin. On annonce un congrès eucharistique à Manille, aux Philippines, l'an prochain. Il se prépare un pèlerinage autour du monde.

— Voyons, nous ne pouvons nous permettre ça, protesta Marie.

— Nous le pouvons, tu le sais bien. J'aimerais profiter d'un voyage de ce genre alors que je me trouve encore en assez bonne santé.

Le projet ferait l'objet de bien des conversations, mais personne ne doutait de la réalisation d'une telle expédition. Marie cèderait, tout en se sentant un peu coupable de gruger ainsi l'héritage de ses enfants.

— Vous parlez d'un tour du monde. Quelles sont les principales étapes ? s'enquit Élise.

Elle aussi trahissait son envie de partir.

— L'itinéraire proposé évoque l'Italie, l'Égypte, la Palestine. À l'autre bout du monde, le Japon, la Chine, et même l'Australie m'attirent tout autant.

— Je partage totalement votre intérêt, reconnut Fernand. Le jour où tous mes enfants auront quitté l'université, je passerai chez un agent de voyages.

Il lui restait à en trouver un. Jusque-là, sa vie se distinguait par sa sédentarité. Maintenant, Marie estimait l'idée un peu plus raisonnable, puisque tout le monde exprimait son désir de faire de même un jour. Elle se souciait déjà des aspects pratiques que l'aventure impliquait.

— Auparavant, je devrai laisser mon travail, dit-elle.

Même si elle évoquait régulièrement cette étape de son existence, sans doute pour en apprivoiser l'idée, son époux comprit qu'il ne servait à rien de commencer à préparer ses malles en rentrant à la maison.

— Si nous ne pouvons pas partir, commenta Flavie, au moins le monde peut venir à nous. Ça m'a fait tout drôle d'entendre Sa Sainteté en direct, à la radio.

Chacun avait vu des images du pape, des films lors des actualités au cinéma, ou entendu des sermons enregistrés. Quelques jours plus tôt, par l'intermédiaire de câbles de transmission sous-marins, Pie XI s'était adressé à l'ensemble des croyants.

— Ça m'a impressionné aussi, remarqua l'ancien ministre. Je n'ai compris que quelques mots de son anglais, cependant.

Toutefois, le sermon avait par la suite été traduit.

Thalie avait manqué l'émission diffusée depuis Castel Gondolfo, et les comptes rendus de ce genre dans les journaux ne retenaient pas son attention.

— De quoi parlait-il?

— Il invitait tout le monde à s'engager dans une croisade contre le communisme, lui dit Fernand. Voilà la nouvelle obsession partout dans le monde.

— Ça m'a glacé le sang, murmura Flavie. En Espagne, ils ont tué seize mille prêtres, religieux et religieuses… après les avoir violées.

— Si les membres du clergé ne s'alliaient pas aux fascistes dirigés par Francisco Franco, ils ne deviendraient pas automatiquement des ennemis du gouvernement élu, argumenta Thalie.

La praticienne négligeait les discours du souverain pontife mais suivait toutefois les événements en Espagne. Impossible d'agir autrement, tous les journaux en faisaient leur page titre depuis des semaines. Dans *La Patrie*, *La Presse*, *Le Soleil*, la sympathie allait vers le gouvernement républicain, dans *L'Action catholique*, vers les troupes fascistes.

— Ce n'est pas aussi simple, dit Mathieu en la regardant dans les yeux. Cette guerre est encore pire que celle à laquelle j'ai participé, car elle se fait entre voisins. Des deux côtés, il y a des gens convaincus de détenir la vérité. Ça les autorise à commettre toutes les atrocités imaginables. Puis, il y a les règlements de comptes ordinaires : des querelles, des ambitions déçues qu'il faut venger, même des conflits amoureux. Un environnement susceptible de libérer le pire en chacun.

Sa sœur soutint son regard un instant, puis baissa les yeux. Les arguments politiques, foncièrement théoriques, sonnaient faux. La colère de Thalie dissimulait sans doute sa frustration, sa tristesse. Ces histoires entre fascistes et républicains la dépassaient. Au fond, que savait-elle concrètement de la situation là-bas, depuis son petit appartement luxueux ?

— Je me demande quelles conséquences aura ici cette croisade contre le communisme, s'interrogea Marie à haute voix.

— Toutes les associations catholiques vont se mobiliser, répondit son époux, des Dames de Sainte-Anne au Cercle Lacordaire. Les groupes nationalistes se joindront au mouvement. Avec ces troupes de choc, nous serons à l'abri.

Les derniers mots contenaient une pointe de moquerie.

Le communisme représentait la solution pour toutes les personnes rêvant de plus de justice. Elles s'aveuglaient volontairement : les simulacres de procès menés à Moscou devenaient crédibles, toutes les critiques du régime soviétique se transformaient en exercices de propagande. Fernand relança la conversation en demandant :

— Paul, je pense que vous vous remettez à la pratique du droit, non ?

— Je n'ai jamais totalement arrêté. Même ministre, je me suis occupé des affaires de notables de mon comté. Je souhaite aujourd'hui augmenter le nombre de mes clients.

— Pensez-vous ouvrir un bureau dans Rivière-du-Loup ?

— Non, ma femme et mes enfants sont à Québec. À titre de député, je conservais ma maison à Rivière-du-Loup, car les électeurs tiennent à ce genre de symbole. Aujourd'hui, elle ne me sert à rien. Un notaire de l'endroit s'occupera de la vendre.

Son épouse posa brièvement la main sur son avant-bras pour lui signifier son appréciation de ces décisions. Plus que jamais auparavant, elle profiterait de sa présence.

— Donc, vous établirez un cabinet à Québec.

— Dans un premier temps, je travaillerai à la maison. Si les choses vont bien, je louerai un bureau avec un autre ministre battu aux élections.

Pendant cet échange, d'autres conversations étaient nées autour de la table. Les services se succédèrent. Au moment de regagner le salon, les femmes unirent leurs efforts pour desservir afin de permettre aux domestiques de se coucher à une heure raisonnable. Flavie et Thalie posèrent en même temps des soucoupes dans l'évier. Cette dernière demanda à mi-voix :

— Finalement, tu as retenu quelle méthode ?

Sa belle-sœur eut un sourire embarrassé en répondant dans un souffle :

— Bientôt, utiliser de l'huile d'olive pour la cuisine me paraîtra étrange.

Élise avait entendu. Ses yeux rieurs indiquaient qu'elle comprenait très bien ce dont il s'agissait. La médecin ne se privait pas de partager ses trouvailles avec ses proches.

# Chapitre 7

Quand Victor Baril prévoyait passer son dimanche avec Thalie, presque chaque semaine, il assistait à la basse messe avec ses deux fils. Cela lui donnait la matinée pour préparer la petite expédition mise au programme. Ce 13 septembre, au moment de sortir de l'église Saint-Jean-Baptiste, Georges demanda :

— Nous avons le temps de nous confesser, papa ?

Le garçon avait fait sa communion solennelle l'année précédente, il affichait une religiosité fervente, façonnée par les frères des écoles chrétiennes et nombre de lectures pieuses. Il s'absorbait ces jours-ci dans les mémoires de l'enfant saint Gérard Raymond.

— Nous ne voulons pas être en retard, n'est-ce pas ?

Son frère haussa les épaules pour témoigner de son indifférence à ce sujet.

— On a toujours le temps de se confesser. De toute façon, la grand-messe ne se terminera pas avant onze heures.

C'était vrai. Chaque fois, il avait le temps de retourner à la maison et de subir le visage maussade de sa belle-mère.

— Bon, alors vas-y.

— Toi aussi, papa ?

Comment répondre ? Dans toutes les familles, les enfants scolarisés par des religieux devenaient les censeurs de leurs parents. Il était pratiquement impossible de ne pas céder à leurs objurgations. Autrement, les pauvres petits s'inquiétaient pour le salut des auteurs de leurs jours. Victor donna son assentiment d'un geste de la tête.

La basse messe se tenait si tôt que seulement deux ou trois pénitents pouvaient confier leurs fautes avant. Toutefois, dès *Ite missa est*, une bonne heure demeurait disponible avant la célébration suivante. Tout l'effectif clérical de la paroisse se mobilisait pour occuper les confessionnaux.

— Tu passes le premier, conclut Victor, j'irai ensuite.

Le père ne voulait pas laisser Aimé seul pendant ce temps, il prit place avec lui dans un banc libre situé au fond. L'attente fut assez longue. Au retour de son aîné, Victor exigea :

— Vous ne bougez pas d'ici avant mon retour.

Tous les deux hochèrent la tête. L'homme se joignit à la file d'attente la moins longue. Il aurait dû y penser, il s'agissait de celle du curé. La majorité de ses voisins préférait s'adresser aux vicaires, plus « modernes » en raison de leur âge. Puis, on jouissait d'un relatif anonymat avec eux.

— Je vous écoute, mon fils, entendit-il au moment de s'agenouiller.

La voix familière l'amena à se raidir. Il bafouilla un peu en ressortant la liste convenue de ses péchés. À près de quarante ans, l'aveu d'un peu d'envie, de colère, de gourmandise – pour les boissons alcoolisées – allait de soi. Et personne ne se privait d'avouer ses gros mots. En hésitant, Victor évoqua aussi un passage dans un « mauvais lieu ». Combattue par toutes les bonnes âmes, la prostitution était pourtant bien implantée dans la ville.

Quand il s'arrêta, le prêtre demanda :

— C'est tout, mon fils ?

Habituelle, la question le prit pourtant tout à fait au dépourvu.

— … Oui, mon père.

Le curé se déplaça dans sa minuscule prison de bois, sans doute pour distinguer un peu mieux ses traits à travers le guichet.

— Vous fréquentez la même femme depuis des années, n'est-ce pas ?

Le sujet ne venait pas sur le tapis pour la première fois. Même si le couple ne s'était jamais retrouvé face à face avec l'un des prêtres de la paroisse Saint-Jean-Baptiste, le curé connaissait l'existence de Thalie. Georges, le fils aîné de Victor, pouvait même l'avoir mentionnée dans une confession, bien que ce dernier soupçonnât plutôt sa belle-mère. La rancœur de celle-ci ne pouvait demeurer muette : l'intruse devait figurer dans ses conversations avec son conseiller spirituel.

— Depuis 1932. Donc, depuis quatre ans.

— Il s'agit de cette médecin ?

À l'intonation de la voix du confesseur, on aurait pu croire qu'il citait une profession malhonnête.

— Oui, mon père.

— Les longues fréquentations sont dangereuses pour le salut de l'âme, mon fils.

Que répondre à ça ? Rencontrer souvent une femme désirable conduisait irrémédiablement les hommes normaux au péché de la chair.

— Quand vous évoquez des pensées coupables, c'est envers elle, affirma le curé.

Au moins, la formulation n'exigeait pas que Victor réponde « oui ». Son interlocuteur n'en resta pas là :

— Juste des pensées ?

— Sinon, je ne me rendrais pas parfois à Vanier.

Des maisons de prostitution s'y tenaient depuis des années. Victor se félicita de pouvoir aligner ses mensonges de façon crédible.

— Vous la voyez depuis longtemps, vous me dites la désirer au point de pécher. Pourquoi ne l'épousez-vous pas ?

— Je ne demanderais pas mieux. Elle tient à son célibat.

La réponse trahissait une frustration difficilement contenue. L'ecclésiastique ne douta pas de sa sincérité. Que la relation soit restée platonique lui paraissait toutefois inconcevable.

— Son célibat... Si elle y tient tant, qu'elle se fasse religieuse.

Thalie s'avérait la coupable. Une vie sans mari et sans enfant relevait de la perversité.

— Vous savez que sa présence dans votre vie vous incite au péché, reprit le prêtre. À votre âge, rien de plus naturel que de penser à vous remarier. Comment voulez-vous rencontrer quelqu'un de bien si vous traînez avec elle ?

Traîner. « Comme dans tout ce qui traîne se salit », songea Victor. L'ecclésiastique aurait tout aussi bien pu la traiter de « traînée ». Quatre ans plus tôt, les termes de sa relation avec Thalie lui semblaient acceptables. Aujourd'hui, un engagement plus formel lui paraissait souhaitable. Comme il s'attendait à un refus, il n'avait jamais osé formuler son désir à haute voix.

Il soupçonnait que sa compagne se trouvait elle aussi sujette à de nombreuses pressions au sujet de son mode de vie. Les remarques mesquines, avec des sous-entendus vulgaires, formulées par le portier du Château Saint-Louis, duraient toujours. Victor vivait la situation tout autrement, avec la complicité habituelle entre hommes. « C'est qui, la fille qui va régulièrement dans ton magasin sans jamais rien acheter ? », demandaient des voisins avec des rires gras. Avec le temps, ces interventions étaient devenues plus explicites : « Pis, a couche-tu ? », voulaient savoir certains.

— Ça ne court pas les rues, des femmes disposées à accueillir un veuf avec une famille, plaida-t-il pour se dérober.

— Pour un marchand bien établi comme vous ? Vous ne devez pas avoir cherché beaucoup. Je pourrais vous en nommer plus d'une.

Évidemment, avec la crise économique qui n'en finissait pas, le mariage constituait la planche de salut de plusieurs. La notion de « bon parti » faisait toujours beaucoup de place à la qualité de pourvoyeur, et la possession d'un commerce lui donnait un important avantage auprès de la gent féminine.

Le silence se prolongeait trop longtemps, Victor devait dire quelque chose.

— Je vais y réfléchir, mon père.

— Si vous vous replacez sans cesse dans une situation propice au péché, vous ne pouvez évoquer le ferme propos de ne plus recommencer.

Ce « ferme propos » était une condition essentielle pour recevoir l'absolution.

— Pour un homme dans ma situation, je vous assure que ce n'est pas si simple.

Il ne sut pas comment continuer. Répéter que les prétendantes ne couraient pas les rues ne servirait à rien ; son interlocuteur proposerait de se faire entremetteur afin de lui ménager des rencontres avec des candidates.

— Nous en reparlerons. Dites votre acte de contrition.

Le pénitent poussa un soupir de soulagement. Il pourrait repousser sa prochaine confession jusqu'à l'Avent, invoquer à ce moment la faiblesse de sa chair, et sans doute s'en tirer encore cette fois. En plaidant, peut-être pourrait-il faire traîner les choses jusqu'à l'été 1937. Tôt ou tard toutefois, en le privant du pardon, le prêtre le mettrait totalement à part de sa communauté.

Cet après-midi-là, Thalie ne le trouverait pas d'humeur excellente.

À Montréal, Antoine et sa sœur se présentèrent aussi à la basse messe à la chapelle Notre-Dame-de-Lourdes, dans la rue Sainte-Catherine, presque à l'angle de Saint-Denis. Le visiteur s'extasia devant le décor magnifique. Tous les deux allèrent ensuite dans un café voisin afin de déjeuner.

— En t'invitant, je procure des économies à ta logeuse. Ne doit-elle pas te fournir deux repas par jour ?

— Le matin et le soir. Le midi, presque toutes les filles sont au travail, ou à l'école.

— Le dimanche ?

— C'est le jour des petits amis ou des parents. Je dois être la seule à n'avoir ni l'un ni l'autre à Montréal.

Tous les deux occupaient une banquette. Ils s'interrompirent le temps de passer leur commande.

— Bientôt, un garçon te tiendra compagnie.

— Tu es mon aîné, les convenances exigent que j'attende que tu sortes avec une fille. Pour me donner l'exemple, en quelque sorte.

Pour une fois, le rose monta aux joues d'Antoine. Sa sœur poussa la taquinerie jusqu'à préciser :

— Il me semble même qu'une jeune Couture ne demandait pas mieux, l'été dernier.

— Pour ça, on verra.

— Puisque je viendrai à Québec dans deux semaines, je t'offre mes services comme chaperon.

Béatrice s'assurait ainsi de ne pas faire l'objet de plaisanterie sur ce thème jusqu'à la fin de la journée… et sans doute plus longtemps. D'ailleurs, Antoine préféra changer tout à fait de sujet.

— Ça te dit, toi, d'entendre Tancrède Marcil ?

Elle haussa les épaules pour marquer son indifférence. Il s'agissait d'un nationaliste, déjà vieillissant car il avait tenu compagnie à Henri Bourassa et Olivar Asselin, au début du siècle.

— Dans ce cas, continuons d'explorer la ville. Je vais téléphoner à Charles.

L'établissement fournissait un téléphone public à sa clientèle. Le temps d'obtenir un jeton, Antoine appela la pension de son cadet. Il revint en souriant.

— Sa logeuse ne l'a pas vu depuis hier, et elle m'a précisé ne pas être sa secrétaire, donc qu'elle ne prendrait pas de message.

— Je soupçonne que tu n'étais pas le premier à tenter de le joindre ce matin, compte tenu de sa multitude d'amis. Déjà rue Scott, il accaparait l'appareil.

— Tu es allée sur le mont Royal depuis ton arrivée ?

La jeune femme fit non de la tête. D'ici le milieu de l'après-midi, ils joueraient encore aux touristes. Ces deux jours leur permettraient de se rapprocher, mais leurs convictions politiques demeureraient rigoureusement les mêmes malgré toute l'agitation des membres de leur génération.

Finalement, le frère et la sœur avaient dû accélérer le pas, puis sauter dans le tramway parcourant la rue Ontario afin d'arriver à trois heures au marché Saint-Jacques, à l'angle de la rue Amherst.

— C'est un bel édifice, remarqua Béatrice en descendant de la voiture.

De très nombreux jeunes gens se dirigeaient vers l'entrée majestueuse, tout en pierre grise, alors que le reste de la bâtisse était en brique. La Palestre nationale n'aurait pas suffi à recevoir pareille affluence. La dernière activité de ce congrès nationaliste remportait visiblement un grand succès.

— Il a été construit il y a quatre ou cinq ans afin de fournir du travail aux chômeurs.

Comme la plupart des bâtiments publics érigés pendant la dernière décennie, il affichait le style Art déco. De part et d'autre de la construction, des auvents permettaient aux cultivateurs de vendre leurs produits à peu près à l'abri du soleil ou de la pluie. En ce dimanche, ceux-ci sanctifiaient le jour du Seigneur.

— Nous ferions mieux d'entrer, sinon nous ne saurons rien des grands événements de cette fin de semaine.

Le garçon offrit son bras à sa sœur et ils se faufilèrent parmi tous les sympathisants. Au rez-de-chaussée, on trouvait des étals de boucher. Il y régnait une odeur de sang et de viande avariée. Béatrice porta ses doigts gantés à ses narines. Un escalier conduisait à l'étage. Ils y trouvèrent une très grande salle éclairée par des fenêtres situées des deux côtés. Quelques centaines de jeunes s'y pressaient déjà, surtout des hommes. Tout de même, çà et là, on apercevait des chapeaux de feutre féminins, d'autres de tissu aux couleurs claires. Déjà, les bibis de paille avaient disparu, un autre présage de la mauvaise saison.

Antoine chercha une place du côté droit, près d'une fenêtre, afin de profiter d'un léger courant d'air. À l'avant, on avait monté une estrade de planches en face de laquelle s'alignaient, sur trois rangs, des chaises réservées aux notables du mouvement. Les autres spectateurs demeureraient debout.

— Charles doit se trouver parmi ces gens, remarqua la jeune femme, mais je ne le vois pas.

— Aucune force humaine ne pourrait le retenir ailleurs. Nous l'attendrons dehors en sortant, tout à l'heure.

— Tu ne l'auras à peu près pas vu, durant ces deux jours.

— Au moins, je pourrai expliquer à papa qu'il ne risque pas de mourir d'ennui ni de solitude.

Un bonhomme un peu replet montait sur l'estrade alors que le nombre des spectateurs augmentait sans cesse. Il dut s'y reprendre à trois fois, avec des « Messieurs, s'il vous plaît, messieurs », pour que le murmure s'éteigne enfin.

— Pour conclure ces deux jours de réflexion et de discussion, monsieur l'abbé Lionel Groulx va s'adresser à nous.

Un tonnerre d'applaudissements accompagna le petit ecclésiastique jusqu'en haut des marches. Pas très grand, étroit dans sa soutane noire, de petites lunettes cerclées de métal sur le nez, Groulx ne ressemblait en rien à un tribun susceptible de soulever les foules. Pourtant, dans le silence religieux de la salle, il s'engagea dans un long cours d'histoire du Canada depuis la conquête de 1760. Tout y passa, même une présentation des contextes de l'adoption des constitutions canadienne et américaine.

L'interminable leçon l'amena jusqu'à se prononcer sur la situation présente :

— La locomotive qui emporte chez nous le train économique ne nous appartient pas.

L'homme évoquait toutes les grandes entreprises, propriétés de Canadiens anglais ou d'étrangers. Le murmure qui emplit la salle trahissait la colère accumulée depuis plus d'un siècle et demi. Plusieurs mots de l'abbé échappèrent au frère et à la sœur. Puis, ils entendirent :

— Ce n'est pas uniquement un redressement qu'il faut, mais un renversement, une révolution. Changer notre rôle de domestique pour celui de maître.

Béatrice plaça ses paumes sur ses oreilles pour les protéger des hurlements. Les considérations suivantes sur les changements constitutionnels s'éternisèrent, comme celles sur une stratégie économique défensive : « l'achat chez nous ». Le tribun entendait jeter quelques phrases-chocs dans un océan d'arguments souvent répétés.

— Nous demandons un État qui gouverne d'abord pour les nationaux de cette province, pour la majorité de la population qui est canadienne-française.

L'enthousiasme redoubla. D'une certaine façon, dans sa guerre contre les trusts, dans ses efforts pour nettoyer les cadres de la fonction publique et éliminer les prévarications, Maurice Duplessis promettait exactement cela : gouverner au profit des Canadiens français. Toutefois, au sein de ses troupes, plusieurs exprimaient déjà des doutes.

— Il n'est pas nécessaire de haïr les Anglais et les Juifs pour les mater. Il suffit de cesser de nous haïr nous-mêmes.

L'identification des Juifs comme les ennemis de la race canadienne-française devenait systématique. Des associations affirmaient maintenant un antisémitisme sans nuance, comme si l'unité de la communauté devait se forger contre un adversaire commun, assez faible pour être vaincu.

— Travaillons à la création d'un État français au Québec…

Le mot d'ordre pour cette génération était lancé.

— Dans la confédération si possible, en dehors de la confédération si impossible.

Après ces mots, plus personne n'écouterait. L'abbé quitta les planches sous une nouvelle salve d'applaudissements et la voix de l'orateur suivant fut couverte par un murmure constant.

— Je ne pense pas que quelqu'un puisse se faire entendre après ça. Nous sortons ?

Prononcés à l'oreille de Béatrice, ces mots entraînèrent son assentiment. Plusieurs autres spectateurs firent la même chose, certains sans doute choqués par les paroles si audacieuses de la vedette du jour. Les Canadiens français survivraient-ils en dehors de la fédération canadienne ? Pendant des années, le sujet serait l'objet de discussions enfiévrées dans les collèges et les universités.

Dehors, le frère et la sœur cherchèrent un point d'ombre bien en vue depuis les grandes portes. Une trentaine de minutes plus tard, Charles venait vers eux, tout sourire.

— À l'intérieur de la fédération si possible, à l'extérieur si impossible. Vous avez entendu ?

— Si une syllabe nous a échappé, ricana Antoine, tu combleras ces lacunes. Je devine que tu as retenu tout le sermon par cœur.

— Pas le sermon, le discours.

— Quand un gars porte une soutane sur le dos, c'est un sermon.

Visiblement, les deux frères ne partageaient pas le même enthousiasme.

— Je craignais d'être la seule à raccompagner Antoine à la gare, dit Béatrice, tellement on ne t'a pas vu. Tu viens avec nous, n'est-ce pas ?

Formulés doucement, ces mots s'avéraient tout de même une injonction. Le cadet tourna la tête pour voir ses compagnons sortir du marché Saint-Jacques, se livrant à des discussions passionnées.

— Bien sûr, dit-il avec une déception dans la voix. C'est déjà l'heure ?

— Si je ne veux pas rater mon train, je dois partir tout de suite.

— Tu ne souperas pas avec nous ?

Après deux jours à leur faire faux bond, voilà que le benjamin semblait se désoler que la visite s'achève déjà. Le trio s'engagea rue Amherst vers le sud. La gare Viger se situait à distance de marche. Chemin faisant, Antoine demanda :

— Si votre État français se place à l'extérieur de la fédération, qu'adviendra-t-il des dizaines de milliers de Canadiens français dans les autres provinces ?

— Tu n'as pas entendu ? L'abbé Groulx a dit qu'on ne doit pas se perdre pour tenter de sauver les autres.

— Voilà qui fera plaisir à tous ces gens qui, dans des provinces anglaises, luttent pour leur survie culturelle.

Charles était trop excité pour se formaliser de l'ironie de son aîné. L'immense gare se dressa bientôt devant eux, toute de brique avec son toit de tôles de cuivre verdi par l'oxydation. L'architecture rappelait celle du Château Frontenac. Au passage, Antoine récupéra son sac de voyage à la consigne.

— Tu as été satisfait de ta chambre ?

La taille de l'édifice tenait à la présence d'un grand hôtel dans les étages supérieurs.

— Compte tenu du prix, je m'attendais à des robinets plaqués or.

— Rien de trop beau pour le plus vieux de la famille, dit Charles. Est-ce qu'on a le temps de prendre un café, et même de manger ? Je n'ai rien avalé depuis ce matin.

— Faire la révolution exige des sacrifices.

Ils se rendirent dans le restaurant. Antoine s'en tint à une boisson chaude, les deux autres s'entendirent pour souper sur place. Vingt minutes plus tard, une voix nasillarde, avec un lourd accent français, annonçait en anglais le départ prochain du train du Canadien National vers Québec. On vivait ce genre d'absurdités dans les grandes entreprises :

entendre des Canadiens français donner des directives dans un mauvais anglais à une clientèle francophone.

Les repas venaient juste d'arriver sur la table, les deux autres lui jetèrent un regard désolé.

— Tout de même, je peux me rendre seul jusque sur le quai. Je mangerai dans le train. À la prochaine, frérot.

Les deux autres convives se levèrent aussi. Les garçons échangèrent une poignée de main. Antoine donna des bises à Béatrice.

— Donc, nous nous voyons dans deux semaines.

— Je prendrai le train après les cours, le 25.

— Et toi ?

Le benjamin se troubla un peu en répondant :

— Je ne pense pas avoir le temps. La semaine suivante, ce sera le pèlerinage à Arthabaska, alors si je compte étudier un peu…

Antoine lui adressa un sourire moqueur, comme si la fin de semaine dans les livres lui paraissait bien improbable.

— Alors, nous nous verrons là-bas, j'y vais aussi.

Après un dernier salut, le jeune homme alla prendre son train.

Victor et Thalie s'étaient vus après la grand-messe pour une activité en famille. Après avoir confié les enfants à sa belle-mère, il la rejoignit en fin d'après-midi.

À ce moment, la femme affichait toujours le même visage maussade. L'absence de son compagnon lors du souper de la veille chez les Dupire lui restait en travers de la gorge. À sa façon de tendre la joue pour recevoir une bise, il comprit que se montrer un peu entreprenant lui vaudrait un coup de griffe. Sans même lui offrir de venir s'asseoir un instant, elle dit :

— Partons maintenant pour le cinéma. En profitant de la représentation en fin d'après-midi, nous serons de retour un peu plus tôt.

— Nous ferons comme tu préfères.

Dans cet état d'esprit bien peu enthousiaste, le couple prit la voiture dans le stationnement de l'édifice. Le Capitole diffusait un film français réalisé par Abel Gance, *Le Roman d'un jeune homme pauvre*. «Voilà un sujet qui me convient parfaitement», songea Victor. Le statut de sa compagne le conduisait souvent à ce genre d'apitoiement. L'histoire ne lui remonterait pas le moral : un marquis ruiné s'éprenait de la fille de son richissime employeur, puis l'épousait. Un tel scénario n'arrivait-il qu'aux aristocrates en difficulté, ou les marchands de musique y trouvaient-ils parfois un exemple ?

— Nous pourrions aller manger au café New York, suggéra-t-il quand les lumières s'allumèrent.

— Pourquoi pas ? Ça nous donnera l'occasion de discuter du jeu de Pierre Fresnay.

De nouveau, Victor ressentit combien cette soirée ne contribuerait pas à leur rapprochement. Une discussion entre eux autour du jeu des acteurs s'avérait juste un peu plus intéressante que celle concernant la politique. Des amoureux savaient trouver un sujet plus excitant. Le climat restait maussade. Ils arrivaient à l'extérieur quand une voix attira leur attention :

— Baril, tu ne reconnais plus tes voisins, asteure ?

Dans la file d'attente pour entrer dans le cinéma, un homme leur adressait des gestes de la main.

— Je ne peux pas faire semblant que je ne l'ai pas entendu. Viens.

— On l'a entendu jusque dans Limoilou, commenta sa compagne.

Le bonhomme présentait un visage hilare. En arrivant près de lui, Victor dit:

— Voici Alain Delisle. Il vend des chaussures à quelques portes de chez moi.

Puis, il continua, avec un geste de la main vers sa compagne:

— Thalie.

Aucun nom de famille, aucune information sur sa fonction. Avec une mauvaise grâce évidente, la jeune femme accepta la main que lui tendait Delisle, murmura «Bonjour».

— Comme ça, vous êtes la fameuse Thalie!

Devant ses sourcils relevés et sa mine chargée d'incompréhension, le marchand de chaussures précisa:

— La docteure. Dans une ville comme Québec, ça passe pas inaperçu. Pis, vous avez aimé le film?

Comme elle ne répondait pas, son compagnon le fit à sa place:

— Ça ressemble un peu à Cendrillon, mais dans ce cas-là, l'homme est pauvre et la femme, très riche.

— Là, on voué bin que cé une histoire inventée. T'en connais, toé, des gars qui tombent en amour avec la riche héritière? Penses-tu qu'y se r'trouvent à l'autel, un de ces jours?

Le ton railleur mit le marchand de musique mal à l'aise, comme s'il parlait de sa propre histoire.

— Tu viens maintenant? fit une petite voix à ses côtés. Nous serons en retard pour le repas.

Thalie laissait entendre une obligation sociale. Les deux hommes se dirent au revoir, la femme se contenta d'un geste de la tête. Le couple se retrouva à une table du café New York. La conversation s'étira pendant une bonne heure. Ils en étaient à boire leur thé quand Victor risqua enfin:

— Tu m'en veux de me sentir mal à l'aise parmi les tiens, mais tu ne montres pas une plus grande assurance quand tu te retrouves devant mes voisins.

Comme elle le regardait en feignant de ne pas comprendre, il précisa :

— Avec Alain. Je me demandais si tu n'allais pas prendre la fuite. Tu restais là sans dire un mot.

— Tu l'as entendu : "Vous êtes la docteure", puis son allusion au mariage des héritières. Tu penses que ça me plaît, des rencontres avec des gens vulgaires comme lui ?

Victor hocha la tête. Pour elle, tous les petits marchands devaient paraître bien mal éduqués. Son compagnon poussa plus loin son argument :

— Tu te sens mal à l'aise avec des gens comme ça, tout comme je le suis avec tes proches. Ce qui rend ma position plus délicate encore, c'est que je suis dans le lot que les gens comme toi jugent vulgaires.

Thalie percevait bien toute sa mauvaise foi. Son compagnon méprisait lui aussi cette absence de manières.

— Voyons, ce que tu dis là n'a pas de sens. Tu n'as rien de commun avec ce vendeur de chaussures, puis tous les membres de ma famille ont de l'estime pour toi, tu le sais très bien.

— Quand on fréquente une classe autre que la sienne, on se sent gêné. Tu as pu le mesurer aujourd'hui.

Un long moment, Thalie le contempla. Victor se sentait mal à l'aise parmi les siens, de cela, elle n'en doutait pas. L'explication de son inconfort ne pouvait tenir à une simple question d'origine, pensait-elle. Qu'est-ce qui le rendait si embarrassé ?

— Tu sembles oublier que c'est Mathieu qui a eu l'idée de notre première rencontre. Crois-tu qu'il aurait fait cela s'il t'avait regardé de haut ?

Victor secoua la tête, incertain, adressa un signe de la main à la serveuse afin d'obtenir l'addition. Il souhaitait se trouver ailleurs. Quand il se rangea devant l'entrée du Château Saint-Louis, la jeune femme dit dans un murmure :

— As-tu le temps de monter un moment ?

L'air piteux de Victor avait eu raison de sa colère de la veille. Faire en sorte de jeter la lumière sur cette tension les effrayait tous les deux, car l'exercice risquait de les amener à cesser de se voir. Si Victor se sentait un peu honteux de gagner le lit d'une femme parce que ce jour-là, il lui avait inspiré une certaine pitié, il n'en laissa rien paraître.

Le lendemain matin, un lundi, les Dupire se réunirent dans la salle à manger. Antoine s'habituait lentement à cette famille réduite à trois personnes.

— Quand tu es revenu hier, j'étais déjà au lit, dit Fernand en effleurant l'épaule d'Élise avant de gagner sa place.

— Le train a fait des arrêts dans tous les villages entre ici et Montréal.

— Mes autres enfants se portent bien ?

— Charles semble déterminé à mener la province à son indépendance au cours de la prochaine année, si ce n'est pas le prochain mois.

— J'ai entendu ça à la radio tout à l'heure. Notre prédicateur national a dû donner des frissons à ses supérieurs. Je ne crois pas que le concile provincial ait décidé de mobiliser le clergé pour sortir le Québec de la fédération.

Comme tous les matins, Gloria faisait le service. Les assiettes vinrent avec les « Bonjour ». Élise entreprit de verser le café elle-même.

— Tu crois que monseigneur Gauthier, l'évêque coadju-teur de Montréal, le rappellera à l'ordre ? demanda-t-elle.

— Ces temps-ci, l'Église catholique se mobilise pour la lutte contre le communisme. Ces ennemis lointains valent mieux que ceux qui sont juste à la porte voisine, il faut croire.

Les campagnes menées contre ces adversaires invisibles ne faisaient courir aucun risque. Une attaque des partisans de la fédération aurait été une tout autre affaire.

— D'un autre côté, précisa Antoine, ce n'était pas l'unique soutane à assister au congrès. Groulx n'est pas seul parmi le clergé à répandre ces idées.

— Dans ces cas-là, on peut toujours compter sur quelques jésuites. Je me demande s'ils influencent leurs élèves ou si c'est le contraire.

Le Collège Sainte-Marie fournissait une bonne part des effectifs du mouvement nationaliste, alors que certains professeurs semblaient en être les inspirateurs.

— Me voilà rassuré. Charles est bien entouré, avec tous ses nouveaux camarades de lutte. Comment Béatrice se porte-t-elle ?

Antoine ne répondit pas assez vite pour donner le change.

— Elle éprouve des difficultés ?

L'inquiétude du notaire l'amena à poser sa fourchette.

— Son intégration ne semble pas facile. Les querelles politiques trouvent leur chemin jusque sur les campus.

— Alors, une Canadienne française à McGill… J'aurais dû y penser. Il y a de bons collèges au Vermont. Quand elle viendra dans deux semaines, je le lui proposerai. On voudra peut-être l'accepter même un mois après la rentrée.

— Tu ne penses pas que tu devrais lui offrir ton encoura-gement, mais sans lui parler tout de suite d'un changement d'institution ?

La suggestion d'Élise laissa Fernand incertain.

— Les tensions sont grandes, tu sais. Depuis cinq ans, les étudiants de l'Université McGill et ceux de l'Université de Montréal en viennent souvent aux coups.

— Pas avec les grandes blondes, je suppose? dit sa femme.

— Non, sans doute pas.

La concession fut faite avec un demi-sourire. Les interventions d'Élise dans ses rapports avec ses enfants s'accompagnaient toujours de beaucoup de prudence.

— Elle a quitté la maison depuis moins d'un mois. Ce serait dommage qu'elle y revienne avec un sentiment d'échec.

Des yeux, Fernand interrogea son fils.

— Elle ne m'a pas semblé au bord du désespoir.

— Je nous ménagerai un petit tête-à-tête, juste pour en être certain.

Tout de même, il l'appellerait en soirée, afin d'évaluer son état au timbre de sa voix.

Parfois, Dorothea Palmer avait le sentiment de vivre de l'autre côté de la rivière des Outaouais, dans la province de Québec. Au fil des ans, des francophones étaient venus s'installer dans le village d'Eastview, tout près d'Ottawa, au point de former la majorité de la population. Pour la plupart, il s'agissait de préposés à l'entretien dans les édifices publics, de petits commis, d'ouvriers. Les noms des rues témoignaient de leur présence. Elle s'était déjà arrêtée dans une demi-douzaine de demeures dans les rues Sainte-Marie et Sainte-Cécile. Elle avait encore trois domiciles à visiter dans Saint-Denis.

La maison de deux étages devant laquelle elle s'immobilisa n'avait pas dû recevoir un sou d'entretien depuis 1929. Le rectangle gazonné en façade se donnait des allures de savane. L'herbe lui arrivait au moins à mi-mollet. Dans les fenêtres, des pièces de drap faisaient office de rideaux. Trois enfants vinrent de la cour arrière pour se flanquer devant elle. Ça ne pouvait manquer dans ces parages, ils lui faisaient penser à des sauterelles dans un champ d'été.

— Bonjour, fit-elle avec son accent marqué. Vous habitez là ?

Maigres, malpropres, de la morve leur coulant du nez jusqu'à la lèvre supérieure, les petits la contemplaient, curieux et silencieux. Elle en vint à douter de sa compétence en français. Quand elle frappa à la porte, une ménagère lui ouvrit, un garçonnet âgé de deux ans tout au plus posé sur la hanche.

— Madame Bellefeuille ?

La dame semblait sur ses gardes.

— Vous avez bien demandé des renseignements au Parents' Information Bureau ?

Comme la mère ne manifestait aucune réaction, Dorothea traduisit :

— Le bureau d'information pour les parents.

— Restez pas dehors.

La porte donnait directement dans la cuisine. Un autre marmot rampait sur le sol, fesses nues.

— Assisez-vous.

Sans façon, l'hôtesse s'installa à la table de la cuisine.

— Dorothea Palmer, fit la visiteuse en tendant la main.

La ménagère jeta un œil du côté du gamin maintenant posé sur sa cuisse comme pour s'excuser de ne pas offrir la sienne.

— Vous en avez d'autres ?

Maigre, la bonne femme présentait toutefois un gros ventre mou, le souvenir de grossesses multiples. Nus sous la robe, ses seins flasques tombaient bas.

— J'en ai huit en toute.

L'infirmière lui donnait une trentaine d'années. Depuis 1926, elle avait été enceinte pendant six ans, et avait allaité le reste du temps. Dans ce quartier canadien-français, il s'agissait de la norme.

— Votre époux... Comment gagne-t-il sa vie ?

— On est su l'relif.

Malgré ses nombreuses visites, il lui fallait toujours un moment pour comprendre cette prononciation : *Relief*. Les secours directs. De nouveau, les statistiques lui revinrent en mémoire. Dans ces rues, neuf familles sur dix recevaient le strict nécessaire pour survivre d'une semaine à l'autre de la part des pouvoirs publics.

— Vous savez lire ? Je veux dire, lire l'anglais.

— Bin, j'me débrouille.

Dorothea Palmer ouvrit son sac, sortit une brochure pour la poser sur la table.

— Là-dedans, vous trouverez diverses méthodes pour... espacer les enfants. Il y a celle mise au point par deux chercheurs, Ogino et Knauss. Il faut limiter les relations à certaines périodes du cycle.

La femme jetait sur elle un regard vide. Même rédigées en français, elle n'aurait sans doute pas compris toutes ces directives.

— Il y a aussi des moyens mécaniques. Vous en avez entendu parler ? Les pessaires, les condoms, les éponges, les mousses...

Son interlocutrice ne réagissait pas.

— Vous avez bien demandé de l'aide au bureau ? demanda Dorothea, un peu inquiète.

Silence. L'idée d'une conspiration, d'un piège plutôt, vint à l'esprit de la visiteuse. Très vite, elle reprit la brochure, la fourra dans son sac. Quand elle ouvrit la porte donnant accès à l'extérieur, ce fut pour se retrouver face à face avec deux policiers. L'huis claqua dans son dos : impossible de retourner sur ses pas.

— Vous êtes madame Palmer. Dorothea Palmer ?

On avait mobilisé des agents canadiens-français pour s'occuper d'elle.

— Oui. Que me voulez-vous ?

— Vous êtes en état d'arrestation. Suivez-nous.

— Pourquoi ?

Le millionnaire de Kitchener qui finançait le Parents' Information Bureau avait bien évoqué cette possibilité, mais elle n'avait pas osé y croire. Comme elle connaissait un peu le français, on lui avait désigné un quartier catholique. Son rôle consistait à visiter les familles ayant demandé de l'aide à l'organisation vouée à la limitation des naissances pour leur faire connaître différents moyens de contraception.

— Vous essayez d'empêcher la famille.

— … Ce n'est pas un crime.

Comme elle ne bougeait pas, l'homme insista :

— Vous voulez pas qu'on vous force, toujours ?

— Faites pas d'troub d'vant tout c'monde, intervint le second policier. Les menottes, ça paraîtrait mal.

Il faisait référence à la vingtaine de personnes réunies sur le trottoir, dont une bonne quinzaine d'enfants. On avait dû la suivre des yeux depuis les fenêtres pour apprendre la conclusion de l'affaire. Le piège était donc connu des habitants des environs. Un bon curé avait dû manigancer ce scénario, pensa Dorothea.

— Je vous suis.

Tout de même, ils décidèrent de l'encadrer pour ne pas lui laisser de chance de s'éclipser.

— Crisse ton camp, maudite Anglaise ! cria un homme. On a pas besoin de toé pour briser les ménages.

Celui-là devait être bien attaché à ses douze enfants.

# Chapitre 8

Le train venu de Montréal s'arrêta près du quai de la gare du Palais. Béatrice descendit, sa petite valise à la main. Tout de suite, elle remarqua la forte silhouette debout près de la locomotive. À son âge, courir vers son père aurait été gênant. Toutefois, elle accéléra le pas autant que sa dignité de jeune femme le permettait.

— Papa, dit-elle en se pressant contre lui.

Les grands bras la serrèrent un moment.

— Ma petite, tu m'as manqué.

Tant pis pour la dignité, des larmes gonflèrent un peu ses paupières.

— Tu vas bien ? continua-t-il en la repoussant juste assez pour voir son visage.

— Oui, je vais bien.

Bien sûr, Antoine avait trahi ses confidences.

— Tu es certaine ?

La tendresse dans le ton déclencha ses pleurs. Rendue muette un instant, elle se contenta de hocher la tête, un sourire contraint sur les lèvres.

— C'est curieux, tu as déjà quitté la maison pour de plus longues périodes, comme les camps d'été, mais là, je trouve que tu as vraiment changé.

— Changé ?

— Je vois une femme devant moi.

Le rose monta aux joues de Béatrice. Des voyageurs les bousculaient un peu. Naturellement, son père prit sa valise, puis lui offrit son bras. Jusqu'à la voiture, ils restèrent silencieux. Quand il démarra, la jeune femme reprit :

— Ça ne va pas si mal, tu sais…

Elle ne voulait pas parler de son désarroi, tâchant de se montrer à la hauteur de la nouvelle image que son père avait d'elle.

La vieille madame Dupire la contemplait de ses yeux bleus. Comme elle était déjà couchée lors de son arrivée la veille au soir, les retrouvailles venaient avec un peu de retard.

— Tu as changé.

Si deux personnes proches avaient émis le même constat, pourtant, un long examen devant le miroir avant d'aller au lit huit heures plus tôt n'avait pas permis à la jeune fille de déceler la plus infime transformation.

— Ça doit tenir à mon passage chez la coiffeuse avant de prendre le train.

L'aïeule lui adressa un sourire sceptique.

— Ils te font la vie dure, là-bas.

Jamais Antoine ne serait venu faire ce genre de compte rendu à sa grand-mère, donc son visage révélait toutes ses émotions, conclut-elle.

— C'est ma timidité qui me fait la vie dure.

Béatrice n'osait pas demander « Et toi, comment te sens-tu ? ». Elle n'était pas la seule à avoir changé au cours des trois dernières semaines. Sa grand-mère paraissait un peu plus écrasée dans sa chaise, la fatigue marquait plus profondément son visage. La délicatesse demandait-elle de s'informer ou de laisser le sujet de côté ?

Les études meublèrent un moment la conversation, puis toutes les deux gardèrent longtemps le silence.

— Grand-maman, tu ne pourrais pas me donner un conseil… ?

— Ne désespère pas, la coupa-t-elle. Tout le monde ne peut pas s'empêcher de t'aimer, il s'agit juste de leur donner le temps de te connaître. Ça va prendre quelques semaines, car tu communiques surtout avec les nuances de rose de tes joues.

— Tu as bien raison, j'essaie de travailler là-dessus. Mais le conseil concernait un autre sujet.

L'œil de son interlocutrice s'aviva : « Elle pense que je vais lui parler d'un garçon », se dit la jeune fille. La pauvre serait déçue, même s'il s'agissait bien d'un jeune homme.

— Tu te souviens de Jacques ?

Comme aucune réponse ne vint, elle précisa :

— L'autre fils de maman. Celui…

— J'avais bien compris… Je me souviens bien de lui : un superbe adolescent, prétentieux, convaincu d'être la personne la plus estimable que la terre ait portée.

Cette appréciation venait après qu'ils eurent quelques fois partagé la même table.

— J'aimerais le voir de nouveau, annonça Béatrice.

— Grands Dieux ! Pourquoi donc ?

— C'est mon frère.

Était-ce la seule raison ? La jeune femme ne comprenait pas très bien ses propres motivations. Revoir un magnifique garçon ou rencontrer un parent perdu, puis retrouvé ? Quelle situation romantique, digne des feuilletons mélo-dramatiques de journaux de fin de semaine !

— Avec des frères, on partage son enfance. Tu en as deux. Cette question des liens du sang me paraît bien surfaite.

Antoine et Charles étaient ses véritables frères, ils l'auraient été même s'ils étaient nés de parents différents. Sa relation avec eux ne pouvait être meilleure. Jacques lui apporterait-il autre chose ?

— Je la comprendrai peut-être un peu mieux.

— Eugénie ?

D'un grand geste de la tête, Béatrice dit oui. Elle avait besoin de comprendre pourquoi sa mère l'avait traitée avec mépris, cruauté même. Un enfant né hors mariage, élevé en bas de la ville, pouvait-il lui donner la moindre réponse à ce sujet ?

— Dans une situation semblable, tu risques de récolter quelques blessures.

La jeune femme haussa les épaules, une curieuse grimace sur le visage.

— J'essaie de devenir une grande fille. Je suppose que ce n'est pas toujours facile.

— Quand même, fais attention. Maintenant, veux-tu m'aider à remonter ces oreillers ?

La station couchée effrayait un peu la vieille dame. Elle s'imaginait dans une boîte de bois, un chapelet entre ses mains jointes. Cependant, en position assise, les forces lui manquaient pour se soutenir. Un arrangement complexe de coussins et d'oreillers la maintenait en place.

Béatrice fit de son mieux. Toucher au vieux corps lui donna une impression étrange. Il paraissait perdre de sa consistance, comme si sa grand-mère avait déjà commencé à disparaître.

L'occasion d'être seule se présenta à Béatrice quelques minutes avant le souper. Tout de même, ses appréhensions s'avéraient bien présentes. Le bureau de son père lui procurerait toute la discrétion souhaitée. La prise d'une décision était une chose, la mise à exécution, une autre. Jamais le téléphone ne lui était apparu aussi menaçant.

Un bruit de voix étouffé dans la salle à manger la décida. Bientôt, on l'appellerait pour le repas. Sa main tremblante souleva le combiné et, à la réponse de la téléphoniste, elle demanda :

— Pouvez-vous me mettre en communication avec monsieur Jacques Létourneau ? Il habite dans la paroisse Saint-Jean-Baptiste.

Elle indiqua ensuite la rue et le numéro d'immeuble.

À ce moment de la journée, le quidam devait être revenu du travail. Pourtant, une voix de femme un peu impatiente se fit entendre :

— Allô, qui est là ?

La ménagère n'appréciait pas de se faire déranger à l'heure de la préparation du souper.

— Je m'excuse de vous importuner, madame. J'aimerais parler à Jacques Létourneau.

— Une minute…

Béatrice entendit le « C'est pour toi ». La voix masculine ne s'avéra pas plus amène.

— Oui ?

— Monsieur, avez-vous été élevé par Fulgence Létourneau ? Il habitait Limoilou.

La question portait sa part de sous-entendus, puisqu'elle ne qualifiait pas la relation avec cet homme. L'adoption viendrait tout de suite à l'esprit de son interlocuteur.

— Moé, chus de Sainte-Catherine.

— Fulgence…

— J'connais pas de Fulgence. Mais c'est quoi, c't'interrogatoire ? Le gouvernement engage-ti des femmes polices, asteure ?

Si d'aventure, on en venait à offrir ce genre de travail aux membres du sexe faible, l'innovation ne recevrait pas d'appui de la part de cet homme.

— Je m'excuse de vous avoir dérangé, monsieur.

— Pis, pourquoi vous voulez savoir ça… ?

Les derniers mots de la question échappèrent à la jeune femme. Elle ne savait pas si elle devait se sentir soulagée ou frustrée de cet échec. Toutefois, ce premier geste posé, elle ne pourrait s'arrêter. Il lui faudrait savoir.

Le bruit de la porte la fit sursauter.

— Oh ! Je m'excuse, dit Fernand, je ne savais pas.

La réaction de sa fille ne lui laissa pas de doute. Il avait interrompu quelque chose de privé.

— Je… je voulais parler à une amie du couvent. Du papotage entre filles…

Les yeux interrogateurs de son père l'amenèrent à ajouter :

— Elle n'était pas là.

— Élise vient de me dire que le repas sera servi dans cinq minutes.

Fernand posa ses journaux sur une table basse, puis s'esquiva.

« Il va penser que j'ai un chevalier servant », songea-t-elle. Cette hypothèse lui semblait infiniment moins gênante que la vérité.

En tout, Béatrice serait demeurée à Québec moins de quarante-huit heures. Cela suffisait pour renouer avec quelques amies du couvent et profiter un peu de sa famille. Fernand reprit la route de la gare le dimanche en fin d'après-midi. Chemin faisant, il expliqua :

— Tu sais, je comprends bien que les choses soient difficiles pour toi. Cela d'autant plus que les tensions entre anglophones et francophones augmentent. Si tu le souhaites, nous pouvons regarder du côté des États-Unis. Même fin septembre, un petit collège accepterait sans doute de te faire une place.

— Vraiment, Antoine a dû te brosser un tableau très sombre de mes misères pour que tu me proposes ça.

La suggestion demeura un moment en suspens.

— D'un autre côté, ajouta le notaire, les pères veulent parfois surprotéger leurs enfants. Élise m'a dit que ce ne serait peut-être pas la meilleure chose à faire. Tu quittes la maison pour la première fois, tu veux certainement réussir cet envol. Un abandon maintenant rendrait ton adaptation plus ardue la prochaine fois.

— Grand-maman m'a dit la même chose. Tu as raison, je ne peux pas reculer, sinon je risque de devenir la vieille fille de la maison, disposée à servir de bâton de vieillesse à son papa âgé.

Le ton gouailleur rassura un peu Fernand sur la résilience de Béatrice. Pourtant, elle lui faisait miroiter un avenir rassurant. La perspective de compter sur une fille aimée jusqu'à la fin de ses jours pouvait le séduire.

— Si tu crois vraiment que la vie ne t'apportera rien de plus excitant que la demeure familiale, ta chambre demeure à ta disposition.

— Bon, ne rêve pas trop à ce scénario, je me sortirai d'affaire.

Pourtant, la voix trahissait son lot d'inquiétudes. Cette attitude amena le père à se reprendre :

— Tu n'as rien à prouver, ni à moi ni à personne. Revenir à Québec ne te condamnerait pas à une vie de solitude. Depuis cette année, une femme enseigne à l'Université Laval, une certaine Agathe Lacoursière. La littérature, je crois. Tu pourrais regarder de ce côté-là aussi.

Bien sûr, Béatrice pourrait suivre des cours de culture générale, accomplir le trajet matin et soir aux côtés de son grand frère. Son silence un peu prolongé amena Fernand à préciser :

— J'essaie de te dire, même si j'y arrive mal, que tu dois prendre la meilleure décision pour toi : rester à McGill, t'inscrire ailleurs ou revenir à la maison. Je t'appuierai, peu importe ton choix.

Elle allongea le bras pour poser sa main gantée sur celui de son père, exerça une petite pression.

— Vendredi, tu me disais que j'étais devenue une femme. Je souhaite donc t'en donner la preuve. Je survivrai bien aux visages antipathiques des autres étudiants et même à quelques remarques mesquines.

Ils firent le reste du trajet en silence. L'homme porta la petite valise, lui offrit son bras. Au moment d'entrer dans le bel édifice, elle demanda, un sourire en coin :

— Comme ça, tu discutes de l'éducation de tes enfants avec Élise ?

— Si je ne partageais pas ça avec elle, nous ferions un drôle de couple, tu ne penses pas ?

— Tu peux me répéter ce qu'elle t'a dit ?

La jeune femme prenait-elle mal cette intrusion dans ses affaires ? Il répondit prudemment :

— Dans mes mots, je peux. Te ramener trop vite à la maison, ou t'envoyer ailleurs, ce serait dire que je ne fais pas confiance à ta capacité de surmonter les difficultés.

De nouveau, la jeune femme resta songeuse, au point d'inquiéter un peu son père.

— Je suis du même avis, dit-elle enfin. Reculer maintenant serait risquer de ne plus jamais entreprendre quelque chose de difficile. Je dois me faire confiance.

Que toutes les deux soient d'accord sur la question rassura le notaire. Il retrouva son attitude protectrice en demandant :

— Tu as bien ton billet sur toi ?

— Oui, papa.

— À Montréal, tu prendras un taxi pour rentrer. Je ne veux pas te savoir dans les rues en fin de soirée.

— Jamais je ne m'exposerais ainsi aux dangers de la grande ville.

Tous les deux se firent face en souriant, toujours complices.

— Je te souhaite un mois agréable, ma belle.

L'échange de baisers s'effectua au milieu du grand hall, dans la foule de voyageurs.

— N'hésite pas à téléphoner, tu peux même m'envoyer des cartes postales, à moi aussi. Je vais beaucoup penser à toi.

— Ça ira, je t'assure. Tout de même, je te donnerai de mes nouvelles, sans faute.

Fernand pivota sur lui-même, puis se retourna pour lui faire face de nouveau.

— Dis-moi, Charles...

Bien sûr, l'absence du benjamin le troublait toujours.

— Oh ! Lui s'acclimate très bien à Montréal.

— Trop bien peut-être, non ?

— Il a toujours montré beaucoup de sérieux à l'école.

Le père sourit, mais un pli vertical barrait son front.

— Si jamais tu constates quelque chose... d'anormal, tu me le feras savoir.

Justement, pour Charles, une vie sociale échevelée s'avérait tout à fait normale.

— Voyons, tu le connais. Toute cette agitation occupe son attention en ce moment, mais à l'approche des examens, il retrouvera ses bonnes habitudes.

Fernand hocha la tête, tout de même sceptique. Après un dernier «Au revoir», il tourna les talons pour quitter les lieux. La blonde le regarda jusqu'à ce qu'il ait atteint l'entrée, puis elle chercha les téléphones publics des yeux. Ils se trouvaient sur sa gauche. Après avoir versé une pièce dans la fente, elle demanda à la téléphoniste de la mettre en contact avec Mathieu Picard. Quand elle entendit une voix féminine à l'autre bout du fil, elle dit :

— Bonjour, Laura. J'aimerais parler à monsieur.

Elles se connaissaient un peu pour s'être croisées à quelques reprises. La petite bonne appela son patron. Le «Oui, j'écoute» laissa Béatrice un peu désemparée.

— Monsieur, Béatrice Dupire à l'appareil... Vous allez me trouver très curieuse, mais je me demandais si vous pouviez me renseigner sur un jeune avocat.

— Peut-être, de qui s'agit-il ?

De nouveau, la jeune femme eut l'impression de révéler un pan de sa vie intime. Que penserait-il ? Qu'elle se jetait à la tête d'un homme ?

— Jacques Létourneau.

— Oh ! fit-il avec surprise.

— Vous savez de qui il s'agit... par rapport à moi, je veux dire.

— Oui, je sais.

Fernand et lui se connaissaient assez intimement pour qu'il soit informé de l'existence du quatrième enfant d'Eugénie.

— Toutefois, ajouta-t-il, je ne fréquente plus ce milieu depuis quelques années. Il se peut aussi que je ne trouve rien.

Béatrice demeurant silencieuse, Mathieu interpréta cela comme une déception.

— Écoutez, je connais le doyen, je peux m'informer auprès de lui.

— Ce serait tellement gentil, monsieur Picard.

— Si vous me donnez votre numéro de téléphone, je pourrai vous rejoindre.

— J'habite dans une maison de chambres, les messages arrivent aux pensionnaires de façon un peu aléatoire.

Mathieu comprenait cette situation pour l'avoir connue. La jeune femme enchaîna :

— Si vous me le permettez, je vous téléphonerai vendredi ou samedi.

— Dans ce cas, appelez après neuf heures, je rentre souvent un peu tard.

— Je vous remercie, monsieur Picard. Je… je suis très mal à l'aise de vous dire cela, mais mon père ne sait pas que je veux revoir ce demi-frère.

— Et vous souhaitez que cela demeure ainsi. Je comprends.

Le « Oui » s'avéra si faiblement murmuré que Mathieu le devina.

— Considérons donc notre échange comme une consultation professionnelle. Étant avocat, je suis moi-même tenu au secret.

Puis, le commerçant connaissait bien les préoccupations liées à une situation familiale difficile. Il éprouvait une certaine sympathie pour la jeune femme.

— Merci encore.

— Bon séjour à Montréal, Béatrice.

Avant de raccrocher, elle eut le temps de le remercier une dernière fois.

Le vendredi soir, Mathieu descendit l'escalier de son magasin peu avant la fermeture. Il tenait Flavie par le bras, sa mère et sa sœur les suivaient de très près. Ils démontraient certainement un bel esprit de famille. Toutefois, monseigneur Buteau, dans l'église voisine, ne les présenterait jamais en modèle à ses ouailles. Pour lui, les trois femmes auraient mieux fait de se tenir près des fourneaux, avec un bébé au sein de préférence, dans le cas des plus jeunes.

Lorsque le groupe arriva au rez-de-chaussée, un quatuor de vendeuses les attendait, ce qui donnait lieu à une étrange situation.

— M'sieur Picard, avez-vous une minute ? intervint la plus audacieuse.

Cela ressemblait fort à une délégation ; un moment, le directeur imagina une démarche de la part d'une représentante de ses employées. Pourtant, aucune association n'existait dans son entreprise et il entendait faire en sorte que cela reste ainsi.

— Si vous voulez, je peux vous recevoir demain matin.

— Non, pas nécessaire de perdre du temps demain, ça s'ra pas long. Voyez-vous, on est toutes membres de la confrérie du Rosaire. La première semaine de novembre, y a un rassemblement à l'église Saint-Dominique, dans le haut d'la ville.

Il s'agissait de la paroisse de Thalie. Cette dernière reconnut Yvette Leduc dans le groupe. Comment la pauvre femme combinait-elle son désir d'empêcher la famille avec une piété exacerbée ? Cette dévotion s'adressant à la Vierge, peut-être croyait-elle en l'efficacité d'une demande effectuée d'une femme à une autre, même sur un sujet aussi délicat.

— Voilà qui est admirable, dit Mathieu, plus intrigué que jamais.

— Y faut dire des rosaires toute la journée, pis toute la nuit. Trois personnes au moins doivent se trouver le chapelet à la main tout le temps. Là y nous ont "bookées" le soir. On sait bin, les bourgeoises, ça travaille pas…

La matrone jeta un coup d'œil au trio accompagnant le patron : autant d'exceptions à la règle.

— Ça fait qu'on voudrait partir plus tôt, une couple de soirs.

— Bin sûr, renchérit une autre, on s'fera pas payer.

— Bien sûr, répondit Mathieu.

La précision allait de soi pour tous.

— Bon, conclut-il, vous verrez ma secrétaire demain.

Au travail, le prénom de Flavie disparaissait. Il se surprenait parfois à l'appeler madame.

— Si elle constate que votre absence entraînera un manque de personnel sur le plancher, ce sera non. Dans le cas contraire, j'accepterai.

— Merci m'sieur, firent-elles de leurs voix discordantes.

Les vendeuses se dispersèrent et d'un signe de la tête, Thalie salua Yvette. Quand elles se furent éloignées, elle murmura entre ses dents :

— Exige au moins que dans les cent cinquante *Ave* du rosaire, il y en ait une dizaine pour toi. Ça te sauvera du purgatoire, dit Thalie avec un clin d'œil.

— À ce moment de l'année, ce sera pour l'âme des trépassés. J'imagine que je serai toujours vivant au début de novembre ! Puis le purgatoire, ce que j'en pense…

L'indifférence lui fit hausser les épaules. Des yeux, Marie s'assura que personne ne les avait entendus. Dans le cas contraire, ces paroles imprudentes seraient répétées dans l'oreille de son frère Émile Buteau, ce petit potentat qui régnait sur la paroisse Saint-Roch depuis le presbytère tout à côté.

À cause de ses heures de consultation au magasin PICARD, tous les vendredis, Thalie rentrait à son appartement un peu après neuf heures. Lorsqu'elle arriva dans le hall de marbre du Château Saint-Louis, le portier y alla de son habituel :

— Bonsoir, mademoiselle. Vous avez passé une bonne journée ?

Toujours subsistait le ton moqueur, le regard gluant posé sur elle. Envers tous les autres locataires respectables, c'est-à-dire uniquement des hommes et leurs épouses, l'employé se montrait d'une politesse obséquieuse. La médecin passa devant son bureau sans répliquer, en lui lançant à peine un regard.

— En voilà des manières ! Devrais-je vous appeler "docteure", pour mériter une réponse ?

La médecin marcha sans s'arrêter jusque vers les casiers.

— Vous n'êtes pas avec le petit vendeur, ce soir ? Je me demande ce que vous lui trouvez. Vous feriez une bien meilleure affaire avec moi.

Dans le petit pigeonnier, Thalie prit une lettre.

— Ça vient de l'Ontario, dit-il encore.

Allait-il jusqu'à tenter de voir à travers le papier des missives pour en saisir le contenu ? Malgré l'arrogance du planton, la jeune femme retrouva le sourire à la lecture de l'adresse de retour. Comme un couple entrait, l'homme salua :

— Madame Tremblay, monsieur.

Il quitta sa place pour leur remettre un paquet.

— Vous avez reçu cela dans la journée.

— Ah! Merci, mon brave.

Le locataire chercha dans sa poche, lui mit cinquante sous dans la paume. Au moment où les portes de l'ascenseur s'ouvrirent, il dit encore :

— Madame, monsieur, bonne soirée. À vous aussi, mademoiselle.

Quand la boîte métallique commença son ascension, le bonhomme remarqua :

— Un type bien serviable, ce gardien.

Thalie donna son assentiment d'un geste de la tête un peu raide. Elle descendit au sixième étage en murmurant « Bonne soirée ». Elle avait honte de ne pas savoir comment mettre fin à ce harcèlement.

Dans son logis, elle se débarrassa de sa veste, se servit un porto, chercha de la musique à la radio, puis s'installa dans son meilleur fauteuil avec un soupir de satisfaction.

— Bon, comment vas-tu, ma vieille ? murmura-t-elle pour l'expéditrice de la lettre avec un sourire attendri, Catherine Baker, sa voisine de chambre pendant toutes ses études à McGill.

Son identité ne faisait pas mystère, même sans le nom sur le rabat. Ses amies s'avéraient si peu nombreuses. Du bout du pouce, elle déchira l'enveloppe. Les missives de Catherine commençaient toujours de la même façon : « Ma très chère Thalie ». L'effort de s'exprimer en français s'arrêtait là. La médecin traduisit la suite à mi-voix :

« Dans ta calme province, as-tu eu vent de l'arrestation de Dorothea Palmer ? Elle a eu lieu le 14 dernier. »

Elle eut beau fouiller sa mémoire, le nom ne lui disait rien.

« Les agents l'ont conduite au poste de police, puis le procureur l'a mise en accusation pour grossière indécence.

Elle a eu l'audace de distribuer de la documentation sur le contrôle des naissances dans la ville d'Eastview, pour le compte du Parents' Information Bureau.»

La femme laissa échapper un petit juron, prit une gorgée de son alcool. Se mettait-elle en infraction avec le code criminel chaque fois qu'elle donnait des informations sur la contraception? Les médecins tenaient pour acquis que dans leur cabinet, ils jouissaient d'une entière liberté. Étaient-ils totalement à l'abri?

«Je me trouve mêlée à ce procès à titre d'avocate ou d'assistante légale, je ne sais pas trop pour l'instant. Je t'expliquerai quand nous nous verrons.»

Le cabinet qui embauchait Catherine lui demandait de préparer certaines causes, sans toutefois lui confier le mandat de plaider, comme si se commettre dans une cour de justice ruinerait sa réputation d'honnête femme. Ce rôle revenait toujours à un homme.

«Je me trouverai donc à Ottawa prochainement. J'aurai alors couvert la moitié du chemin vers toi. Si tu acceptes d'en faire autant, nous pourrions nous voir. Cela arrive si rarement, maintenant.»

Eastview, là où se déroulerait le procès, se situait en banlieue de la capitale fédérale. Catherine habitait Toronto depuis l'obtention de son diplôme, et ainsi, la distance raréfiait leurs rencontres. Immédiatement, Thalie souhaita revoir cette âme sœur. Avec qui d'autre pouvait-elle échanger sur les misères d'une femme de carrière en butte à l'hostilité de la plupart? Certains parmi ses proches se montraient compatissants, mais ils ne mesuraient pas vraiment l'étendue de ses difficultés. Par exemple, qui croirait qu'un portier se sentait autorisé à la harceler simplement parce que son mode de vie inhabituel rimait avec immoralité?

« Dis-moi que tu pourras te rendre disponible, ça me ferait tellement plaisir. »

Cela dépendrait de son collègue Pierre Hamelin, mais elle tenterait certainement d'accepter cette invitation.

Le téléphone était dans le hall d'entrée. À des heures plus raisonnables, les jeunes filles faisaient la file pour avoir accès à l'appareil. Personne ne lui faisait concurrence à neuf heures du soir. Elle demanda à voix basse la communication avec Mathieu Picard, à Québec. Dès la réception de la facture de la société Bell, la logeuse grimacerait et exigerait sans doute un remboursement immédiat.

Au « Allô » de Laura, Béatrice commença :

— Bonsoir, je suis désolée de vous déranger si tard, je veux parler à monsieur.

Avec le maître de la maison, les excuses s'allongèrent sur une bonne minute. Puis, elle osa en venir au but de son appel :

— Vous avez pu trouver ce qu'il est advenu de Jacques Létourneau ?

— Le doyen de la faculté se souvenait un peu de lui.

« Comment oublier un garçon pareil ? », songea la jeune femme.

— Voilà un jeune avocat bien ambitieux, continua le marchand. Il se serait inscrit à l'Université McGill pour un perfectionnement. Éventuellement, il souhaitait obtenir un emploi en droit du commerce... chez les Anglais.

Une touche d'amusement marquait la voix de Mathieu. Pareille ambition lui paraissait démesurée. Pour Béatrice, cela correspondait tout à fait à la personnalité du garçon. Puis, Eugénie devait lui avoir laissé assez d'argent pour satisfaire ce caprice.

— Vous ne savez pas dans quel cabinet ?

— Le doyen de la faculté l'ignorait, alors moi…

Cela signifiait recommencer la recherche dans les pages du bottin téléphonique de la métropole, avec le risque de ne jamais le trouver, car il était trop jeune pour figurer parmi des associés.

— Je vous remercie, monsieur Picard. Au moins, je ne m'attarderai plus à le chercher à Québec.

— Un séjour à McGill ne signifie pas un exil perpétuel, n'est-ce pas ?

L'allusion implicite à sa propre situation amena un sourire sur les lèvres de la jeune femme. Que ferait-elle, au terme de ses propres études ?

— Si Jacques est revenu à Québec, il n'a toutefois pas pris d'abonnement au téléphone. Ce serait étonnant de la part d'un professionnel ambitieux. Je vous remercie, monsieur Picard. Vous voudrez bien demeurer discret au sujet de ma démarche ?

— Ce n'est rien, je vous assure. Quant à la discrétion… elle va de soi.

Une fois le combiné posé sur la fourche, Béatrice resta songeuse. Elle ne repéra que dix «Jacques Létourneau» dans le volumineux annuaire téléphonique et une vingtaine de «J. Létourneau». Téléphoner ne lui prendrait sans doute pas tant de temps, mais déjà, elle se doutait que ce serait en vain. Aucun de ces hommes n'habitait à l'ouest du boulevard Saint-Laurent, là où se situaient les cabinets de langue anglaise.

Après cela, que ferait-elle ? Quelle proportion de gens se privait d'un abonnement au téléphone, surtout en ces temps difficiles ? Puis, ce jeune homme pouvait fort probablement loger dans une maison de chambres. Dans ce cas, il ne figurerait pas au bottin. Son projet paraissait irréalisable.

# Chapitre 9

Devant le magasin de Victor Baril, trois gamins contemplaient la « machine » tenue en main par un quatrième : une magnifique trottinette portant, collé juste sous les poignées, le numéro 101 écrit sur un bout de papier cartonné.

— Avec ça, tu vas gagner, c'est certain, commenta le plus jeune, âgé de huit ans.

— Déjà plus de cent inscrits as-tu dit ? ricana un autre. T'as aucune chance.

Aimé contemplait son bolide, lui aussi un peu sceptique quant au résultat final. Son petit véhicule de bois vernis roulait bien, mais au moment de son inscription à la compétition organisée par l'Association sportive de Québec, il avait croisé d'autres participants plus grands, plus robustes aussi. Certains devaient aller vers leurs quatorze ans, portaient des pantalons longs et affichaient un petit duvet au-dessus de la lèvre supérieure.

— L'important, c'est de participer, dit-il d'une voix haut perchée, un peu chantante.

La phrase de Pierre de Coubertin avait été répétée plusieurs fois l'été précédent, puisque les Olympiades s'étaient tenues à Berlin.

— Des mots de perdant, se moqua le plus pessimiste du lot.

Depuis le coin de la rue, Thalie aperçut le petit groupe. Malgré la température un peu fraîche, tous portaient encore des culottes courtes. Des bas de laine montant à mi-jambe et de gros pulls leur procuraient un confort relatif.

— Vous aimez bin ça, la musique, vous, y paraît!

La praticienne tourna la tête pour voir l'importun qui s'adressait à elle, un gros épicier plaçant un panier rempli de choux sur le trottoir, le long du mur de son commerce. Le commentaire s'accompagna d'un gros clin d'œil.

— Si quelqu'un vous le demande, vous direz que vous ne le savez pas, ragea la femme.

Depuis quatre ans qu'elle fréquentait les parages avec régularité, personne n'ignorait son existence ni sa destination. Toutefois, pareille familiarité lui paraissait tout à fait déplacée. Heureusement, l'accueil de certains s'avérait plus sympathique.

— Bonjour, Thalie, s'exclama le benjamin des Baril au moment où il leva les yeux.

Sa rencontre avec elle lui faisait visiblement plaisir. Entrée dans la vie de son père alors qu'il n'avait que sept ans, la jeune femme était maintenant une figure familière, rassurante. Elle se pencha pour poser les lèvres sur la joue tendue en disant:

— Te voilà donc fin prêt pour la course.

— Y lui manque que les jambes, se moqua de nouveau le plus âgé des quatre.

Ses yeux un peu inquisiteurs examinaient Thalie, la détaillaient. À son âge, il portait un intérêt différent à la régularité des traits, aux yeux d'un bleu sombre, aux lèvres couvertes de rouge.

— Toi, participeras-tu demain?

— Les trottinettes, c'est pour les bébés.

— Donc, tu ne risqueras ni de perdre ni de gagner. Voilà une position confortable pour commenter la performance des autres.

Le garçon se renfrogna un peu. La nouvelle venue continua à l'intention d'un autre membre du petit groupe :

— Bonjour, Georges.

— … Bonjour.

Si d'aventure elle avait tenté de lui faire la bise, celui-là se serait raidi de toutes ses forces, sans pourtant oser protester à haute voix. L'attention de la médecin revint vers le plus jeune :

— As-tu montré ton bolide à papa ?

— Non, il n'aime pas qu'on traîne dans le magasin.

— Alors, nous ne traînerons pas.

Au moment d'entrer, sa main, un peu caressante, se posa machinalement sur la nuque de l'enfant. Dehors, le plus grand commenta :

— C'est elle, la blonde de ton père ?

— Oui, répondit Georges, un peu honteux, comme si on le surprenait en état de péché.

— Est pas mal, pour une vieille.

Décidément, celui-là se montrait intéressé, trop peut-être, compte tenu de son jeune âge. L'autre garçon arborait une mine sévère, comme alourdie par la culpabilité.

— A s'prend pour notre mère, des fois.

Visiblement, ce genre d'attention ne lui procurait aucun plaisir. Dans le commerce, Thalie dit :

— Victor, tu n'as pas encore vu le numéro, sur la trottinette ? Les compétiteurs seront nombreux.

Le marchand se trouvait derrière son comptoir alors que deux ou trois clients se tenaient près des étals de disques. Le commerce fermerait bientôt ses portes, car l'après-midi s'achevait.

— Pas encore, dit-il en s'approchant. Numéro 101. Tu ne seras pas le seul à courir dans les rues de Québec demain après-midi.

— C'était plein de monde au presbytère. Tous les gars de la paroisse seront là.

Même les loisirs des enfants n'échappaient pas à l'attention du clergé. Un vicaire s'occupait de la logistique de la compétition. Victor vint embrasser sa compagne.

— Pas tous, enchaîna-t-il. Par exemple, ton frère ne participe pas. Connais-tu le trajet à parcourir?

— Nous partirons de l'église Saint-Jean-Baptiste pour aller jusqu'à la cathédrale, par la rue Saint-Jean.

L'arrivée se ferait sur le parvis du grand édifice, un trajet d'un mille et demi environ.

— Bon, tu connais bien le chemin, nous avons marché souvent jusqu'à la rue de la Fabrique.

— Luc est certain que je ne gagnerai pas.

— Celui-là trouve toujours le moyen d'embêter les plus jeunes. Le mieux, c'est de ne pas l'écouter. Il cherchera quelqu'un d'autre à agacer.

Du haut de ses onze ans, Aimé était convaincu que son bourreau ne se lasserait jamais.

— Les pavés, c'est plein de bosses. Je risque de tomber et de me faire mal.

Ce genre d'exercice paraissait toujours plus intéressant quand on le visualisait loin dans le temps. L'approche de l'événement augmentait son anxiété, faisait même naître quelques regrets. Thalie intervint:

— Je me tiendrai tout près avec mon sac plein de mercurochrome et de pansements.

Sur ces mots, un pli se forma au milieu du front de l'enfant et de celui de Victor. L'un et l'autre s'inquiétaient-ils des accidents, maintenant? Comme deux clients entraient en conversant à voix trop haute, le marchand se priva de réagir. Les nouveaux venus évoquaient une rencontre entre jeunes dans la soirée et il leur paraissait impérieux d'enrichir leurs choix musicaux.

— Nous allons ranger ta trottinette derrière et monter, proposa la médecin. Papa doit encore travailler un peu.

Ce soir-là, Thalie soupa dans l'appartement de son compagnon, sous le regard un peu haineux de la belle-mère de celui-ci. La pauvre femme vivait toujours avec la hantise de se voir chassée de cet endroit pour y être remplacée par une étrangère. Elle s'éclipsa dans sa chambre le plus tôt possible après le souper, se révélant une piètre hôtesse.

Pendant le repas, la médecin mentionna encore son projet de suivre de près le peloton des coureurs pour venir en aide à Aimé si nécessaire. Cette perspective ne rassurait l'athlète qu'à demi. Vers dix heures, Victor proposa de la reconduire chez elle. Dans l'automobile, l'homme commença, visiblement mal à l'aise :

— Demain, ce serait mieux que tu ne viennes pas.

Dans le siège du passager, elle tourna des yeux surpris vers lui, sans rien dire.

— Tu comprends, les gens jasent autour de moi.

— Les gens ?

— Des voisins me font des remarques.

« Le gros épicier compte sûrement dans le lot », songea-t-elle. L'après-midi, son ton avait eu quelque chose de vulgaire et de méprisant.

— Même à l'église, le curé… continua Victor.

— Envoie-les promener, tous ces idiots. Ils n'ont pas le droit de régenter nos vies.

Il lui semblait improbable que les regards réprobateurs des autres soient aussi lourds pour un homme que pour elle. Eux échappaient aux règles les plus contraignantes de la morale, notamment aux interdits sexuels. Le plus souvent, les mâles se contentaient de faire semblant de se soumettre aux diktats de l'Église.

— L'autre jour, à l'église…

L'homme se tut devant la mine froissée de sa compagne. Le souvenir de la conversation dans le confessionnal le troublait encore. La voiture tourna bientôt dans l'allée conduisant au Château Saint-Louis. Ils atteignirent le petit stationnement en silence. Thalie tira la poignée pour ouvrir la portière, son compagnon fit la même chose.

— Non, pas ce soir. Je n'ai pas la tête à ça.

Elle tendit la joue machinalement pour recevoir une bise, grommela un «Bonsoir», descendit du véhicule pour entrer dans l'édifice sans se retourner. Dans le hall, l'inévitable portier l'interpella :

— Bonsoir, mademoiselle Picard. Vous êtes seule? Votre vendeur n'est plus dans les parages?

Elle l'ignora, frappa le bouton de l'ascenseur d'un geste rageur et monta, tout cela sans renifler une seule fois. L'étalage de sa peine n'aurait rendu le sarcasme que plus cinglant.

La distance jusqu'à Arthabaska ne s'avérait pas si importante, soit un peu plus de cent milles, mais les petites routes de campagne ne permettaient pas une grande vitesse. En conséquence, Antoine arriva au lieu de rendez-vous au petit matin, avant le lever du soleil. Quatre autobus peints en brun s'alignaient dans la rue de la Fabrique, à peu de distance de la cathédrale, et surtout du Petit Séminaire et de l'Université Laval.

Le garçon se planta sous le regard de la grande statue de bronze de monseigneur Taschereau pour attendre le départ.

La fraîcheur humide du petit matin, en ce 4 octobre, lui faisait regretter de ne pas avoir endossé son imperméable. Plusieurs de ses camarades en première année de droit allaient et venaient sur la place, se mêlant aux fidèles les plus matinaux désireux de se confesser ou de faire leurs dévotions avant la basse messe. À cette heure, certains portaient encore la trace de leur oreiller imprimée sur le visage. Aucun ne désirait entamer la conversation.

Bientôt, les organisateurs de ce pèlerinage, comme l'appelait le journal *L'Action catholique*, donnèrent le signal de monter dans les véhicules. Un nouveau venu se flanqua alors en face d'Antoine, le sourire aux lèvres.

— Nous nous rencontrons toujours lors de manifestations nationalistes !

Thomas junior lui tendait la main.

— Comme il s'agit de la seconde fois, le "toujours" me semble un peu exagéré.

Cependant, cela ne l'empêcha guère de saluer le jeune homme avec chaleur. Il s'agissait de son seul cousin, comme Charles l'avait fait remarquer à table.

— Nous serons nombreux, prédit ce dernier.

— Tous les professeurs prêchent la bonne nouvelle nationaliste dans les classes, puis les journaux qui condamnaient Lavergne il y a deux ans chantent maintenant ses louanges. Voilà bien le seul avantage d'être mort…

Des yeux, le fils du notaire désignait les nombreux porteurs de soutane dans la foule.

— Je parie que les absents mériteront une mauvaise note, conclut-il.

Les voyageurs se répartirent entre les autobus. Antoine se dirigea spontanément vers le plus éloigné, désireux d'obtenir une place assise, et remit deux dollars cinquante au chauffeur en montant, soit le prix de l'aller-retour.

Rendre hommage aux gloires nationales trépassées se révélerait lucratif pour certains.

Son compagnon s'installa sur la même banquette que lui. Visiblement, le pauvre n'avait pas réussi à forger des amitiés avec ses camarades au cours des six premières années du cours classique. Quant au fils du notaire, il ne se joindrait pas à ses quelques condisciples présents dans le même véhicule. Il avait déjà compris que le scénario du Palais Montcalm se répéterait : isolé, ce cousin ne le quitterait pas.

— Tu sais qui sera à Arthabaska ? demanda le jeune garçon quand ils furent assis. Je veux dire à part les centaines d'étudiants.

— Les mêmes que d'habitude : Hamel, Chaloult, Grégoire. Comme Drouin a un ministère, il se montre plus prudent.

Si les jeunes gens s'enthousiasmaient pour la question nationale, préoccupés par leur carrière, leurs aînés faisaient preuve de plus de réserve, de peur de perdre leur accès aux largesses de l'État, ou même carrément leur emploi. Ceux qui toléraient ce risque parmi les orateurs étaient les mêmes de tribune en tribune.

— L'Action catholique parlait de la présence des chefs des Jeunesses Patriotes et même de l'abbé Groulx, avança Thomas.

Le souvenir de Walter O'Leary revint à la mémoire d'Antoine. Les journaux le présentaient comme l'organisateur de ce pèlerinage. Le communiqué de presse évoquait plus discrètement le Comité national autonomiste. Les organisations semblaient se multiplier en ces temps d'agitation : les Jeunes-Canada, la Nation, les Jeunesses Patriotes, les Jeunes nationalistes et l'Union nationale ouvrière. Cela donnait au mouvement une ampleur sans doute exagérée.

— Là, dit le fils du notaire, tu en sais plus que moi. Je ne lis pas cette feuille de chou, et les journaux libéraux ne se sont pas montrés très bavards sur l'identité des vedettes de la journée.

Le mouvement nationaliste ne rencontrait un bon accueil que dans quelques quotidiens, dont l'organe de l'archevêché de Québec, *Le Droit* à Ottawa et *Le Devoir*. Non seulement les trois journaux reproduiraient les discours dans leur intégralité, mais ils en avaient probablement reçu le texte à l'avance.

— J'achète *L'Action catholique* pour faire suer mon grand-père.

Sur cette confidence, le rouge monta aux joues de Thomas junior. La puérilité du geste ne lui échappait pas.

— Ton père, c'est bien Édouard Picard, le marchand?

Antoine connaissait ce lien de parenté, mais il tenait à apporter cette précision pour illustrer l'étrangeté de la situation familiale de son compagnon.

— Oui, le fameux vendeur de machines de seconde main de Limoilou.

La dérision marquait la voix du grand adolescent. Aucune des deux figures d'autorité présentes dans sa vie ne trouvait grâce à ses yeux.

— À l'entendre, il a inventé le mouvement nationaliste, continua le garçon. Il y a trente ans, il se trouvait aux côtés d'Henri Bourassa, d'Olivar Asselin et d'Armand Lavergne.

— Le grand Bourassa.

Devant la menace croissante de la guerre, l'homme abandonnait parfois sa retraite paisible pour tenir des discours contre la conscription, comme en 1917.

— Selon ce qu'il raconte, celui-là venait défier Wilfrid Laurier dans son propre comté.

— Alors que son père, ton grand-père, agissait comme directeur de campagne du premier ministre.

À ce moment, Bourassa et Laurier se disputaient la direction politique des Canadiens français. Dans ce temps-là aussi, les fils et les pères appartenaient souvent à des camps opposés.

— Mon père a continué à avoir des contacts avec Armand Lavergne jusqu'à il y a quelques années. Il a cessé de le voir au moment où il a perdu le magasin.

Sa déchéance avait conduit Édouard, qui était habitué à se poser en riche héritier et en homme d'affaires averti, à rompre certaines de ses relations.

— Ça ne te fait rien de te montrer avec moi ? demanda Antoine.

Comme Thomas fronçait les sourcils, sans trop comprendre, il expliqua :

— Le magasin ! C'est mon père et Mathieu Picard qui l'ont récupéré.

Thomas junior demeura songeur, comme si la raison de sa propre attitude lui échappait. Pourquoi ne détestait-il pas ceux qu'il aurait pu voir comme les responsables des ennuis financiers de sa famille ?

— Selon mon grand-père, un Picard incompétent a perdu un commerce, et un Picard compétent l'a relancé, et dans les faits, il a bien raison.

Tout de même, le marchand déchu avait privé son fils du patrimoine en le dilapidant. Cela aussi, le juge Paquet ne manquait jamais de le préciser à la table familiale, même en présence de nombreux invités.

Antoine percevait bien l'indifférence feinte, la frustration refoulée. Tout à sa colère envers les membres de sa famille, son compagnon faisait semblant d'ignorer complètement le rôle essentiel du notaire Dupire dans le changement de propriétaire. Désirant un trajet sans histoire, il ne le lui rappellerait pas. Au moment de traverser le pont de Québec, son attention se porta sur le fleuve. Ensuite, les yeux fermés, il feignit de dormir afin de se dérober à tout échange.

De la même façon que Thomas deux décennies plus tôt, Mathieu s'obligeait à assister en famille à la messe dans l'église Saint-Roch une fois de temps en temps. Se présenter à ses employés comme un bon chrétien pouvait s'avérer rentable, par exemple pour édifier les membres de la confrérie du Rosaire et de toutes les autres du même genre. Sur un simple coup de téléphone, un chef de rayon emmenait toute sa famille à la basse messe afin de laisser à son patron son banc le temps de la grand-messe.

L'église de la paroisse ouvrière prenait des allures de cathédrale : grande, richement décorée et surmontée d'une statue dorée, elle possédait deux tours à l'avant, en un mot, elle était majestueuse. Un certain nombre de marchands de la rue Saint-Joseph habitaient dans les alentours. Ils se disputaient les postes de marguilliers et les meilleures places dans ce temple. Mathieu les connaissait, des collègues certains jours, des concurrents les autres. Surtout, tout le petit monde des magasins, des entreprises de services, des ateliers et des manufactures se pressait pour assister à la cérémonie toutes les semaines.

Un petit contingent de servants de messe envahit le chœur à dix heures, monseigneur Émile Buteau les suivant de son pas lourd. Sa taille s'était épaissie au fil des ans au point de faire penser à une barrique. Le surplus de dentelle, le violet de la soutane lui donnaient fière allure. Rendu au début de la soixantaine, il voyait s'estomper l'espoir d'un évêché, même petit. Autant faire semblant d'être une éminence grise de Sa Grandeur monseigneur Villeneuve, tonner du haut de la chaire et remplir les pages de *L'Action catholique* pour s'afficher comme le meilleur serviteur de Dieu.

Le prélat domestique limitait maintenant ses présences derrière l'autel aux dimanches ou aux jours de fête, quand toutes ses ouailles se trouvaient réunies. Les autres jours de la semaine, la responsabilité de l'office religieux incombait à l'un ou l'autre de ses vicaires.

La visite d'une nouvelle église donnait aux enfants de Mathieu un peu de distraction pendant la longue cérémonie. Les deux têtes pivotaient sans cesse, curieuses d'inventorier le décor et tous ces faciès inconnus. Grand bien leur faisait d'avoir cette curiosité, parce que l'ecclésiastique se déplaçait, parlait et chantait lentement. Au moment du prône, il commença :

— L'opinion publique de la population canadienne-française ne semble pas suffisamment consciente de la terrible menace que représente le communisme.

Tous les prêtres du Québec rabâchaient les mêmes avertissements depuis quelques années. À les entendre, on pouvait croire que des hordes de bolcheviques se massaient aux frontières de la province.

— Les communistes promettent à tous les ouvriers la fin de la misère. Leurs réalisations, les journaux, je veux dire les bons journaux catholiques, nous les montrent tous les jours en première page : ils détruisent et ils tuent. En Espagne, la liste des martyrs s'allonge sans cesse. Des prêtres et des religieuses tombent par milliers.

Mathieu regarda autour de lui les mines navrées. Combien, parmi tous ces paroissiens pour qui un passage à la basilique de Sainte-Anne-de-Beaupré prenait des allures d'expédition, se souciaient vraiment d'événements survenus en Espagne ? Un conflit si lointain divisait les populations entre partisans du *Frente Popular* – le Front populaire – et ceux des nationalistes du général Francisco Franco. Même des pays prenaient parti en fonction d'affinités idéologiques avec l'un ou l'autre des protagonistes. L'Union soviétique soutenait les premiers, l'Allemagne nazie les seconds.

, — Actuellement, quelques suppôts du Front populaire sont dans notre province pour récolter des aumônes et recruter des volontaires.

Beaucoup d'observateurs parlaient d'une répétition générale avant le grand conflit européen. Le marchand posa les yeux sur son fils, espérant de tout son cœur que le conflit éclate et se termine avant que celui-ci n'ait atteint l'âge de s'enrôler. Une nouvelle génération de jeunes gens irait au casse-pipe très bientôt : les journaux de la veille annonçaient que l'Italie augmentait ses budgets militaires dans une très forte proportion ; le Canada projetait de l'imiter.

— Nos catholiques se rendent compte que leur sympathie ne doit pas aller au Front populaire, mais à ceux que la grâce du baptême et la communauté de la foi ont fait leurs frères. Il y a parmi les nationalistes, il faut le dire avec l'émotion la plus profonde, des personnes qui ont été mises à mort à cause de leurs convictions religieuses.

Le clergé de la province, en tout cas, affichait sans vergogne son parti pris pour le général Franco.

Au moins trente autobus venus des principales villes de la province avaient déversé leurs passagers dans la petite municipalité d'Arthabaska, située tout près de Victoriaville. Des trains en avaient aussi amené des centaines, parfois dans des wagons spéciaux où les pèlerins se retrouvaient entre eux. Certains arrivaient des États-Unis ou même de Gaspé.

— Tout un rassemblement ! remarqua Thomas junior devant un champ transformé en stationnement où s'alignaient quelque deux cents véhicules.

Les utilisateurs de la route jouissaient d'un net avantage sur ceux du rail : malgré un trajet effectué plus rapidement, ces derniers devaient encore transiter entre la gare de Victoriaville et le village d'Arthabaska. Les cultivateurs du coin feraient quelques sous en gardant leur bogey attelé une fois la messe terminée. Les moins soucieux de leur image parmi les étudiants arrivés sur place se regroupaient par dix dans des charrettes à foin pour parcourir la faible distance.

L'élève du Petit Séminaire paraissait disposé à s'extasier sur tout ce qui s'offrait à sa vue. Le terrain devant l'église, les trottoirs, la rue même s'encombraient de jeunes gens.

— Nous sommes tellement nombreux. Des milliers !

Les habitants du village ouvraient de grands yeux sur tous ces étrangers venus troubler la quiétude de leur repos dominical. Cela leur rappelait sans doute les grands rassemblements suscités par la présence de Wilfrid Laurier, quand celui-ci occupait le poste de premier ministre.

— Je ne sais pas comment estimer la taille d'une foule, commenta Antoine, mais la population de cette paroisse aura triplé pendant quelques heures.

Le lendemain, *L'Action catholique* parlerait de deux mille pèlerins présents dans le village natal d'Armand Lavergne. Pour rendre hommage à un homme, mort en mars 1935, qui n'avait jamais occupé un poste politique plus important que celui d'adjoint au président de la Chambre des communes à Ottawa, cela faisait beaucoup. Bien sûr, plusieurs participants parmi les plus âgés se souvenaient de l'orateur bouillant, toujours populiste, parfois démagogue, à l'origine de maints mouvements de protestation. Les autres saisissaient ce prétexte pour participer à une assemblée politique.

Les jours précédents, les journaux avaient repris la recommandation faite aux pèlerins par les organisateurs de cette journée : arriver au plus tard à onze heures. Alors pour l'instant, ces centaines de personnes erraient sans but ou alors s'engageaient dans des discussions sur tous les sujets enflammant l'opinion publique. La province n'en manquait guère.

Puis, à midi moins quart, les bancs de l'église paroissiale furent tous occupés pour une nouvelle messe tandis qu'au fond du temple, les visiteurs se tenaient debout en rangs serrés. Quelques-uns demeurèrent sur le parvis, certains à cause du manque de places, d'autres parce qu'un dimanche sans office religieux ressemblait à un congé.

Au moment de s'asseoir dans un banc situé dans l'aile gauche du temple, tout au fond, Antoine se retrouva devant son frère.

— Te voilà enfin, prononça-t-il à mi-voix.

— Comment ça? Je traîne dans les rues, enfin, dans le rang et le chemin de traverse, depuis une bonne heure.

Les deux frères se serrèrent la main, Charles salua Thomas junior, surpris de le trouver avec eux encore une fois.

— Je ne t'ai pas vu.

— Dans cette foule...

Le cadet se retrouva au fond, l'aîné au milieu, le cousin du côté de l'allée.

— J'ai pris l'autobus à sept heures ce matin tout près du parc Lafontaine, continua Charles, au coin de la rue Rachel.

— J'ai fait la même chose, mais j'ai dû me lever plus tôt.

— Je regrette un peu d'avoir choisi ce moyen de transport. Des gars se sont mis à quatre, et pour trois dollars chacun, ils sont venus en taxi.

— Mais tu n'aurais pas eu le plaisir de faire le trajet avec toute ta nouvelle troupe scoute!

Charles opposa une petite grimace en réponse au ton moqueur. L'arrivée d'une douzaine de servants de messe, très fiers de leur aube et de leur surplis, ramena le silence dans l'église. Comme une arrière-garde, un prêtre suivait.

— Ils ont fait venir un curé de Québec, paraît-il, dit encore Charles.

Thomas se pencha un peu pour préciser :

— Édouard-Valmore Lavergne, le curé de la paroisse Notre-Dame-de-Grâce, dans le bas de la ville. Tout un personnage. Il est déjà venu au Petit Séminaire pour prêcher une retraite fermée.

— Le nom me dit quelque chose.

— Il publie un curieux bulletin paroissial, intervint Antoine, *La Bonne Parole*. Ses attaques contre le Parti libéral et le journal *Le Soleil* font grincer les dents jusqu'à Ottawa.

Un curé de choc, un petit roi dans une paroisse peuplée d'ouvriers. Derrière son église, pour l'édification de ses ouailles, il avait fait construire une réplique de la grotte de Notre-Dame-de-Lourdes.

— Depuis dix ans, continua Thomas, il livre une croisade contre les films immoraux. La nuit, il enverrait des garçons arracher les affiches un peu trop osées.

Même dans une assemblée de jeunes gens mus par la politique, certains entendaient suivre la messe. Les «Chut!» les réduisirent au silence.

Quand la messe se termina, l'officiant invita tout le monde à se rendre dans le cimetière, derrière l'église. Le champ des morts, comme on l'appelait souvent, fut très vite totalement envahi. Édouard Picard se tenait dans les premiers rangs, heureux de se trouver épaule contre épaule avec des membres importants de l'Union nationale.

Tous les journaux sympathisants à la cause nationaliste l'avaient répété à satiété : le grand pèlerinage sur la tombe d'Armand Lavergne demeurait ouvert à tous, indépendamment de l'appartenance de parti. Il s'agissait de rendre hommage à un héros de la communauté et de célébrer « l'esprit français ». Les quelques unionistes étaient donc là à titre personnel. Le marchand regrettait qu'on ne fasse pas de cette commémoration une grande affaire d'État.

Au moment où il sortait de l'église avec les notables, il remarqua une silhouette familière.

— Que fait-il avec eux, celui-là ? grommela-t-il entre ses dents.

L'homme à sa droite murmura « Pardon ? », pensant que la remarque lui était destinée.

— Mon fils… je viens de le voir.

D'un geste de la tête, il désigna le grand collégien. Sur le parvis, il alla se planter près de la porte latérale, pour accrocher Thomas par l'épaule dès qu'il mit le pied dehors.

— Viens avec moi.

Son regard sur les deux frères Dupire portait une bonne dose de haine. Antoine le soutint sans baisser les yeux.

— Tu n'as rien à faire avec eux, dit-il encore en l'entraînant.

Toujours la main sur son épaule pour le pousser devant lui, le marchand de voitures usagées retrouva le petit groupe d'unionistes.

— Que fais-tu avec ces garçons ?

— Ce sont mes amis… et mes cousins.

Le premier qualificatif s'avérait très nettement exagéré : ils se voyaient pour la seconde fois. Le second secoua un peu Édouard. Ce lien ne pouvait se renier.

— Tes amis ? Leur père est responsable de ma ruine. Ce gros notaire est plus vicieux que tous les Juifs de Montréal mis ensemble.

Que Fernand Dupire ait joué un rôle dans la perte des parts de son paternel, Thomas le savait. Tout de même, le grand gagnant de l'opération demeurait plutôt Mathieu Picard. S'il arrivait à maîtriser son trouble, il demanderait à son grand-père de lui expliquer tout cela.

— Tu m'avais dit ne pas vouloir venir ici, dit Édouard. À t'entendre, le juge s'y opposait. Puis te voilà !

— J'ai changé d'idée.

« Cette histoire d'interdit, c'était juste pour ne pas se montrer avec moi », songea le père. Combien de fois avait-il ressenti le malaise de son garçon à l'idée de s'afficher avec lui ? Thomas ne se priva pas de confirmer ce constat.

— Aujourd'hui, c'est une affaire de jeunes, pas de faiseurs d'élection. Nous voulons une politique différente.

Pourtant, ce furent les plus âgés qui se retrouvèrent le plus près du monument d'Armand Lavergne, une construction de pierre portant une grande photographie représentant le héros dans sa jeunesse. Alors que le curé de Notre-Dame-de-Grâce bénissait la sépulture à grands coups de goupillon, lançant à tous vents les gouttelettes d'eau bénite, Édouard ressassait les derniers mots de son fils. « Une affaire de jeunes. » Pour la première fois, quelqu'un l'incluait parmi les vieux, ceux d'un autre âge qui devaient céder la place à la nouvelle génération.

*De profundis clamavi ad te, Domine*
*Des profondeurs je crie vers Toi, Seigneur*

Tout le monde connaissait ce cantique à quatre voix composé des siècles plus tôt. Un compagnon de son adolescence et de sa vie de jeune adulte pourrissait dans un trou, alors oui, il se faisait vieux. Plutôt que de le déprimer, le constat le mettait dans une situation d'urgence, augmentant son appétit de vivre, de profiter.

— Tout à l'heure, tu vas rentrer avec moi.

— J'ai mon billet d'autobus.

— Je te le rembourserai, ton billet. Le juge ne le croira pas, mais oui, j'ai assez d'argent pour ça.

À la fin du cantique, les pèlerins se dispersèrent. Édouard gardait sa main sur l'épaule de son fils. Il ne l'abandonnerait pas aux enfants Dupire.

La plupart des badauds transportaient de quoi manger dans un sac de toile. Trop optimistes sur les services offerts aux passants dans Arthabaska, les autres entendaient trouver sur place de quoi se sustenter. Parmi ceux-là, beaucoup jeûneraient.

Même un peu fraîche, la température demeurait agréable. Les deux mille nationalistes se dispersèrent sur le mont Saint-Michel, une toute petite colline en réalité, pour pique-niquer. Les deux frères se retrouvèrent ensemble, avec chacun un sandwich et un Coca-Cola.

— Si ça continue, commentait Charles, notre cousin va nous demander de l'adopter. S'il vient habiter rue Scott, arrange-toi pour qu'il prenne la chambre de Béatrice, je tiens à conserver la mienne.

L'humour tomba à plat, Antoine répondit, un peu chagrin :

— Tu sais, ce gars me fait pitié. Tu as raison, on dirait un petit chien abandonné cherchant ses maîtres. Il devait y avoir cent gars du Petit Séminaire au moment de prendre l'autobus au petit jour, et il n'a parlé à aucun d'entre eux.

Pour le benjamin des Dupire, ami de tous, ce genre de situation s'avérait incompréhensible. Pendant le trajet du matin, il était passé d'une banquette à l'autre afin de connaître tout le monde. À présent, quelque chose le préoccupait plus que la solitude d'un parent ignoré jusque-là.

— La semaine dernière, qu'a dit papa de mon absence ?

— Rien. C'est une grande personne, capable de refouler son chagrin.

La moquerie valut un juron à Antoine. Plus sérieux, celui-ci se reprit :

— Il n'a pas fait la moindre remarque. Son visage parlait beaucoup, toutefois.

Fernand n'avait jamais élevé la voix contre ses enfants. Son regard suffisait.

— Pourquoi n'es-tu pas venu ? C'était une occasion de nous retrouver tous ensemble.

— Dans Québec l'endormie, vous ne le voyez pas, mais ça bouge dans la province. On ne va plus se laisser faire. As-tu lu les livres de Victor Barbeau ?

Le gros garçon haussa les épaules. Plusieurs ouvrages alimentaient les discussions des étudiants, ceux-là parmi les autres.

— C'est un professeur des Hautes études commerciales. Dans *Mesure de notre taille*, il montre que les Canadiens français ne possèdent rien. Nous représentons quatre-vingts pour cent de la population, nous sommes là depuis plus de trois cents ans, mais l'économie nous échappe. Nous nous en tirons bien dans la fabrication de cercueils et de beurre, rien de plus.

— Et ta présence à Montréal, la fin de semaine dernière, aura tout changé à la situation, je suppose ?

— En tout cas, les soupers de famille ne modifieront rien.

Presque toute une génération répétait la même chose. Pendant quelques semaines, l'arrivée de Maurice Duplessis au pouvoir avait suscité l'espoir. Les changements tardaient toutefois à venir.

— Tu fais partie des Jeunesses Patriotes?

— Oui, et d'autres associations aussi. Je me présente à diverses assemblées, où je retrouve pas mal le même monde. Je connais tous les membres.

Ainsi, de l'avis même d'une personne capable de connaître un maximum de gens disséminés dans diverses associations, l'effectif demeurait modeste.

— L'autre soir, ton salut fasciste m'a fait une drôle d'impression.

Charles haussa les épaules, comme s'il n'attachait pas trop d'importance à cela. Ses paroles avivèrent cependant les inquiétudes de son aîné.

— Au moins dans les pays fascistes, ils ont des chefs capables de rallier tout le monde vers un objectif commun. Ici, la politique reste la même: tous semblent prêts à se vendre au plus offrant.

— Tu ne t'es pas joint au Parti national chrétien, toujours?

Deux ans plus tôt, dans la salle de la Palestre nationale, une assemblée de chemises noires portant des croix gammées s'était réunie. Adrien Arcand avait alors créé ce fameux Parti national chrétien, inspiré du parti politique d'Adolf Hitler, en Allemagne.

— Non. Ils ressemblent à des bouffons, mais aujourd'hui, ce sont les seuls à vraiment vouloir endiguer le communisme.

— Tu ne crois quand même pas que la province va passer sous le contrôle des bolcheviques?

— Québec ressemble à un petit îlot tranquille. Ce qui se discute ces jours-ci, à Montréal, c'est la visite des représentants du Front populaire. Il y a même un faux curé parmi eux, qui veut faire une grande assemblée de propagande.

— Ah... Parce que tu *sais* que c'est un faux curé? demanda Antoine avec un brin de condescendance.

Charles regarda son aîné avec un air de supériorité. Comment pouvait-il être si mal informé ?

— La nouvelle est partie du Saint-Siège, puis est descendue jusque dans tous les presbytères : il s'agit d'un imposteur. L'Église favorise les troupes loyalistes du général Franco. Les républicains tuent des prêtres, violent des religieuses.

Comme tout garçon élevé dans une bonne famille canadienne-française, le grand adolescent rougit un peu à cette affirmation. Il s'empressa d'ajouter :

— Tu as vu comme moi, insista-t-il, les journaux parlent de seize mille membres du clergé assassinés. Ce gouvernement soi-disant démocratique est soutenu par Moscou, qui lui envoie des hommes, des navires, des avions.

— Te voilà un lecteur assidu de *L'Action catholique*.

— J'aime mieux *Le Devoir*. Bon, là, moi je vais aider ce cultivateur à engraisser son champ.

Charles se leva pour marcher vers les fourrés. Avec cette foule, trouver un endroit discret pour se soulager devenait difficile. Demeuré seul, Antoine s'étendit sur le dos en pestant un peu contre l'humidité du sol. Quant à s'exposer à entendre toujours les mêmes discours, il aurait préféré que ce soit dans un fauteuil confortable. Au bout de quelques minutes, son frère se profila entre lui et le soleil.

— Mieux vaut y aller, sinon dans les derniers rangs, nous n'entendrons rien.

Des jeunes descendaient le mont Saint-Michel en bande pour revenir vers le village. Aucune salle ne pouvait contenir tout ce monde, les discours se dérouleraient en plein air. Certains préféraient sans doute demeurer dans un coin tranquille à deviser entre amis, se satisfaisant de la seule promenade à la campagne.

— Tu sais, les Anglais ne font pas juste nous chasser de l'économie, dit Charles en reprenant le cours de la conversation abandonnée quelques minutes plus tôt. Le Front populaire recrute dans le campus de l'Université McGill. Les Anglais se font complices des communistes pour mieux nous dépouiller.

Si Antoine ne se considérait pas comme un expert de ces questions, accuser les mêmes personnes de maîtriser l'économie capitaliste et de prôner le communisme pour abattre le régime lui paraissait absurde. Ils ne pouvaient être coupables des deux crimes à la fois.

— Tu ne me crois pas, remarqua le benjamin, vexé.

En quelques mots, l'aîné lui fit part de ses arguments. Charles reprit :

— Un médecin de Montréal, Norman Bethune, a rejoint les troupes républicaines. Si on les laisse faire, plein de Canadiens feront de même. Ça peut s'étendre aux Canadiens français.

Antoine réprima son envie de rappeler à son benjamin l'importance de se consacrer à ses études. Il endosserait ce rôle paternel plus tard, avec ses propres enfants.

# Chapitre 10

Dans la rue Saint-Jean, à la hauteur de l'église, environ cent cinquante enfants posaient un pied sur la planche de leur trottinette, les poignées bien en mains. Tout près de deux cents gamins s'étaient inscrits à cette course patronnée par *L'Action catholique*, encadrée par l'Association sportive de Québec. Le quart d'entre eux préféraient maintenant rester à la maison.

— Thalie devait être là, se plaignit Aimé, une moue sur le visage.

— Je t'ai expliqué ce matin, elle ne pouvait plus venir. Tu comprends, les médecins doivent sacrifier des activités pour s'occuper des gens.

— Hier, elle m'a dit qu'elle serait là avec son sac noir.

Victor se souvenait de cette promesse, et de la suite des événements. L'enfant ne redoutait pas tant que ça les blessures, mais son attachement à la compagne de son père s'avérait réel.

Ses récriminations n'échappaient pas aux autres badauds. Un épicier se trouvait tout près, lui aussi soucieux d'encourager son fils obèse dans cette course.

— C'est vrai ça, Victor, j'la voué pas. Ta blonde est pas là? D'habitude tu passes tous tes dimanches avec elle.

À chaque allusion, celui-là avait quelque chose d'égrillard dans le regard.

— Avec sa profession, elle peut aller travailler n'importe quand. La maladie ne choisit pas son jour.

— Ouais, une docteure, on rit pus. Tu vises trop haut, j'pense. R'garde Laurette, a pète pas plus haut qu'le trou, pis est là aujourd'hui.

La femme dont on vantait ainsi la modestie se tenait en effet sur le trottoir, l'air lassé, la robe tombant sur un gros ventre.

— Tu sais pas comment la mettre à ta main, ta docteure, commenta un autre voisin. Montre z'y donc qui porte les culottes. Tiens, tu y mets un pain dans l'four, ça va y ramener les pieds su la terre, ça. Pleine comme un œuf, a f'rait moins sa fraîche.

Dans une ville comme Québec, la vie privée se déroulait en public, malgré tous les efforts de discrétion. La situation du marchand de musique était sans doute commentée avec envie dans les rencontres entre hommes et avec colère par les femmes, surtout celles qui enduraient encore le célibat une fois rendues dans la quarantaine.

— C'est t'y qu'est pas marieuse, ou qu'a veut pas te marier, toé?

Victor tenta de s'éloigner un peu de ce groupe de paroissiens trop informés de l'état de ses relations amoureuses. Dans ce rassemblement, les gens de Saint-Jean-Baptiste représentaient tout de même une minorité des badauds, et pour les autres, il n'était qu'un inconnu. Tout au long de la conversation, le visage de Georges s'était fermé et le rouge montait sur ses joues. Les remarques sur la faute de son père le couvraient de honte, comme si la faute retombait sur lui. À treize ans, les frères enseignants lui instillaient un sens aigu du péché. Il lui faudrait encore quelques années avant de tempérer ces influences.

Heureusement, l'attention fut bientôt détournée lorsque tous les coureurs s'élancèrent au son du pistolet du chef de police Trudel. Sous prétexte de suivre depuis le trottoir les progrès de son fils, Victor s'éloigna résolument de ses voisins d'un pas rapide. Bien sûr, un pied posé sur la planche, l'autre poussant sur le pavé pour se propulser vers l'avant, les jeunes les plus alertes le distancèrent rapidement. Il se trouvait encore à bonne distance de la cathédrale quand Gaston Savard en atteignit le parvis avec un temps de 13 minutes 35 secondes. Deux autres suivaient de près, un Therrien et un Garneau. Aimé arriva quelques minutes plus tard avec les derniers, en même temps que son père. Les félicitations de Victor furent accueillies de mauvaise grâce. Se montrer bon perdant ne figurait pas encore au nombre des vertus de son cadet.

Une plateforme avait été dressée à trois pieds du sol dans le petit parc consacré à monseigneur Taschereau. Parmi les invités d'honneur, en plus d'une dizaine de porteurs de soutane, on reconnaissait le chef de police Trudel, qui avait fait le trajet depuis Saint-Jean-Baptiste en voiture, et toute une brochette de marchands canadiens-français. Deux micros portaient l'indicatif des plus importantes stations de radio de la ville. La cérémonie de remise des prix se déroulerait en direct.

Ovide Carrier, l'organisateur de l'événement, commença :

— Nous avons assisté à une course enlevante, voilà le moment de couronner ces magnifiques athlètes. Monsieur Gaston Savard, âgé de treize ans, est notre grand gagnant. Monsieur Mathieu Picard va lui remettre une bourse de trois dollars.

Les second et troisième reçurent aussi leur récompense, puis un long défilé de garçons et de notables débuta. Le propriétaire de la trottinette la mieux décorée reçut un prix ainsi que le plus jeune des concurrents ayant passé le fil d'arrivée. Au bout d'une interminable cérémonie, chacun des cent quarante-sept participants ayant terminé le parcours empocha quelque chose.

Comme il avait contribué davantage que les autres aux prix, Mathieu serra plus que sa part de mains de sportifs en culotte courte. L'animateur répétait chaque fois les mots «magasin PICARD» au micro, ainsi l'investissement s'avérerait rentable. Flavie se tenait au fond de l'estrade avec les autres épouses. Ces dames affichaient de beaux atours. Malgré la température plutôt douce, un étranger aurait pu imaginer la présentation d'une collection de manteaux de fourrure – de renard pour les plus modestes, de vison pour les plus riches.

Quand tout fut terminé, les notables purent se disperser dans la foule.

— Bonjour, dit Mathieu en tendant la main à Victor. Je ne pensais pas qu'un événement de ce genre attirerait autant de spectateurs.

— Les trottoirs débordaient de monde.

Dans son numéro du lendemain, *L'Action catholique* évoquerait trente mille personnes, un chiffre vraisemblablement très exagéré.

— Je croyais rencontrer Thalie. Vendredi, elle m'a parlé de cette course.

— … Elle a dû annuler ce matin. Une malade requérait ses soins.

Le mensonge le mit d'autant plus mal à l'aise que ces deux-là se disaient tout. Sa volonté d'échapper à tout prix aux regards et aux commentaires de ses voisins lui coûterait cher devant sa bien-aimée.

— Son horaire devient plus fou que le mien : nous voilà tous les deux au travail un dimanche.

Pendant cet échange, Flavie s'était approchée des gar-çons. Les réticences de Victor à se présenter aux réunions familiales des Picard faisaient d'eux de quasi-étrangers.

— Aimé... Aimé, c'est bien ça ?

Le garçon dit oui d'un signe de tête.

— Tu as fait une belle course.

— Je suis arrivé avec les derniers...

Sa performance lui avait valu une image de saint Jude qu'il tenait dans sa main. Ceux qui avaient constitué les prix montraient un certain humour : il s'agissait du patron des causes désespérées.

— Mais tu l'as terminée ! lui dit Flavie avec un sourire encourageant.

Son regard se porta sur l'aîné, qui avait parcouru la distance depuis Saint-Jean-Baptiste sur le trottoir à la suite de son père.

— Tu n'as pas eu envie de participer ?

— C'est pour les enfants, dit Georges avec une pointe de mépris.

— Tu as treize ans, non ? Le même âge que le gagnant, je pense.

La remarque ne mettrait pas l'aîné, souvent renfrogné, de meilleure humeur. Les deux hommes échangèrent encore quelques mots, puis une poignée de main. Mathieu revint prendre le coude de sa femme, dit «Au revoir» à l'intention des enfants, puis affirma à sa compagne :

— Si nous ne rentrons pas à la maison, on en viendra à croire que nous avons déménagé.

Quatre ans plus tôt, les difficultés du commerce les tenaient sans cesse occupés ; son redressement ne leur laissait pas plus de temps libre.

Dans le village, on avait érigé une estrade de planches afin de permettre à tous d'apercevoir les orateurs. Le maire de la petite localité, nommé Paris, se voyait confier la responsabilité d'accueillir tout ce monde. Les grandes occasions créent parfois les grands orateurs. Il commença :

— Nous sommes réunis ici pour honorer la noble fierté française de Lavergne et affirmer en même temps notre ferme volonté de vivre pleinement dans un État français où nous serons les véritables maîtres.

La clameur le condamna un moment au silence. Quand il quitta la scène, les vedettes du mouvement nationaliste se succédèrent à un rythme rapide, en commençant par le notaire Eudore Couture, rédacteur du *Progrès du Golfe*, et Louis Francœur, journaliste à *La Patrie*.

Charles Dupire réagit avec enthousiasme à l'apparition de Paul Bouchard sur la scène, présenté comme le rédacteur de *La Nation*. Un peu partout dans la foule, des jeunes reprenaient le salut fasciste, paume ouverte au bout d'un bras tendu. Le tribun refit le portrait de la situation économique et sociale des Canadiens français, une version terriblement décapante de la *Mesure de notre taille* de Victor Barbeau :

— Des vertus héréditaires de la France, que nous reste-t-il ? Nous les avons presque toutes perdues. Faisons un examen de conscience national. Nous sommes un peuple de quêteux, au service de l'étranger, chez nous. Il faut que nous devenions maîtres de notre demeure. Il faut avoir le courage de nous mettre au moins sur le même pied que les métèques, ceux qui sont venus nu-pieds nous vendre des lacets de bottine.

Il s'agissait de gens qui, après des années à survivre d'un petit commerce marginal, arrivaient à se créer un capital pour avoir pignon sur rue et effrayer les entrepreneurs canadiens-français.

Les plus jeunes hurlaient le plus fort alors que les quelques notables se montraient plus réservés. Le visage de Charles trahissait un enthousiasme qui inquiéta son aîné. Ce discours manifestait une telle intolérance.

— Ça, il a raison, cria Charles à l'oreille de son frère afin de couvrir le tumulte. Si tu voyais ces Juifs sur le boulevard Saint-Laurent. Le pire, c'est que les Anglais en font venir encore d'Europe pour nous faire disparaître complètement. Tu vas voir, bientôt, il faudra se faire couper un bout de la queue pour pouvoir se trouver du travail dans la province.

La référence bien cavalière à la circoncision aurait fait sourciller dans la salle à manger de la demeure de la rue Scott.

Après celui-là, les autres orateurs semblèrent bien sages, sinon ternes. Pour les plus assidus à ce genre de manifestation, Chaloult, Hamel et Grégoire paraissaient entonner la même rengaine que d'habitude. Seul le refrain s'accordait un peu aux circonstances : «J'étais l'ami d'Armand Lavergne.» Certes, le tribun né et enterré à Arthabaska n'avait jamais été si bien entouré que ce jour-là.

Toute la journée, Thalie s'était montrée d'humeur massacrante. Comme elle n'avait quitté l'appartement que pour aller à la messe, à l'heure du souper personne n'en avait encore trop souffert. Quand le téléphone sonna, son «Allô» dut écorcher l'oreille de son correspondant.

— Thalie, comme ça, tes malades te tiennent occupée même le dimanche ?

— Quels malades ?

À l'autre bout du fil, Mathieu parut un peu surpris.

— Tout à l'heure, Victor m'a expliqué ainsi la raison de ton absence.

— Tu as vu Victor?

— À la course de trottinettes. Comme je te l'ai laissé entendre avant-hier, j'ai passé un bout de ma journée à distribuer des prix aux enfants. Il m'a raconté que tu as été appelée par une patiente.

«Le salaud, il a préféré mentir!»

— Ce sont des choses qui arrivent, dit-elle plutôt à son frère.

— Ça te dit de venir souper? Maman pourrait passer te prendre d'ici une demi-heure.

Depuis quelques années, un permis de conduire donnait à Marie Picard une nouvelle liberté, entre autres celle de partager avec son fils la responsabilité de faire le taxi.

— Bien sûr, tu sais que Victor sera le bienvenu s'il se joint à toi, ajouta-t-il.

— Évidemment, je le sais. Lui ne paraît pas s'en douter, toutefois... Oui, ça m'intéresse. La salle à manger du Château Saint-Louis ne me dit rien, ce soir.

— Très bien! Alors, à tout à l'heure.

Avec un immense effort de volonté, Thalie arriverait à retrouver un semblant de sourire avant de monter en voiture avec sa mère.

Elle posait la main sur la poignée de la porte, prête à sortir, quand le téléphone sonna de nouveau. «Pourvu que l'invitation tienne toujours», se dit-elle en décrochant. Maintenant, l'idée d'une soirée en solitaire lui paraissait insupportable.

— Allô, Thalie? fit une voix familière.

— Oui, c'est moi.

La réponse glaciale laissa un moment son interlocuteur silencieux.

— Tout à l'heure, Aimé était bien déçu. Son rang dans la course ne correspondait pas du tout à ses espérances.

D'instinct, Victor évoquait son cadet. Entre lui et sa maîtresse, la complicité était charmante ; sa mention rendrait sa compagne plus susceptible de pardonner l'indélicatesse commise. Pourtant, elle ne prononça pas un mot.

— Écoute, je sais bien que j'ai mal agi en te disant ça à la dernière minute. J'aimerais t'expliquer.

— Là, je n'ai pas le temps, je m'apprêtais à sortir.

Le ton cassant laissait présager qu'elle ne disposerait pas d'un moment à lui accorder dans un avenir rapproché non plus. Il insista pourtant :

— J'aimerais que l'on mange ensemble.

— Impossible. Je viens de te dire que l'on m'attend.

Avec une telle excuse, l'amant pouvait s'imaginer n'importe quoi.

— … J'espère que nous pourrons nous voir très vite.

— On en reparlera à un autre moment. Bonne soirée.

Du bout du doigt, elle pesa sur la fourche pour couper la communication. Finalement, ses paupières seraient peut-être un peu gonflées quand elle monterait dans la voiture.

Les discours s'étaient terminés en fin d'après-midi. Les deux mille jeunes gens reprirent leur autobus, leur train ou leur voiture, avec la voix éteinte après avoir hurlé trop fort leur nationalisme. Les deux frères Dupire se serrèrent la main dans un champ, se promettant de se revoir bientôt à Québec.

Peu de temps auparavant, en montant dans une Cadillac vieille de deux ans, Thomas junior leur avait adressé un petit salut de la main, et son père, un regard assassin. Pendant la première heure du trajet, aucun des deux passagers ne prononça un mot. À la fin, Édouard déclara :

— Ces deux gars, t'as intérêt à t'en tenir loin. Ça doit être des hypocrites comme leur père, capables de jouer à l'amitié, puis de te donner un coup de poignard dans le dos.

— Tout ça parce que mon oncle Fernand a participé au rachat du magasin ?

Le rappel du lien de parenté amena l'homme à serrer les mains sur son volant jusqu'à blanchir ses jointures.

— Il m'a piégé. C'était ça ou il me ruinait.

Curieusement, même si Mathieu était le plus important bénéficiaire de l'opération, quelque chose lui disait que c'était le notaire qui avait défini la stratégie. Malgré ses airs de gros pataud, il montrait toujours la plus grande assurance dans les questions d'affaires. Il lui avait mis la liasse des cessions de créances sous le nez, tout comme le contrat d'achat. Dans des bars obscurs, un cognac à la main, plusieurs personnes murmuraient que, chaque année depuis 1929, il avait augmenté son patrimoine.

— Il a acheté avec mon oncle Mathieu, et toi tu devais vendre.

Édouard pouvait être envahi par la colère, heureusement cela ne l'amenait pas à frapper. Si Fernand Dupire était l'oncle par alliance du garçon, dans le cas du nouveau directeur du magasin Picard, le lien était plus direct. Il s'agissait du drame des petites sociétés tricotées serrées comme celle de la ville de Québec : le meilleur comme le pire venaient de la famille.

Même en ne connaissant pas le détail des opérations, Thomas junior posait tout simplement l'équation : une opération commerciale où l'incompétent disparaissait pour laisser l'entreprise aux mains de meilleurs que lui.

— Je n'ai pas dit mon dernier mot, grommela Édouard. Maintenant que nous sommes au pouvoir, ça va changer.

Écris ça sur ton calendrier : dans un an, je conduirai une Cadillac flambant neuve.

Il employait toujours ce « nous » pour signifier sa proximité avec les nouveaux maîtres de l'Assemblée législative. Le juge Paquet parlait de ce changement de régime comme d'un accident de parcours que de nouvelles élections corrigeraient. « Ces magouilleurs ont voté la conscription en 1917, les gens vont s'en souvenir quand ça va se gâter en Europe. » Les prédictions d'un nostalgique, sans doute.

— Je te le souhaite.

Tout à fait de convenance, ces mots rassurèrent le père. L'atmosphère se détendit un peu dans le véhicule, assez pour lui permettre de s'informer des cours du Petit Séminaire. Depuis la fin des années 1920, entre eux, les questions comme les réponses demeuraient toujours les mêmes, un bruit de voix destiné à maintenir ouvert un canal de communication. Aucun des deux n'osait parler de la nature faussée de leur relation. L'abandon, la trahison, le ressentiment, l'alternance de honte et de fierté : tout cela méritait d'être celé, car aucun des deux n'aurait admis la réalité.

Lorsque la grosse voiture roula dans la Grande Allée, l'obscurité pesait sur la ville. Édouard avait préféré ne pas s'arrêter pour manger en route, afin de ne pas allonger le temps passé avec son fils. Pourtant, quand celui-ci ouvrit la portière lorsqu'ils furent arrivés devant la maison du juge, Édouard déclara :

— Tu devrais venir passer un jour ou deux dans mon garage.

L'adolescent s'y était rendu quelques fois. Son visage trahit un sentiment trouble, du mépris tissé de fierté.

— Mon grand-père ne sera pas chaud à l'idée.

— Je demeure ton père.

Devant un tribunal, le sujet aurait donné lieu à un bel échange. La paternité tenait-elle au lien biologique ? Celui qui payait le gîte, le couvert, les vêtements et les études pouvait s'en prévaloir aussi sans doute.

Comme Thomas demeurait coi, Édouard ajouta, faussement joyeux :

— Tu lui diras de ne pas craindre la contagion. Non seulement je ferai un peu de ménage, mais je me confesserai juste avant. Tu lui répéteras ça. Bonne nuit et à la prochaine.

— Bonne nuit, répondit son fils en descendant.

Les mots « À bientôt » lui auraient paru constituer un engagement trop ferme. Dans la grande maison bourgeoise, quelqu'un déplaça un rideau pour voir qui se trouvait devant. Le grand-père se préparait déjà à faire valoir ses prétentions.

Sa démarche attirait la curiosité de toutes les voisines de Béatrice. Elle composait plusieurs numéros d'affilée, toujours avec la même question mystérieuse : « Êtes-vous le Jacques Létourneau qui a été élevé à Limoilou ? » Parfois, cela lui valait des mots bien impatients. D'autres fois, compte tenu de sa voix juvénile, venaient plutôt des remarques un peu osées, ou alors carrément salaces. Visiblement, s'adresser ainsi à un inconnu le mettait dans un drôle d'état mental.

Dans de tels cas, Béatrice raccrochait doucement, le rose aux joues, puis montait dans sa chambre. Ce soir-là, elle ouvrait sa porte quand sa voisine immédiate passa la tête dans l'embrasure de la sienne pour remarquer :

— Je n'ai pas pu m'empêcher d'écouter… Ce garçon que tu cherches, il s'agit d'un amoureux ?

Elles étaient une bonne vingtaine dans la maison à penser aux amours matin, midi et soir. Le soir surtout, quand les feuilletons de *La Revue moderne* les avaient bien alimentées en romances à l'eau de rose.

— Non, répondit-elle avec un sourire timide. Un parent de ma mère. Je ne l'ai pas vu depuis les funérailles de celle-ci.

Une autre porte s'ouvrit, des yeux interrogateurs les examinèrent toutes les deux. Les conversations murmurées soulevaient toujours le même intérêt.

— Excuse-nous de te déranger, fit la première jeune fille. Béatrice, viens dans ma chambre.

La blonde hésita un peu. Comparée à celle de ces voisines, combien sa vie familiale lui paraissait compliquée! Puis, elle entra dans une chambre semblable à la sienne, excepté les images piquées sur le mur : un Sacré-Cœur un peu sanguinolent, une Sainte Vierge, puis des photographies de vedettes de cinéma, signées mécaniquement. Les sociétés productrices de films les envoyaient sur demande, à condition que le mandat-poste soit dans l'enveloppe.

Béatrice occupa la chaise placée près de la fenêtre, Annette s'installa sur le lit. Il s'agissait d'une employée de Bell Canada, une jolie châtaine. Toute la journée, avec un lourd casque d'écoute sur les oreilles, elle accueillait les correspondants par un «Téléphoniste-*Operator*» tout à fait suave.

— Pour le retrouver, tu n'as qu'à téléphoner à tous ceux qui portent le même nom dans le bottin.

La téléphoniste avait donc tendu l'oreille pendant un certain temps.

— Déjà, les "Jacques" sont nombreux, alors si j'ajoute ceux mettant seulement "J", ça ressemble à la population d'un petit village.

Annette sourit devant la très grande exagération.

— Sans compter qu'il n'a peut-être pas le téléphone, continua Béatrice. Aucune de nous n'a son propre abonnement, ce serait donc impossible de nous retrouver de la façon dont tu parles. Bien que lui soit avocat...

Autrement dit, il disposait des moyens d'avoir le téléphone. Annette demeura silencieuse un moment, pensive.

— Tu sais, ces gens ont une association...

— Le barreau?

— Oui, là-bas, on pourra te donner son numéro.

Bien sûr, Béatrice s'en voulut un peu de ne pas y avoir pensé.

— Il arrive une fois de temps en temps que des clients m'en demandent la communication, précisa l'employée de Bell. Je pourrais te fournir le numéro ou même faire la recherche moi-même, si tu me donnes son nom de famille.

— Ce ne sera pas nécessaire. Je le trouverai dans le bottin.

La réponse pouvait passer pour une rebuffade. Annette ne s'en formalisa pas trop.

— Comment vont les choses, à l'université?

— Oh! Certains ne semblent pas me voir, le visage des autres me dit que je devrais me trouver ailleurs. Puis, tu le sais, je ne suis pas très bonne pour me faire de nouvelles amies.

— J'avais remarqué.

Annette lui adressait un sourire chargé de sympathie. La jeune femme étant rompue à des milliers de conversations très brèves avec de parfaits inconnus, une telle situation ne lui était pas totalement étrangère.

— Comme je vais là pour apprendre l'anglais, mes progrès sont plutôt lents.

— Je peux te parler en anglais, dit Annette en riant.

— Ce serait un peu étrange, entre nous. Je vais aller dormir, maintenant.

Béatrice se levait quand sa voisine demanda :

— Ton frère se fait-il bien à sa vie à Montréal ?

Le sujet revenait parfois avec les autres locataires, toujours motivé par la même attente : se faire présenter ce célibataire.

— L'idée que nous sommes frère et sœur m'étonne toujours. Imagine mon contraire : je pense qu'il a déjà parlé à tous les étudiants de l'université, de Polytechnique et des Hautes études commerciales réunies.

— Il a une petite amie ?

Voilà, elle y arrivait.

— Pour le moment, la politique occupe tout son esprit, je pense.

Annette se demanda s'il s'agissait d'une véritable concurrente. Certains s'en laissaient détourner facilement. Cette fois, la visiteuse marcha vers la porte.

— Bonne nuit, fit-elle en ouvrant.

— À demain, au déjeuner, répondit Annette, un sourire amical aux lèvres.

En se couchant, Béatrice se questionnait toujours sur l'opportunité de ménager une rencontre « fortuite » entre ces deux-là.

À la différence de Dupuis Frères à Montréal, le magasin PICARD n'offrait pas de salle réservée aux membres du clergé. Peut-être en guise de représailles, les ecclésiastiques ne hantaient guère ses allées. Aussi, quand monseigneur Émile Buteau entra par la porte donnant boulevard Saint-Joseph, le personnel ne sut pas exactement quelle attitude adopter. Des vendeuses esquissèrent une révérence, d'autres de véritables génuflexions. Les plus enthousiastes voulurent baiser son anneau.

Quand Buteau atteignit la porte de l'ascenseur, les autres clients s'écartèrent, comme s'ils se trouvaient indignes de monter en même temps que lui. Devant le visage étonné du liftier, le prélat dit :

— Alors, mon fils, conduisez-moi à l'étage où se trouve le gérant.

La docteure Picard lui aurait-elle parlé de ses allusions luxurieuses ? Il buta sur les mots :

— … Oui, mon père.

Le garçon enclencha le levier si brusquement que l'à-coup obligea Buteau à appuyer la main contre la paroi. L'arrêt au troisième étage ne fut pas plus doux. La présence du prêtre créa le même émoi à cet endroit parmi toutes les employées, mais pas à la directrice du rayon des vêtements pour dames. Debout devant le comptoir, le père Buteau demeura un moment silencieux.

— J'espère que tu vas bien.

La voix rappelait celle d'un gamin ayant fait une bêtise, comme celle d'avoir rompu ses relations avec sa sœur des années plus tôt. Avec l'âge, peut-être rêvait-il d'un rapprochement. Son état le condamnait à la solitude, sans femme ni enfant. Cela pouvait peser même sur les serviteurs du Seigneur. Une demi-douzaine de personnes habitaient le presbytère, mais cela ne ressemblait guère à une famille. Plutôt à une juxtaposition de solitudes.

— Jusqu'à il y a quelques instants, je trouvais la journée plutôt belle.

La répartie n'améliora en rien l'assurance de son interlocuteur.

— Ce serait bien si nous passions un moment ensemble. Tiens, un midi, pourquoi ne viendrais-tu pas manger avec moi au presbytère ?

Marie Dubuc, née Buteau, demeura silencieuse à son tour. Son frère s'imaginait-il que des années d'indifférence s'effaceraient comme ça, avec une simple invitation à dîner ?

— Te souviens-tu comme j'aurais aimé y être accueillie, il y a quarante ans ?

Devant son silence, elle insista :

— À cette époque, j'avais un gros ventre, tu te souviens ?

L'allusion à sa grossesse hors mariage mit son frère aîné mal à l'aise. Des yeux, il désigna les clientes, les vendeuses. Comme la honte lui venait facilement !

— Je ne peux m'éloigner de ma caisse pendant une heure ou deux, même pour me rendre dans ton château.

Le prélat domestique aurait pu proposer un dimanche, ou même une invitation à souper.

— Bon, je comprends, dit-il plutôt. Tout de même, j'aurais aimé te parler.

— Du bon vieux temps ?

— De ça aussi. À bientôt.

L'homme se dirigea vers le passage permettant d'accéder aux bureaux administratifs. Déjà, on avait commencé à transporter les lourds classeurs jusqu'au dernier étage. Un mois plus tard, le patron emménagerait dans ses nouveaux quartiers. Quand l'ecclésiastique arriva dans l'espace réservé à la secrétaire, Flavie dit en se levant à demi :

— Monseigneur…

— Buteau. Monseigneur Buteau.

— Je sais. Vous voulez parler à monsieur Picard, je présume.

— En effet, je souhaite le rencontrer.

La secrétaire quitta sa chaise. Quand elle mit la main sur la poignée de la porte, le visiteur continua :

— Vous êtes madame Picard, n'est-ce pas ?

— Oui, en effet.

L'affirmation la mettait mal à l'aise, elle s'attendait à entendre un discours sur l'abomination du travail des femmes mariées.

— Il s'agit d'une véritable entreprise familiale, alors.

Le demi-sourire du prêtre demeurait difficile à interpréter. La minute suivante, il entra dans le bureau du directeur. Mathieu vint vers lui, la main tendue, alors que Flavie fermait la porte dans son dos.

— Je faisais remarquer à votre épouse que vous dirigez un véritable commerce familial.

— Effectivement, depuis Théodule et Euphrosine, mon père et Thomas Picard.

Mieux valait ne pas dire « Mon père et Alfred Picard », même si aucun secret n'échappait à cet homme. Toutes les histoires intimes de la paroisse Saint-Roch devaient lui être familières.

— Aujourd'hui, il y a vous, votre femme, votre mère, l'époux de votre tante Eugénie.

Buteau confirmait ainsi sa parfaite connaissance de la vie de ses paroissiens, et des descendants de ses paroissiens. Aucun Picard n'habitait plus les environs depuis 1897, les informations devaient venir des confidences de l'un ou l'autre de ses chefs de rayon.

— Vous n'êtes certainement pas venu ici pour parler généalogie, monseigneur, ni de nos rapports familiaux. Vous avez beau être mon oncle, je ne me souviens pas vraiment de vous avoir vu, sauf dans la chaire, à l'église.

Le prélat accusa le coup. Dans une communauté où les liens avec la parentèle s'avéraient très proches, la distance maintenue entre eux faisait exception. De la main, Mathieu désigna la chaise placée en face de son bureau.

— Dommage que des différends nous aient éloignés, Marie et moi, dit l'ecclésiastique. Peut-être cela pourrait-il changer.

Le visage de son interlocuteur demeura immobile, fermé. L'idée d'un rapprochement entre sa mère et ce rustre lui répugnait. Buteau comprit que Mathieu n'ignorait rien des motifs ayant irrémédiablement éloigné le frère et la sœur. Il annonça, un peu hésitant maintenant :

— Aujourd'hui, je suis venu vous encourager au syndicalisme.

Le commerçant souleva les sourcils, incrédule. Cet homme l'amenait de surprise en surprise.

— Mes employés ne sont pas syndiqués.

— Justement, il faudrait remédier à ça.

Si un homme d'Église entendait aborder ce sujet, ça ne pouvait concerner que les organisations catholiques.

— Monseigneur, sans vouloir vous vexer, je tiens à administrer mon affaire à ma guise. Les unions, même les meilleures, je n'en vois pas l'utilité.

— Normalement, comme vous le savez, elles doivent servir les employés, pas les patrons.

Des associations confessionnelles rassemblaient les travailleurs à Québec depuis le début du siècle. Maintenant, on en trouvait dans la plupart des villes. Au lieu de poursuivre la conversation, le prélat examina le local défraîchi. Mathieu crut utile de préciser :

— Bientôt, tout ça sera abattu pour faire de la place aux vêtements pour dames.

— Je songeais simplement à ma dernière visite ici. C'était aussi la première. Thomas Picard occupait votre fauteuil.

Les réminiscences cédèrent aux préoccupations du jour :

— À Montréal, les employés de Dupuis Frères ont formé un syndicat catholique. L'administration de l'entreprise en est facilitée. Je suis certain que les propriétaires n'ont qu'à se féliciter d'avoir aidé la création de cette association.

Il désignait ainsi un syndicat de boutique. L'organisation s'intéressait aux loisirs, à des questions pieuses, et accessoirement à la gestion d'un contrat de travail. À tout le moins, le clergé le voyait ainsi. Le point de vue des travailleurs pouvait différer beaucoup de celui-là.

Le prélat invitait le commerçant à adopter le même stratagème pour mieux encadrer ses employés.

— Avez-vous un organisateur à l'œuvre dans mon magasin ?

— Non, pas du tout.

Si monseigneur Buteau impressionnait facilement ses ouailles, Mathieu, quant à lui, posait sur lui un regard inquisiteur. À la fin, le visiteur précisa :

— Il y a bien une couple de travailleurs du service d'expédition qui font partie d'un cercle d'étude, mais ce n'est pas du travail d'organisation syndicale, ça.

— Ce cercle, il étudie quoi ?

— La doctrine de l'Église.

Quelques encycliques pontificales et d'autres documents servaient de fondement à une doctrine susceptible d'apporter la paix sociale. À ce sujet, les organisations corporatives devaient servir de panacée.

— Vous savez, mes employés profitent de tous les aménagements à caractère religieux compatibles avec les intérêts du commerce. Tenez, la dernière fois, des membres de la confrérie du Rosaire ont profité d'une modification à l'horaire pour se livrer à leur exercice de piété.

— Pour moi, le commerce en entier devrait s'adapter aux intérêts de la religion.

Le directeur se contenta de fixer ses yeux dans ceux de son interlocuteur.

— Vous savez, insista le visiteur, les syndicats catholiques demeurent notre rempart contre le communisme. Voyez ce qui se passe dans les pays d'Europe déchristianisés.

— Je ne vois pas de menace imminente planer sur nous.

Le prélat secoua la tête, comme devant un mécréant.

— La plus grande menace, c'est justement cet aveuglement. Des représentants du Front populaire se promènent dans la province avec un faux curé et des militants recrutent dans les classes de l'Université McGill. Diverses publications paraissent à Montréal.

— Je n'ai jamais vu le moindre tract, le moindre feuillet au magasin. Cela, grâce au bon enseignement de notre mère l'Église.

Le discours racoleur mit un sourire sur le visage du visiteur. Mathieu s'appuya au dossier de son siège, jeta un regard rapide sur les documents posés sur son bureau, comme pour signifier : « Je dois me remettre à la tâche, moi. » Buteau ignora le message.

— La participation des laïcs est essentielle. La Ligue du Sacré-Cœur vient de s'engager dans une lutte sans merci contre le communisme. Si tous les travailleurs rejoignaient un syndicat catholique, la province se trouverait définitivement à l'abri. Savez-vous que le Congrès des métiers et du travail du Canada donne son appui au Front populaire espagnol ?

Le CMTC regroupait les syndicats internationaux, autrement dit américains. Mathieu chercha une lettre du bout des doigts sur son bureau, visiblement l'esprit ailleurs. Le prélat n'avait guère l'habitude de se faire bousculer ainsi. Pourtant, il céda :

— Je vois que je vous empêche de travailler, dit-il en se levant.

Le marchand le raccompagna jusqu'à la porte, lui serra la main.

— Je vous remercie de cette visite, monseigneur.

— Vous réfléchirez à cette question de syndicats catholiques, n'est-ce pas ?

— Comptez sur moi, mentit-il.

— Hier, vous étiez dans notre église avec votre famille. Je vous ai aperçu.

Un moment, le directeur craignit de le voir s'engager sur un nouveau sujet.

— Oui. J'aime bien me rapprocher de mes employés.

— Thomas Picard faisait la même chose, dans le temps. Or, aujourd'hui, les pique-niques ne suffisent plus à cultiver la fidélité. De bonnes associations catholiques le permettent. Bon, maintenant, je vous laisse.

Mathieu le reconduisit jusque dans l'espace réservé à la secrétaire, affirmant :

— Au plaisir de vous revoir, monseigneur.

Quand l'ecclésiastique disparut, le couple échangea un regard amusé.

— Syndicats catholiques, murmura l'homme.

— J'ai téléphoné à monsieur Marois pour retarder le rendez-vous. Il viendra un peu plus tard.

Le fabricant de chaussures comprendrait. D'ailleurs, ses employés comptaient parmi les syndiqués catholiques. Il conviendrait d'aborder le sujet avec lui.

— Je te parie que dans trois minutes, maman viendra me demander ce qu'il voulait.

La prédiction se révéla juste.

# Chapitre 11

L'École des hautes études commerciales occupait un grand immeuble de pierre grise au coin des rues de la Gauchetière et Saint-Hubert, pas très loin de l'Université de Montréal et de Polytechnique. De nombreux professeurs de ces trois institutions comptaient au nombre des figures de proue du nationalisme. Charles Dupire trouvait là des personnes à admirer. Malheureusement, cet engouement ne l'incitait pas à l'étude, mais plutôt à se livrer à des conciliabules discrets sous le grand escalier.

— Dans le boulevard Saint-Laurent, disait-il, juste un peu au nord de Sherbrooke, il y a des communistes.

— Comment tu sais ça, toi ?

Son camarade de classe, Bernard Sauvé, montrait son scepticisme. Ces organisations ne s'annonçaient pas dans le bottin, d'habitude.

— Le Parti communiste du Canada est interdit depuis plus de dix ans, renchérit un autre.

— Tout le monde sait que la Ligue d'unité ouvrière leur sert de paravent.

À tout le moins, quiconque lisait les journaux avec une certaine régularité en était informé.

— Bon, ils sont là, répliqua encore Sauvé. Et puis après ?

— On pourrait leur rendre une petite visite.

Les autres se regardèrent. Dans le contexte de ces manifestations, les visites revêtaient parfois un caractère turbulent.

— À nous quatre?

— Avec les Jeunesses Patriotes.

— La gang de Walter O'Leary, ricana un autre.

Tous les étudiants ne se passionnaient pas pour ce mouvement. Pourtant, ceux-là exprimèrent tout de suite leur intérêt devant l'idée de se rendre boulevard Saint-Laurent: communisme rimait avec Juif, dans ce quartier. Après des années de difficultés économiques, d'emplois trop rares, les immigrants devenaient tous suspects. Ils dérangeaient d'autant plus qu'ils multipliaient les commerces, petits et grands, et se joignaient nombreux aux professions libérales. Répétée maintes fois parmi autant de groupuscules, cette conversation permit d'augmenter le nombre des jeunes gens disposés à manifester. À l'université comme à Polytechnique, on trouvait la même proportion d'enthousiastes.

Deux cent cinquante jeunes gens se rassemblèrent devant la gare Viger à sept heures du soir. De là, en cortège, ils marchèrent vers l'ouest en suivant le boulevard Dorchester. Les cris «Mort aux communistes» scandaient la manifestation, en alternance avec des chants patriotiques, parmi lesquels dominait *Ô Canada*. Les automobilistes tapaient sur leur klaxon, moins pour protester avec ces jeunes gens que pour signifier leur impatience. Les conducteurs de tramway ajoutaient le son de leur clochette.

Bien vite, une dizaine de policiers à motocyclette les suivirent. L'intersection du boulevard Saint-Laurent ne se situait pas très loin. Le contingent gonfla tout le long du trajet, jusqu'à dépasser les trois cent cinquante participants au moment de bifurquer vers le nord. La circulation était maintenant totalement immobilisée.

— Mort aux communistes !

Le cri de ralliement amenait les passants à s'arrêter sur les trottoirs. La plupart ne comprenaient sans doute pas le sens de ces paroles. L'artère séparait l'Est de l'Ouest de la ville. À la frontière des deux territoires, l'anglais dominait nettement. On y entendait parler aussi une demi-douzaine d'autres langues, dont l'hébreu, le yiddish, l'italien, le polonais et le russe.

— Les métèques dont parle Paul Bouchard dans *La Nation*, ce sont eux ! hurla Charles à l'intention de ses camarades.

— Je ne connais pas ce Bouchard, répondit Ghislain Tremblay sur le même ton, mais pour ça oui, dans cette rue, il n'y a que ça. Regarde les vitrines. On n'est plus chez nous dans la ville.

Celui-là étudiait pour devenir avocat. Dire que peu de temps plus tard, il défendrait les droits des gens.

— Tous des Juifs, renchérit Sauvé.

Le local où, selon la rumeur à tout le moins, se regroupaient des communistes se tenait à l'étage d'une boucherie. Tout un pan de la vitrine se couvrait de caractères en pattes de mouche, de l'autre, après le nom du propriétaire et la raison du commerce, on lisait le mot *Kosher*.

— Mort aux communistes ! Mort aux communistes ! Retournez en Russie !

Si les cris ne résonnaient pas à l'unisson, ils ne cessaient plus. Les policiers ne paraissaient pas enclins à faire une barrière de leur corps pour protéger les commerces ou les bureaux. Ils se tenaient un peu à l'écart, détournaient la circulation vers des rues parallèles.

— On va vider la place !

Le cri de ralliement vint de l'arrière et fut bientôt repris par tous.

— On va faire maison nette.

Bien sûr, tout le monde ne pouvait s'engager dans l'escalier conduisant à l'étage. Une partie des manifestants préférèrent pénétrer dans la boucherie. Charles s'en tint au premier objectif. Montant avec deux autres de front dans un escalier étroit, il se retrouva écrasé contre le mur. Son empressement lui valut tout de même d'entrer parmi les premiers dans une enfilade de pièces exiguës. Des hommes efflanqués occupaient les lieux, la plupart avec une barbe de quelques jours sur les joues. Des blousons ou des vestes un peu usés témoignaient de leur pauvreté.

D'abord, en invectivant les intrus en anglais, et dans deux ou trois autres langues, les résidents tentèrent de les repousser. Des coups de poing et de pied bien appliqués les convainquirent bientôt de retraiter vers le fond du logement, pour ensuite déguerpir et s'égailler dans la ruelle encombrée de détritus.

Une fois les dangereux bolcheviques mis en fuite de façon si courageuse, les manifestants prirent la peine d'examiner les lieux : deux bureaux, autant de machines à écrire, des liasses de papier imprimé, des affiches et des journaux.

— Je comprends rien, fit remarquer Bernard Sauvé en essayant de lire quelques lignes.

— Normal, les communistes sont tous des Juifs. Ils nous amènent ça de l'est de l'Europe avec leur caftan et leur haleine empestant l'ail.

Après avoir formulé sa savante analyse, Charles ramassa une pile de périodiques pour se diriger vers une fenêtre en façade. Obligeamment, quelqu'un à l'extérieur l'avait déjà défoncée avec un gros caillou. Dupire jeta le tout dans la rue, un étage plus bas. Un camarade fit la même chose avec une machine à écrire. Elle éclata en touchant les pavés, des pièces volant dans toutes les directions. Une fois l'exemple donné, chacun voulut participer à la destruction. Tout ce qui passait dans le châssis fut détruit de la même façon. À la fin, il ne resta que les bureaux et les gros classeurs métalliques.

Quand Charles sortit de l'appartement dévasté, ce fut pour constater que des camarades avaient voulu réaliser le même saccage dans la boucherie du rez-de-chaussée. Un gros bonhomme portant un chapeau à large bord, une pièce de tissu blanche et bleue autour de la taille, défendait son commerce avec un long coutelas. Des pierres avaient défoncé la vitrine ainsi que celles des marchands voisins.

— *Scram, you bastards.*

Ces mots ne venaient pas des personnes assiégées, mais d'un autre groupe de manifestants, pour la plupart portant aussi la chemise blanche et le veston, se tenant deux ou trois cents pieds plus au nord dans le boulevard Saint-Laurent. Ceux-là semblaient plus déterminés que les membres de la force policière à mettre fin au désordre. Ou au contraire à l'exacerber. Les insultes fusèrent de part et d'autre. Dans cette rue, on pouvait toujours entendre des gros mots en plusieurs idiomes. À ce moment, le français et l'anglais dominaient.

— Qui sont ces types ? questionna Charles.

— Tu viens d'où, toi ? répliqua un camarade d'une voix moqueuse, en le regardant comme s'il était un demeuré.

— De Québec. Alors, ces types ?

— Des étudiants de l'Université McGill. C'est un peu étrange, dès que nous nous dirigeons vers un point de la ville, en un rien de temps, on les voit arriver, comme la cavalerie dans les films de cowboys américains.

De part et d'autre de ce boulevard, se lancer des pierres entre Canadiens anglais et Canadiens français, avec ou sans motif, prenait l'allure d'un rituel. Cela commençait à la petite école pour se poursuivre jusqu'à l'université.

Une cohabitation plus pacifique ne semblait possible qu'à l'âge mûr.

— Quelqu'un doit les avertir, suggéra un autre.

Le contingent de McGill approchait rapidement, les premiers rangs des deux groupes en venaient aux coups. Les autres se précipitèrent afin d'avoir droit à leur part de ces impolitesses. Tout à coup, les policiers parurent se souvenir de ce pour quoi on leur versait un salaire. Parmi ces jeunes gens se trouvaient sans doute les héritiers des grandes familles ; leur éviter quelques ecchymoses allait de soi.

Charles se dirigea vers les premières lignes, chercha un adversaire à peu près de sa taille. Il n'était pas tenté de s'attaquer à plus gros : pour prendre plaisir à ce jeu, mieux valait se réserver une chance de gagner. Ils s'empoignèrent par les revers de leur veston, poussèrent et tirèrent comme dans une danse.

— *You, damned frog.*

— Toé, crisse de tête carrée.

L'étudiant en droit de McGill lança son poing vers l'avant, rencontra la bouche de son adversaire des HEC. Sonné, Charles eut à peine le temps de reculer pour éviter un second impact. La pratique assidue des sports dans les établissements scolaires de langue anglaise donnait toujours un réel avantage aux jeunes gens de l'Ouest de la ville. Même si la Palestre nationale accueillait un club de boxe, cela ne rétablissait pas l'équilibre à cause de la faiblesse des inscriptions.

Prudent, le benjamin des Dupire amorça une retraite. La plupart de ses camarades adoptaient la même stratégie. Les Canadiens français reculèrent jusqu'à la rue Sainte-Catherine, puis accélérèrent le pas en direction de la paroisse Saint-Jacques, leur fief habituel. Charles tenait son mouchoir contre sa bouche, le regardait parfois pour apprécier le sang sur la pièce de tissu.

— Les salauds, commenta un étudiant de l'Université de Montréal. Ils viennent toujours défendre les communistes.

— Ou les Juifs, ajouta un autre.

— Je me demande comment ils font pour connaître tous nos mouvements. On a à peine le temps d'arriver qu'ils sont là.

Charles entendait cette remarque pour la seconde fois. Pourtant, l'explication s'avérait toute simple.

— Il n'y a pas de mystère là-dedans. Il y a des Juifs à l'Université de Montréal. On l'a bien vu lors de l'histoire survenue en médecine, au début de l'été dernier.

Pour un gars de Québec, il révélait une certaine connaissance des événements qui s'étaient déroulés à Montréal. La faculté de médecine accueillait une demi-douzaine d'étudiants juifs. En mai, l'un d'eux avait obtenu une place de stage dans un hôpital catholique. Tous les internes canadiens-français s'étaient mis en grève pour le forcer à démissionner. Dans ce monde aux frontières bien définies, les catholiques devaient soigner des catholiques, les protestants, des protestants, et les Juifs, d'autres Juifs.

— Tu dois avoir raison, ce sont eux qui donnent le signal, admit un futur omnipraticien. On ne peut pas organiser une manifestation sans que ça se sache dans les couloirs de la faculté. Les salopards. Non seulement ils nous volent nos jobs, mais ils s'arrangent pour défendre les bolcheviques.

— Juifs et communistes, c'est la même chose, déclara Charles.

Le jeune homme répétait ces mots comme une rengaine. Cela permettait de mieux justifier encore de telles expéditions punitives. Arrivé rue Saint-Denis, le contingent de militants se dispersa. Le jeune Dupire contempla son visage dans une vitrine. Sa lèvre inférieure, fendue, avait triplé de volume.

— Bon, me voilà avec l'allure d'un Nègre.

Le son de sa propre voix lui parut un peu étrange et le mouvement de sa bouche pour parler causait une certaine douleur. Pendant une bonne semaine, il arborerait cette blessure comme un trophée, la preuve de son engagement pour la cause. Mais là, tout de suite, il lui fallait une admiratrice familière.

Quelques minutes plus tard, il frappait à la porte de la maison de chambres où habitait sa sœur, rue Saint-Denis. À la bonne venue ouvrir, il demanda :

— J'aimerais parler à Béatrice… Béatrice Dupire.

— Je ne sais pas…

— Voyons, je suis son frère. Vous me connaissez.

Le regard de la domestique se porta sur sa chemise. Sur le tissu blanc, l'hémoglobine faisait mauvais genre.

— S'il vous plaît, j'aimerais lui parler une minute.

— Restez là, je reviens.

La porte se referma. D'habitude, elle le conduisait dans le petit salon. Sans doute craignait-elle d'avoir à nettoyer des taches sanglantes sur le tapis. Tant pis, il ne récolterait pas quelques admiratrices de plus ce soir. Sa sœur arriva deux ou trois minutes plus tard. Comme de raison, la conversation commença par un «Mon Dieu! Que s'est-il passé?». L'expédition fit l'objet d'un bref compte rendu où le benjamin se donna le meilleur rôle.

— Qu'as-tu pensé? Ces pauvres gens ne vous ont rien fait.

La riposte le surprit. Ses dernières péripéties ne lui vaudraient finalement pas une admiration sans réserve de la gent féminine. Pas de sa sœur, en tout cas. Le rideau de la fenêtre juste à droite de la porte bougea un peu, la propriétaire tenait à vérifier le rapport de sa domestique : un garçon ensanglanté voulait voir la jeune femme si réservée venue de Québec.

— Marchons un peu. Maintenant, je serai le sujet de conversation toute la soirée pour mes mauvaises fréquentations.

Rendue sur le trottoir, Béatrice continua :

— Je n'en crois pas mes oreilles. Un gentil garçon comme toi qui va saccager les bureaux d'inconnus.

— Ce sont des communistes.

— Qu'en sais-tu ? Ils ont essayé de t'embrigader ? Tu m'as dit que les textes n'étaient ni en anglais ni en français.

— Les Juifs, ce sont tous des communistes.

Charles reprenait sa rengaine avec moins de conviction. L'éclair de reproche dans les grands yeux bleu clair de sa grande sœur lui donna l'impression d'avoir cinq ans de moins, tout d'un coup.

— Puis le boucher, en bas, c'était aussi un communiste ?

La prochaine fois, au moment de raconter ses exploits, il donnerait moins de détails sur les victimes collatérales.

— Ils arrivent de l'autre bout du monde, puis ils prennent tous les emplois, ouvrent des commerces pour ruiner les Canadiens français.

Dans un groupe d'étudiants, ces mots sonnaient différemment que devant cette jeune femme. Béatrice échappa d'abord un long soupir, puis à voix basse, elle dit :

— La seule personne que je connaisse qui a ruiné un Canadien français, c'est papa. Avec l'aide de Mathieu Picard.

— Ce n'est pas la même chose…

De nouveau, le sourire féminin un peu narquois le fit taire. Sans se concerter, ils avaient marché vers la rue Sherbrooke. Les passants leur jetaient des regards parfois courroucés, parfois surpris. Ils formaient un curieux couple, elle, jolie et sage, dans une robe bleue cintrée à la taille, avec les cheveux attachés sur la nuque, et lui avec la cravate à moitié défaite et une chemise maculée de sang.

— Tu devrais arrêter toutes ces… activités.

Par délicatesse, le mot « sottises » ne passa pas ses lèvres. Les dignités froissées ramenaient rarement à des comportements plus mesurés.

— Moi, des Anglais, j'en vois tous les jours. Des Juifs aussi. Même si je ne les trouve pas tous sympathiques, l'idée de saccager des bureaux ou des commerces ne me viendrait pas. Je dois prendre ma place, ça ne dépend pas des autres.

Pourtant, Charles voyait sa place au sein de ces petits groupes de conspirateurs, partageant des conversations échevelées et participant à des manifestations comme celle de ce jour-là.

Le lendemain matin, Béatrice demeurait soucieuse. Le récit de son frère lui trottait toujours dans la tête quand elle monta dans le tramway. Au passage du boulevard Saint-Laurent, elle chercha des traces de la manifestation de la veille, sans rien voir. Bien sûr, les marchands s'étaient empressés de ramasser le verre brisé et les papiers. En cherchant bien, on trouverait peut-être un morceau de machine à écrire dans une fente du pavé.

Quelques minutes plus tard, elle remontait la magnifique allée de l'Université McGill. Des étudiants formaient des petits groupes sur la grande pelouse, ou alors s'empressaient de se rendre à leur cours. Un attroupement se formait devant l'amphithéâtre où se déroulerait le cours de sociologie une dizaine de minutes plus tard. Quelques garçons faisaient de grands gestes, haussaient la voix.

— Tiens, c'en est une, dit l'un d'eux en se retournant sur son passage.

— Une ? demanda-t-elle en faisant face. Une quoi ?

— L'une de ces grenouilles fascistes qui faisaient la chasse aux progressistes, hier soir.

Cet étudiant affichait un œil au beurre noir. Un moment, elle l'imagina aux prises avec son frère. L'éclat de voix avait attiré l'attention de la moitié de la classe.

— Tu m'as reconnue boulevard Saint-Laurent, hier ? demanda-t-elle, soudainement pleine de courage. Et alors, vas-tu m'accuser d'être responsable de ça ?

Béatrice évoquait son cocard.

— Il n'y avait aucune fille avec ces fascistes. Cependant, tout le monde pense de la même manière dans cette tribu. Les curés leur disent : "Allez défoncer les commerces des Juifs", et ils y vont.

— Je me demande pourquoi ils acceptent des *Frenchies* ici, intervint un autre.

— Ouais, ils ont leurs propres universités, non ? Si on peut appeler ça des universités…

Les cours de sociologie semblaient particulièrement attirer les « progressistes ». L'agression verbale commençait à lasser les étudiantes présentes, de même qu'un certain nombre de leurs compagnons qui secouaient la tête, déçus du manque de savoir-vivre de leurs camarades. Le rouge sur les joues de Béatrice lui valait un peu de leur sympathie. Son premier tortionnaire revint à la charge, plus posé cette fois :

— Ça vous dérangerait tant que ça, de respecter un peu plus la liberté des gens ?

C'était l'une de ces situations absurdes où pour prêcher la tolérance, on se montrait intolérant. La blonde ne savait trop quelle contenance adopter. En passant son chemin, elle s'avouerait vaincue, mais comment répondre sans commencer par rappeler l'histoire des cent quatre-vingt-cinq dernières années? Puis, de toute façon, l'histoire servait plus à alimenter les préjugés qu'à les combattre.

Une autre jeune femme quitta son groupe d'amies pour venir vers elle, et poser la main sur son avant-bras.

— Entrons, le cours va commencer dans une minute.

La blonde se laissa entraîner dans l'amphithéâtre par une consœur aussi timide qu'elle, une brune au patronyme exotique.

— Quel est ton nom? demanda-t-elle.

— Béatrice… Et toi?

— Sarah.

Un prénom biblique. La blonde n'osa pas lui demander si elle avait un parent boucher boulevard Saint-Laurent. Dans un coin de la grande salle, parmi un groupe d'étudiants des deux sexes aux cheveux bruns tous très studieux, elle traça de petits dessins sur les pages de son cahier pour réfréner le flot de ses émotions. L'évocation par le professeur des travaux pionniers sur le suicide d'Émile Durkheim ne lui laisserait aucun souvenir. Au moins, elle serait l'une des seules du groupe à ne pas devoir lire une traduction de l'ouvrage de cet auteur.

Quand le professeur rangea ses feuillets dans son sac, les étudiants quittèrent les lieux rapidement. Béatrice salua Sarah et ses compagnons, tout de même surprise d'avoir trouvé refuge auprès d'un petit groupe d'israélites. À quoi ressemblerait la réaction de Charles, s'il l'apprenait? Et celle de ces enfants d'immigrants, s'ils connaissaient les actions de son frère? La fréquentation de l'Université McGill la mettait au centre de toutes les tensions.

L'événement lui fut toutefois favorable en la sortant de l'anonymat, avec une curieuse conséquence. Lorsqu'elle remonta les marches vers la sortie, des garçons lui adressèrent de petits saluts de la tête, des sourires à peine esquissés.

Après avoir passé la porte, l'un d'entre eux lui dit :

— Ne t'en fais pas, parfois Jack se comporte comme un vrai trou du cul.

« Bon, songea-t-elle, le rouge aux joues et des larmes sous les paupières, me voilà en voie de me faire des amis. » Cela lui serait moins pénible de se présenter au prochain cours, alors autant ne pas se plaindre du fait que ce soit à cause d'une altercation verbale.

Compte tenu de la froideur de leur dernier échange, le marchand de musique avait laissé toute une journée s'écouler avant de la relancer. Finalement, le mardi soir, Thalie accepta de le recevoir chez elle. Ce ne serait pas avant neuf heures, puisqu'il entendait mettre ses enfants au lit avant de partir.

Quand il entra dans l'appartement du Château Saint-Louis, il présentait l'air d'un gamin pris en faute. Il se pencha tout de même pour l'embrasser, elle lui présenta sa joue. Ne quittant pas son air maussade, l'hôtesse l'invita au salon, lui versa un verre de cognac. Sa provision ne servait que lors de ses visites, si peu de gens fréquentaient son domicile. Puis, Thalie occupa son fauteuil habituel, le regarda sans dire un mot.

— Écoute, pour dimanche, je suis désolé. Tout le monde de la paroisse se rassemblait à la ligne de départ.

— … Je me demande comment je dois interpréter ça.

L'homme avala une gorgée pour se donner une contenance.

— Les gens jasent.

— Les gens jasent ? Qu'est-ce que tu veux dire ?

— Tu le sais très bien, tu l'as constaté l'autre jour au cinéma. Ils nous voient ensemble régulièrement, toutes les semaines à vrai dire. Alors, sur mon passage, ils font des commentaires, m'adressent de gros clins d'œil. Si au début, je voyais là une espèce de complicité, à la longue, leur attitude devient de plus en plus vulgaire.

Ce qui pouvait passer pour une connivence entre hommes devenait insupportable sur la durée. La médecin haussa les épaules pour indiquer son incompréhension.

— Des choses comme : "Ta docteure, au lit elle doit être..." Enfin, tu comprends ce que je veux dire.

— Pas réellement.

— Les voisins me font des remarques cochonnes nous concernant.

— Alors, tu as honte de te montrer avec moi au point où tu m'as dit de m'effacer dimanche dernier, puis tu as inventé une histoire pour mon frère au lieu de lui dire la vérité.

— Il ne s'agit pas de honte, mais leurs remarques sont blessantes. Pour moi et surtout pour toi. Je ne voulais pas les encourager à continuer.

Thalie ne comprenait pas pourquoi quelqu'un rougirait de l'avoir dans sa vie. Au contraire, les hommes se vantaient habituellement de leurs aventures, réelles ou inventées. La généralisation était excessive bien sûr, mais elle reflétait son humeur chagrine.

— Alors, tu m'accordes une place au gré de tes envies. Un jour hors de ton existence, un autre dedans.

Il décida de pointer directement le cœur du problème, ou autrement, cette discussion s'avérerait vaine.

— Je ne voulais pas que le curé te voie avec les enfants et moi.

Devant son air étonné, il expliqua :

— Je suis allé à confesse, il y a dix jours. Le curé savait tout de nous… enfin, quand nous avons commencé à nous voir, à quelle fréquence.

— Là, tu me fais marcher.

D'un coup, le visiteur avala le reste de son verre, le posa sur la petite table entre eux.

— Si les voisins commentent notre relation devant moi, tu imagines bien que le curé a droit à un compte rendu détaillé. Tu sais que tous les gens s'espionnent les uns les autres, dans cette ville.

— Tu n'as qu'à l'envoyer au diable, ce prêtre, lâcha-t-elle sans grande conviction.

En réalité, personne ne faisait fi de l'opinion de son pasteur, ni elle ni qui que ce soit. Pour mettre fin à la discussion, Victor déclara :

— Le bonhomme a été très clair : ou je te marie, ou je cesse de te voir.

— Tout de même, que peut-il faire si tu n'obtempères pas ?

— Me refuser l'absolution.

Cette fois, la femme ne trouva rien à redire. Elle craignait la même chose à chaque évocation de moyens contraceptifs dans son bureau.

— Tu sais bien ce que ça veut dire pour une personne comme moi : la ruine à brève échéance.

Thalie songea soudain à sa mère, à toutes les précautions prises lors des premières années de sa relation avec Paul.

— Je ne voulais pas te blesser, Thalie, mais simplement nous protéger en m'affichant moins avec toi.

— Au lieu de me le dire, tu as inventé cette histoire…

— Pour ça, tu as raison, je m'excuse de ma sottise. J'espère que si nous nous montrons un peu plus discrets, cette soutane nous laissera tranquilles. Là, nous faisons scandale.

Faire scandale, c'était inciter les autres à pécher à cause d'une conduite immorale. Quand ses voisins formulaient des remarques égrillardes, quand ils évoquaient leur conduite au lit, ils manquaient déjà à leurs devoirs religieux en pensée. Le couple incitait sans doute certains à pécher par action. Victor tendit la main au-dessus de la petite table, Thalie y mit la sienne.

— Vas-tu m'excuser ?

Au lieu de répondre, sa compagne quitta son fauteuil pour venir s'asseoir sur ses genoux et échanger un long baiser. Ensuite, elle plaça son visage contre l'épaule de Victor.

— Je n'aime pas cela, quand nous nous disputons.

La main du marchand de musique se promena dans son dos. Sans un mot, elle se leva, le précéda dans la chambre. Se trouver seule pendant ces trois jours lui avait semblé pénible et son affection lui avait manqué.

Béatrice pouvait difficilement poursuivre sa démarche pour retrouver Jacques Létourneau depuis la maison de chambres, à moins de renoncer à toute discrétion. Déjà, Annette savait, voilà qui était bien suffisant. Elle décida de se présenter au Barreau en personne.

L'endroit ressemblait à une ruche bourdonnante, des professionnels allaient et venaient. Dans sa robe seyante, ses cheveux un peu bouclés sur les épaules, elle reçut sa part de regards appuyés. Malheureusement, la personne à la réception était une femme. Béatrice devina que sa collaboration serait plus difficile à obtenir.

— Madame… commença-t-elle en se plantant devant le bureau placé à l'entrée.

— Mademoiselle, répondit la réceptionniste en pinçant les lèvres.

La visiteuse reprit :

— Mademoiselle, je cherche un avocat, Jacques Létourneau.

— Nous ne pouvons divulguer les renseignements personnels des membres.

« Elle le connaît, songea Béatrice, mais l'idée de me donner ce renseignement lui déplaît. » Aucun professionnel ne désirait demeurer dans l'anonymat, ces gens vivaient de leur réputation.

— Je ne demande aucune information privée. Je veux recourir à ses services. Son numéro de téléphone d'affaires me suffira.

— Pour ça, adressez-vous à l'information de Bell Canada.

— S'il n'a pas encore son propre cabinet, la démarche ne sert à rien.

L'échange n'allait nulle part. La blonde se demandait si elle allait élever la voix contre quelqu'un pour la première fois. Ce ne fut pas nécessaire. Un homme sortait tout juste de son bureau. Il demanda :

— Je peux vous aider, Gilberte ?

Il ne regardait pas la réceptionniste, mais plutôt la visiteuse.

— Mademoiselle désire obtenir des informations sur l'un de nos membres.

Le sous-entendu s'avérait limpide : une indiscrète souhaitait s'immiscer dans la vie d'un jeune avocat.

— Je voudrais connaître le numéro de téléphone professionnel de Jacques Létourneau.

— Ah, Létourneau. Venez avec moi.

Il aurait pu demander au cerbère chargé de protéger ces augustes personnes de lui répondre. Le bonhomme voulait simplement prendre le temps d'une pause avec une jolie jeune femme. Dans son bureau, il lui désigna une chaise, occupa la sienne.

— Mademoiselle?

— Dupire.

— Mademoiselle Dupire, plusieurs de nos membres portent le nom de Létourneau. Celui que vous recherchez est tout jeune, je suppose.

L'homme soupçonnait une affaire de cœur.

— Je ne connais pas son âge exact.

Pourquoi commettre ce petit mensonge? Au moment du décès de sa mère, il s'apprêtait à commencer ses études de droit. Elle préféra en rester à des informations scolaires:

— Il a reçu un diplôme de l'Université Laval, puis a passé un an à l'Université McGill.

— Voilà, je me disais aussi.

L'homme chercha dans un tiroir de son bureau pour en sortir le bottin de la profession.

— Jacques Harris Létourneau. Si vous m'aviez donné son *middle name*, je l'aurais replacé tout de suite.

Béatrice lui adressa un sourire, comme pour s'excuser de sa distraction. D'habitude, ce patronyme utilisé comme un second prénom désignait la mère. Son interlocuteur prit l'une de ses cartes professionnelles dans un présentoir, puis commença à écrire au verso.

— Il travaille dans un cabinet tout proche: MacIntyre, etc. Ils sont une demi-douzaine d'associés. Je vous inscris l'adresse et le numéro de téléphone.

— Je vous remercie de votre obligeance, monsieur.

L'homme lui tendit le petit bristol. Quand elle allongea sa main gantée, il la retint un instant tout en disant:

— De l'autre côté, vous trouverez mon nom et mon numéro de téléphone. Si je peux vous aider encore, ne serait-ce que pour visiter la ville, par exemple, contactez-moi.

Puis, il abandonna sa carte. La blonde y jeta un coup d'œil et dit en se levant :

— Je vous remercie encore, monsieur Trottier.

L'avocat quitta aussi son siège, s'approcha d'elle en ouvrant la porte. Quand elle fut dans le corridor, il tendit la main. La bienséance lui interdisait de la refuser.

— N'hésitez pas à m'appeler, mademoiselle Dupire. Je serai à votre entière disposition.

Entendant ces mots, la réceptionniste grimaça de dépit. Ça se passait toujours ainsi, avec les blondes. Béatrice se dirigea vers la sortie un peu mal à l'aise. Ce Casanova des prétoires devait garder ses yeux sur sa silhouette. À ce moment, elle eut l'impression que le mouvement de ses hanches devenait trop ondulant.

Le 7 octobre, presque huit semaines après l'élection de l'Union nationale, on arrivait enfin à l'ouverture de la session où toutes les attentes seraient satisfaites. Édouard Picard sentait sa position sociale presque restaurée : il possédait un laissez-passer pour assister au grand événement. Il s'y rendit, vêtu de son meilleur complet fraîchement pressé, au volant de l'auto la plus chère de son commerce. Comme il arrivait devant l'entrée principale, un attroupement l'obligea à se tenir un peu à l'écart. Une énorme limousine s'arrêta. Maurice Duplessis lui-même descendit les quelques marches pour ouvrir la portière.

« On dirait un amoureux pressé d'accueillir sa belle », songea le vendeur de véhicules usagés. Une main gantée apparut, le premier ministre posa les lèvres sur un anneau. Puis, avec l'aide d'un petit abbé, il aida Jean-Marie-Rodrigue Villeneuve à descendre.

— Votre Grandeur, je suis si heureux que vous ayez pu venir. Avec vous, mon gouvernement commencera sous les meilleurs auspices.

Les deux hommes savaient polir leur image. Comme des vedettes de cinéma, instinctivement, ils s'arrêtèrent devant un photographe prêt à appuyer sur le bouton, posèrent en souriant, puis reprirent leur échange. Après quelques minutes de ce jeu, ils entrèrent dans le Parlement. Les spectateurs comptant parmi les simples mortels purent faire de même ensuite.

Édouard tenait son laissez-passer à la main, mais aucun gardien ne se donnait la peine de le vérifier. Ceux-là affichaient leur meilleur sourire, s'interpellaient l'un l'autre sans trop se soucier de faire leur travail. Ce jour-là, on aurait cru que tout le monde dans la province avait voté pour l'Union nationale. À tout le moins, on le prétendait. Pour ces fonctionnaires, ça ne faisait aucun doute. De nouveaux députés leur avaient déniché ces «positions» pour récompenser les services passés et cultiver la fidélité future.

La cérémonie commençant un peu moins d'une heure plus tard, Édouard prit le temps de faire une promenade dans les couloirs du grand édifice. En quelques minutes, il dénicha le bureau d'Oscar Drouin. Celui-ci ramassait des documents sur son pupitre.

— Bonjour, Oscar! Je veux te dire encore merci, dit-il en s'approchant, main tendue. Tu ne sais pas combien c'est important pour moi.

Le visiteur montrait certainement plus d'enthousiasme que le ministre.

— Pour un ancien camarade des comités contre la conscription, l'invitation allait de soi. Peux-tu croire que presque vingt ans ont passé depuis?

— Ne m'en parle pas. Hier, on gueulait contre le gouvernement Borden, et là, nous sommes heureux de la victoire de l'ancien chef du Parti conservateur de la province, remarqua le vendeur de voitures.

— Ancien ou actuel ? Je me le demande parfois.

La remarque laissa Édouard interdit. Son interlocuteur présentait toujours le même long visage triste, impossible de dire s'il blaguait ou non. Autant changer de sujet.

— En entrant, je me suis trouvé devant le cardinal Villeneuve et le chef. Ces deux-là paraissent bien s'entendre.

— Les meilleurs amis du monde.

— As-tu déjà vu sa limousine ? J'ai eu envie de lui laisser ma carte.

Drouin paraissait immunisé contre l'humour de son vieux compagnon. Il quitta son siège en disant :

— Je dois regagner ma place, maintenant.

— Je vais marcher un peu avec toi. Si on passe près de Johnny Bourque, veux-tu me le présenter ? Tu comprends, il s'agit du ministre des Travaux publics...

La demande amena le politicien à froncer les sourcils. Un peu pour se défaire de son encombrant invité, il s'empressa d'accéder à son désir. L'instant d'après, il passait la tête dans l'embrasure d'une porte voisine en disant :

— John, j'ai un ami qui souhaite te dire un mot.

Sans attendre que l'autre proteste, il fit les présentations, puis s'esquiva.

— Monsieur Picard, dit le ministre, un petit homme chauve, je n'ai pas vraiment le temps.

— Juste une seconde. Avez-vous reçu ma lettre ?

— Vous êtes le vendeur de chars.

Devant le signe d'assentiment, le ministre continua :

— J'ai reçu vos trois lettres.

— Puis ?

— Je dois aller occuper ma place dans la salle. Ma secrétaire vous répondra.

Sur cet engagement très peu prometteur, Bourque prit littéralement la fuite. Quelques minutes plus tard, Édouard retrouvait son siège dans les estrades. À côté du fauteuil de fonction du lieutenant-gouverneur, on en avait disposé un autre pour le cardinal Villeneuve. L'image s'avérait un peu troublante, une confusion totale des pouvoirs. Tant le discours du représentant du roi que celui de Maurice s'émaillaient des mots « Votre Grandeur ».

Quand tout fut terminé, les spectateurs évacuèrent les lieux. Édouard Picard fut surpris de voir les couloirs semés de feuilles de papier jaune. Comme les autres, il se pencha pour en ramasser une. « CAMARADES! CAMARADES! » proclamait l'en-tête. Suivait un charabia convenu, l'appel au soulèvement des forces prolétariennes pour établir enfin une société juste.

— D'où ça vient, ces papiers-là? demandait un gros bourgeois à un gardien.

— J'le sais pas moi, se défendit le fonctionnaire.

— Vous êtes là pour surveiller, non?

— Avec tout l'monde dans la bâtisse, j'voudrais vous y voir, à not' place.

L'un après l'autre, les visiteurs prenaient l'un de ces feuillets, le parcouraient des yeux, pour le jeter ensuite d'un geste rageur. Le lendemain, tous les journaux évoqueraient cette insulte. Même au centre du pouvoir, les communistes répandaient leur propagande. La menace devait être bien imminente.

— Avec tous ces gardiens en uniforme, je me demande comment quelqu'un a pu lancer des centaines de ces torchons dans les couloirs, murmura le vendeur d'autos en montant dans sa Cadillac.

En réalité, qui, à part ces gardiens, avait eu l'occasion de le faire ?

Lorsqu'elle vit entrer la jeune patiente dans son bureau, Thalie se douta tout de suite du motif de la consultation. La fille n'avait pas encore vingt ans, les joues rondes et fraîches, mais surtout les yeux rougis pour avoir trop pleuré et la main posée en permanence sur le ventre, comme si une douleur la tenaillait, ou alors pour le protéger. La médecin se dirigea vers elle pour la conduire jusqu'à la chaise réservée aux visiteurs.

— Que puis-je faire pour vous ? demanda-t-elle.

La praticienne demeura debout près de son bureau. Inutile de s'asseoir, dans une minute, elle le savait, il lui faudrait passer derrière le paravent.

— Mes règles… commença la jeune fille. Le mois dernier, je n'ai pas eu mes règles.

— D'habitude, vous êtes régulière ?

— Oui, oui, je pense. Enfin, je n'écris pas ça dans un journal, mais depuis deux ans, ça vient à toutes les quatre semaines.

La phrase se termina avec une nouvelle ondée de larmes, car elle contenait une prévision de son diagnostic.

— Venez à côté. D'abord, comment vous appelez-vous ?

— Marielle Saint-Onge.

— Venez, Marielle.

Les pieds dans les étriers, la posture ajouta à la honte de la jeune femme. Quand elle revint à sa chaise, reboutonnée jusqu'au cou, Thalie écrivait son nom en haut d'une feuille.

— Quel âge avez-vous ?

— Dix-neuf ans… Mais pourquoi prendre tout ça en note ? Je suis… ?

— Vous êtes enceinte. L'absence de règles chez une jeune femme en bonne santé, c'est un signe qui ne trompe pas. Vous avez des nausées, en vous levant ?

La crise de larmes valait une réponse affirmative.

— Ce n'est pas possible… Je l'ai fait une fois seulement.

Toute menue, les cheveux bruns tombant à la hauteur des épaules, jolie pour qui appréciait une jeune fille bien élevée et très sage, son expérience de la vie s'avérait limitée. Impossible de mettre en doute son affirmation.

— Une seule fois suffit, vous savez, dit la médecin avec douceur.

« Si la malchance nous poursuit », songea-t-elle.

— Je ne peux pas être enceinte. Je…

— Vous n'êtes pas mariée.

D'après l'absence d'alliance et son air catastrophé, cela n'avait pas de quoi surprendre.

— Est-ce que le père est votre fiancé ?

Elle fit non de la tête.

— Vous avez parlé au responsable de votre état ?

Les larmes redoublèrent, accompagnées de gémissements.

— S'il savait, voudrait-il vous épouser ? Un peu d'avance sur la cérémonie ne porte pas tellement à conséquence. Avec un bel enfant en bonne santé, les voisins oublient de compter les mois.

Ce n'était pas tout à fait vrai, mais cette demoiselle ne pourrait affronter trop de vérités cruelles cette journée-là. Son teint soudainement très pâle fit soupçonner le pire à Thalie. Même dans la Haute-ville de Québec, les histoires d'inceste trouvaient régulièrement leur chemin jusqu'à son cabinet.

— C'est un homme marié, un collègue de mon père.

L'omnipraticienne imagina sans mal une histoire des plus scabreuses, l'ami de la famille aux mains baladeuses, l'oiselle parfaitement innocente.

— Je ne peux pas être enceinte. C'est impossible.

— Je suis désolée... Je comprends combien ce sera difficile, mais vous devez le dire à vos parents. Dans un mois, ce sera déjà visible.

— Mon père va me tuer.

Thalie ne se souvenait d'aucun assassinat dans des circonstances semblables, mais l'abandon d'un bébé aux sœurs de la Providence se révélait assez fréquent. Elle eut une pensée pour son père, Alfred, accouru au secours de sa mère dans la même situation. Sa patiente n'aurait pas cette chance.

— Je vous assure, vous devez le lui dire. Bien sûr, il sera en colère un moment, mais avec le temps, il en viendra à de meilleurs sentiments. Commencez par vous confier à votre mère, elle intercédera en votre faveur.

La jeune fille secouait la tête de droite à gauche, désirant se plaquer les deux mains sur les oreilles pour ne plus rien entendre.

— Si vous le souhaitez, je vous suivrai pendant la grossesse, lors de l'accouchement aussi. Quand je vous le mettrai dans les bras...

— Vous n'entendez rien? Je ne peux pas accoucher.

La pause dura un moment, le temps de longs sanglots. Les yeux vers le sol, elle se reprit:

— Vous savez comment on peut... faire passer le bébé?

Cela aussi se produisait de temps à autre. Chaque fois, Thalie se sentait torturée: d'un côté la misère qui amenait la femme à réclamer un avortement, de l'autre tous les empêchements à un tel projet.

— C'est un crime, aucun médecin ne consentira à une opération de ce genre.

— C'est faux. Tout le monde sait que des docteurs font ça pour de l'argent. J'en ai, vous savez.

Bien sûr, ce genre d'information se transmettait à voix basse entre personnes averties. Ou alors une jouvencelle aux abois tombait par hasard sur un article de journal. Un médecin montréalais avait été accusé de ce crime l'année précédente, pour finalement être déclaré innocent par un juge.

— Mademoiselle, jamais je n'accepterai.

Déjà, Thalie s'imaginait poursuivie à son tour. La prise d'un risque pareil confinait au suicide professionnel.

— Jamais personne ne le saura, insista la patiente. Vous me comprenez, vous aussi, vous êtes célibataire.

«Je comprends tellement bien, ma belle. Dans ta situation, je tenterais la même démarche», songea-t-elle. À haute voix, elle déclara seulement :

— Je suis désolée. Vraiment.

La patiente resta longtemps les yeux fixés vers le plancher. Puis, elle sembla s'arracher de son siège. La porte claqua bruyamment dans son dos. Demeurée seule dans son cabinet, la médecin chercha un mouchoir dans un tiroir de son bureau, s'abandonna à une petite crise de larmes. Elle attendit si longtemps avant de signaler au prochain patient d'entrer qu'un coup bref sur la porte attira son attention.

— Thalie, que se passe-t-il? demanda Élise en glissant la tête dans l'embrasure de la porte.

Depuis que sa fille Estelle profitait de ses premières semaines avec son petit garçon, Élise avait repris du service à la réception du cabinet de son père, comme vingt ans auparavant. Constatant l'état de son amie, elle referma puis s'approcha du bureau.

— Que se passe-t-il? répéta-t-elle avec sympathie.

— La jeune fille, celle qui vient de sortir…

Au lieu de commettre un accroc à l'obligation du secret, elle souffla bruyamment dans son mouchoir. Comme la terreur de cette petite lui faisait pitié !

— Elle semblait si triste que je n'ai pas osé lui réclamer le prix de la consultation, dit la réceptionniste. De toute façon, je connais son adresse, une lettre suffira.

— S'il te plaît, ne le fais pas.

Devant le visage intrigué de son amie, Thalie précisa seulement :

— Ses parents ne doivent pas savoir qu'elle est venue ici.

Un pli marqua le front d'Élise, puis elle laissa entendre un « Oh ! » désolé, tournant la tête comme si la jeune patiente se trouvait toujours dans la pièce. La nécessité de cacher une visite chez le médecin tenait toujours au même motif.

— Je remercie le ciel qu'Estelle ait échappé à ce genre de… problème.

Thalie avait toujours pensé que le très sage Adrien avait patiemment attendu la nuit de noces. Élise se faisait sans doute une meilleure idée de la situation. Aucun homme n'attendait pendant des années le mariage, et surtout ses avantages, sans se montrer pressant.

# Chapitre 12

La situation se répétait. Le hall de la maison de chambres s'avérait un endroit trop exposé pour mener la moindre conversation intime. Le cabinet où travaillait Jacques Létourneau se situait tout près des locaux du Barreau, dans la côte du Beaver Hall. Sa première démarche lui avait déjà beaucoup coûté, se rendre là lui mettrait les joues en feu.

Une nouvelle fois, Béatrice usa de la stratégie des timides : vider son esprit et se diriger vers sa destination d'un pas d'automate. Après tout, que pouvait-on lui dire ou faire, sauf lui montrer la porte ? L'édifice de pierre lui rappela les romans anglais qui meublaient maintenant ses loisirs. La plaque de laiton portait le nom «McIntyre» en grandes lettres, et d'autres, écrits en plus petit.

À l'intérieur, les tapis épais, les murs de marbre, les plantes vertes dans de grands pots de cuivre témoignaient d'une certaine opulence. La réceptionniste se tenait derrière un pupitre monumental. Sa machine à écrire du dernier cri lui conférait immédiatement une aura de compétence.

— Mademoiselle, commença Béatrice dans son meilleur anglais, j'aimerais parler à monsieur Jacques Létourneau.

Elle marqua une pause, songea que cette dame ne devait jamais entendre ce nom prononcé à la française. Elle se reprit :

— Jacques Harris Létourneau.

Ce cerbère-là était moins acariâtre que celui posté dans l'édifice du Barreau, mais tout aussi efficace. Elle se pencha sur un livre laissé ouvert sur le bureau.

— Je ne vois aucun rendez-vous cet après-midi, sauf la personne qui se trouve déjà avec lui.

— Il ne m'attend pas, mais je vous assure que si vous lui dites mon nom, il me recevra. Béatrice Dupire.

Un bref instant, elle eut envie de préciser: sa demi-sœur. Son interlocutrice l'examina soigneusement. Son air de jeune fille sage, mal assurée, la convainquit qu'elle n'était pas une maîtresse éconduite.

— Attendez un instant que je vérifie, dit-elle en décrochant le combiné.

L'instant d'après, elle disait, empreinte de respect:

— Monsieur Létourneau, je m'excuse de vous déranger. J'ai ici une demoiselle Dupire qui souhaite vous parler.

Si elle avait entendu son nom prononcé avec un accent si marqué dans les haut-parleurs d'un endroit public, jamais la blonde ne se serait reconnue. Il devait en aller de même pour Jacques, car la réceptionniste levait sur elle des yeux inquisiteurs.

— Bé-a-tri-ce Du-pi-re, fit-elle cette fois en détachant les syllabes.

L'employée répéta de son mieux, attendit la réponse. Elle raccrocha ensuite, un peu plus amène.

— Maître Létourneau va venir vous voir dès qu'il en aura fini avec son visiteur, annonça-t-elle avec étonnement. Vous pouvez l'attendre dans la petite salle là-bas.

— Merci, mademoiselle.

L'instant d'après, Béatrice occupait une chaise devant une petite table de conférence en acajou. Les sièges étaient rembourrés et revêtus de cuir. Sur les murs, des étagères alignaient de gros tomes richement reliés, alors que le luminaire pendu au plafond n'aurait pas déparé un charmant hôtel.

L'orphelin de Limoilou gravissait visiblement les échelons deux à la fois.

Quand il se dressa dans l'embrasure de la porte, Jacques Létourneau demeura un long moment immobile, détaillant sa visiteuse du regard. Cette dernière faisait exactement la même chose.

— Quand elle a dit ton nom, ça m'a pris un instant pour me rappeler.

De son côté, Béatrice se souvenait très bien de ce magnifique garçon apparu à la table familiale à l'été 1928, à titre de copiste de son père.

— Je suppose que je n'ai pas fait une impression durable.

Il sourit, comprenant très bien ce qu'elle voulait dire. Il avait perçu en elle une gamine malheureuse, honteuse de sa silhouette un peu ronde. Gentiment, il répliqua plutôt :

— Tu débarques comme ça, venue d'un autre monde…

— En plus, mon nom prononcé par cette dame…

— Le français n'est pas beaucoup parlé, ici, confirma-t-il avec un sourire. De ce côté-ci du boulevard Saint-Laurent, en tout cas.

— Je l'avais remarqué.

Béatrice l'examinait sans vergogne. Déjà, lorsque ce mince et grand blond avait vingt ans, toutes les filles se retournaient sur son passage. Huit ans plus tard, cela ne devait pas avoir changé, malgré des cheveux un peu plus foncés et une stature moins frêle. Elle avait connu un garçon anxieux de trouver sa juste place dans le monde. Ça aussi, elle le retrouvait.

— Que dirais-tu de partager un café avec moi? demanda-t-elle avant qu'il ne la questionne sur le motif de sa visite inattendue.

Le silence dura un long moment, tant cette requête le prenait au dépourvu, puis il demanda, curieux:

— Pourquoi?

— Parce que tu es mon frère et que j'aimerais te connaître.

Devant l'absence de réponse, elle ajouta, un sourire timide sur les lèvres:

— Au moins à demi.

Formulé à haute voix, le rappel du lien de parenté émouvait le jeune homme. Après tout, il avait vécu toute son enfance comme un enfant unique, la voir apparaître ainsi dans sa vie le touchait.

— Ce serait une bonne idée, convint-il. Que dirais-tu de vendredi? J'ai toujours un peu plus de disponibilité, ce jour-là.

Qu'il acquiesce si facilement à la proposition la surprit. Très vite, elle ajouta, pour ne pas lui donner le temps de changer d'idée:

— Avec plaisir.

Il hocha la tête, satisfait.

— En venant ici, as-tu remarqué un restaurant tout juste au coin de Sainte-Catherine, de ce côté-ci de la rue? C'est le Palace. On pourrait s'y retrouver.

— Je ne l'ai pas remarqué, mais avec cette précision, je ne pourrai pas le rater.

— Entendu, alors à vendredi. Je te rejoindrai un peu après midi.

Pendant toute la conversation, Jacques était resté dans l'embrasure de la porte de la salle de réunion au lieu de s'asseoir près d'elle. Au début, Béatrice avait pensé à une attitude méprisante. Maintenant, elle concluait à une inquiétude. Sa quête pour connaître sa mère en 1928 avait dû lui suffire, et il redoutait sans doute que toute une famille vienne à lui d'une façon totalement inattendue. L'idée que lui aussi puisse désirer mieux la connaître ne l'effleura même pas.

Reconnaissante, au moment de passer à côté de lui pour quitter la pièce, elle posa ses lèvres sur sa joue.

— À bientôt, Jacques.

— ... À bientôt, répondit-il après une hésitation.

Quand elle atteignit la porte, elle l'entendit dire à la réceptionniste :

— Mademoiselle Parker, voulez-vous réserver une table pour deux au Palace à midi ce vendredi ? Avec mademoiselle Dupire.

En posant le pied sur le trottoir, Béatrice arborait un magnifique sourire.

Si son cabinet de consultation se trouvait toujours dans la grande maison du docteur Caron, celui-ci ne donnait plus que quelques heures de consultation par semaine. Son petit-fils Pierre Hamelin effectuait la majeure partie du travail. Maintenant, le vieux docteur utilisait la salle d'examen de Thalie quand celle-ci se rendait au Jeffery Hale.

À la fin de sa journée de travail, la praticienne alla frapper à la porte de son collègue Pierre, puis passa la tête dans l'embrasure après le « Entrez » :

— Puis-je prendre un peu de ton temps ?

— Présenté comme ça, vous me faites hésiter... Venez tout de même vous asseoir.

Thalie prit la chaise devant le bureau du médecin.

— Ce vouvoiement ! ricana-t-elle. Décidément, tu me fais me sentir bien vieille. Pourtant, nous nous sommes croisés tous les jours, ou presque, au cours des dix dernières années.

Elle exagérait à peine. Élevé par sa grand-mère, le garçon était resté dans les environs pendant tout ce temps.

— Je t'ai vouvoyée toutes ces années! Tu m'impressionnais, je pense. Je manque d'entraînement pour le tutoiement, mais je vais essayer encore.

Diplômé en 1935, le jeune homme ressemblait beaucoup au docteur Hamelin, le premier époux d'Élise.

— J'ai quelque chose de travers? demanda-t-il, un peu troublé par l'examen auquel elle le soumettait.

— Pardon. Tu me fais tellement penser à lui.

— À papa? C'est vrai, tu as travaillé avec lui.

Au moment de l'épidémie de grippe espagnole, Thalie s'était portée volontaire à l'hôpital de fortune dans la rue des Glacis. Le pauvre Charles avait finalement succombé au même mal que ses patients.

— Si peu de temps… Ce fut toutefois suffisant pour que se développe une véritable admiration.

— Le plus triste, c'est que moi, je me souviens à peine de lui. Au fond, l'image la mieux imprimée dans mon cerveau est celle de son corps embaumé dans le cercueil, dans un coin du salon.

«Au moins, songea son interlocutrice, je me rappelle quelques conversations avec Alfred.» Devenir orphelin très jeune laissait toujours une blessure profonde.

— Je me souviens aussi assez bien de toi, ce soir-là. Tu avais été si gentille avec Estelle, continua Pierre.

— Comment se porte la nouvelle maman? demanda-t-elle.

Deux semaines plus tôt, son accouchement avait occupé Thalie pendant la moitié d'une nuit.

— Un visage extatique… et un corps douloureux.

— Je passerai la voir en rentrant à la maison.

— Ça lui fera plaisir. Mais pourquoi voulais-tu me parler, exactement ?

Le rappel à l'ordre remit la morosité sur le visage de la praticienne.

— Hier après-midi, une jeune fille est venue me voir pour me réclamer un avortement.

— Tu n'as pas accepté ?

Une réelle inquiétude marquait maintenant la voix du jeune homme.

— Depuis 1925, j'ai mis presque tout mon temps à accoucher des femmes, et à soigner les coliques et les rhumes de leurs rejetons. Crois-tu vraiment que je vais me métamorphoser en faiseuse d'anges ?

— … Je m'excuse. Parfois, je dis des sottises.

— Bienvenue dans la confrérie, alors, répondit la visiteuse avec un sourire.

La répartie permit à chacun de reprendre sa contenance. Après une pause, la praticienne enchaîna :

— La pauvre paraissait tellement terrorisée à l'idée d'aborder le sujet avec ses parents, j'ai peur qu'elle fasse une bêtise. Elle a tout juste dix-neuf ans…

— Que sait-on du gars qui a fait ça ?

— Marié, ami de la famille.

— Le sale type !

La colère sincère de Pierre réchauffa un peu le cœur de Thalie, et surtout le fait qu'il ne remit aucunement en question la moralité de la malheureuse.

— Tu parlais d'une bêtise… tu penses au suicide ?

— Si tu avais vu sa terreur… Une atteinte à sa vie ou une visite à une avorteuse dans un taudis, avec tous les risques que ça comporte.

Hamelin hocha la tête. Depuis toujours, on trouvait des personnes prêtes à faire passer une grossesse contre une généreuse rémunération.

— As-tu déjà fait face à une demande de ce genre? voulut-elle savoir.

— Je ne pratique pas depuis assez longtemps, je suppose. Ou peut-être est-ce plus difficile de demander ça à un homme.

— Peut-être.

Elle n'en croyait rien, en réalité. L'exhibition de l'absence d'instinct maternel devant une femme devait procurer un sentiment de honte inouï.

— Peux-tu encore me consacrer un peu de ton temps? demanda Thalie.

Son collègue acquiesça d'un mouvement de la tête.

— Tu as entendu parler de l'arrestation de Dorothea Palmer à Eastview, en banlieue d'Ottawa?

— La dame partisane du malthusianisme?

Comme elle fronçait les sourcils pour signifier son ignorance, il précisa:

— C'est comme ça qu'on présentait la chose dans *Le Petit Journal*.

— Je n'ai rien vu dans les journaux français que je lis. Je suppose que tout ce qui concerne la contraception y est tabou.

Au siècle précédent, le pasteur Thomas Malthus s'était inquiété de l'accroissement de la population plus rapide que celui des ressources. Pour parer aux conséquences de cette situation, le contrôle des naissances devenait nécessaire.

— ... Évidemment, ce n'est pas la même chose que l'avortement, dit Pierre à voix basse, après une hésitation.

À cette précision, Thalie sut que son collègue donnait des conseils sur la contraception à sa clientèle.

— Je sais bien qu'empêcher la famille ne se compare pas à interrompre les grossesses. Seulement, si les femmes étaient mieux informées à ce sujet, aucune n'en viendrait à cette extrémité.

— Pour les couples mariés, je veux bien. Toutefois, pour ta cliente de tout à l'heure...

La praticienne réalisa que, même à vingt-cinq ans, son collègue ne jugeait pas acceptable d'expliquer à des célibataires comment empêcher la conception. À ses yeux, les jeunes femmes devaient demeurer chastes. Il pouvait exprimer sa sympathie devant le cas de Marielle Saint-Onge, sans remettre en question ses convictions morales. Mieux valait ne pas lui demander s'il appliquait la même règle aux jeunes hommes. Tous les deux étaient destinés à travailler ensemble, la bonne entente devait régner.

— Ma cliente de tout à l'heure n'avait aucune idée de l'existence de moyens contraceptifs, ni même de la façon dont on fait les enfants, fort probablement.

Hamelin secoua la tête, visiblement consterné par cette histoire.

— Elle l'a appris à la dure et de manière précoce, conclut-elle.

Quand elle devenait excédée à ce point, la praticienne savait devoir rentrer chez elle pour se verser un verre de vin.

— Ce genre d'histoire me démolit le moral, lâcha-t-elle encore.

— De mon côté, j'ai un patient de dix-sept ans qui ne se rendra pas à Noël. Je pensais que l'habitude de ces drames me viendrait avec le temps. À te voir, je devine que je ne serai pas encore insensible même quand j'aurai...

— Là, fais attention au chiffre que tu vas dire.

Le jeune homme lui sourit, amusé par cette coquetterie.

— ... quelques années de plus qu'aujourd'hui.

— Bravo ! Non seulement tu ne deviendras pas moins sensible, mais comme je connais ton père, ta mère, et aussi tes grands-parents maternels, peut-être même le seras-tu un peu plus.

La visiteuse se leva à demi, puis elle arrêta son mouvement.

— Je t'ai parlé de Dorothea Palmer parce qu'une de mes amies doit participer au procès. J'aimerais prendre congé afin de la visiter à Ottawa, et assister à une partie de la procédure. Crois-tu que je peux m'absenter sans nuire au fonctionnement du cabinet ?

— Mon grand-père sera sans doute très heureux de prendre le relais pendant quelques jours. Fais-le-nous savoir un peu à l'avance, toutefois.

Évidemment, avec ce jeune homme maintenant à l'œuvre, sa propre présence s'avérait moins essentielle. Après les « À demain », elle quitta le bureau.

Jour après jour, Mathieu tentait de maintenir les meilleures relations avec chacun, puisqu'il souhaitait avoir tout le monde comme client. Cela le conduisait à bien recevoir monseigneur Buteau – cet oncle tenu à distance depuis sa naissance –, puis faire des visites périodiques dans les locaux de l'Amicale des anciens soldats et marins de la ville de Québec. Il se demandait encore laquelle de ces activités lui plaisait le plus.

Ce jour-là, il se rendit au siège de l'association qui se trouvait au-dessus d'une boutique de chaussures, dans la rue Saint-Jean. Dès l'entrée, le nuage de fumée bleutée flottant dans la pièce le prit à la gorge. Sur les murs du couloir, on avait piqué les photographies des soldats du 22$^e$ Régiment tués au combat. Dans les soirées les mieux arrosées, il se trouvait toujours un imbécile pour se planter devant et beugler : « Au moins, ceux-là ne vieilliront jamais ! »

L'appartement comptait trois grandes pièces. Dans la première, des vétérans en uniforme jouaient aux cartes, réunis en quatuor autour de petites tables. Plusieurs d'entre eux affichaient un handicap, une manche de tunique ou une jambe de pantalon vide, des cicatrices au visage. Pour chaque tué, la guerre avait fait trois ou quatre estropiés.

Un borgne lui lança :

— Lieutenant Picard, vous jouez au bridge, des fois ?

— Je n'ai jamais eu assez de patience pour apprendre à y jouer.

— Bah ! Ça ne fait rien, vous battre me ferait tellement plaisir.

Mathieu lui adressa un geste de la main, comme pour dire « Remettons cette partie à plus tard », puis continua jusque dans la pièce du fond. Partout, en guise de décorations, on avait affiché les premières pages de journaux où on commentait les exploits du régiment.

Une très longue table occupait presque tout l'espace. À un bout, un gros homme jouait au chef de famille. Il interpella le nouveau venu :

— Picard, pourquoi on te voit jamais en uniforme ?

— Peut-être parce que je n'aime pas ça. Beaucoup moins que toi, en tout cas.

La familiarité du ton pouvait étonner, entre un lieutenant et un caporal mal embouché. Comme chacun avait reçu son *honourable discharge*, plus aucun rapport hiérarchique ne subsistait. Le personnage ressemblait à une caricature de sous-officier.

— Bon, assis-toé, on t'attendait.

LES ANNÉES DE PLOMB

Une vingtaine d'hommes occupant autant de chaises, le nouveau venu en prit une le long du mur pour l'approcher. Le caporal continua à son intention :

— Là, on est toute d'accord pour créer une association.

— Une autre ? demanda Mathieu.

Le président de l'assemblée portait une chemise noire, et en face de lui, un casque d'acier trônait sur la table. Nommé Turcotte, il en était à son troisième groupuscule fasciste. Celui-ci prenait ses repères en Allemagne plutôt qu'en Italie, comme la plupart des autres au Québec.

— Tout le monde se regroupe contre les communisses, c'temps-citte. Pis nous aut', on fait rien. Quand la guerre civile va pogner, on aura besoin de gars qui savent se battre.

Ses compagnons hochaient la tête d'un air entendu. Le marchand réalisa que tout avait déjà été décidé. Pourquoi l'avoir invité ?

— Cette nouvelle association, elle a un nom ?

— Les gars contre le communisse, c'est pas correct ?

— Le vicaire a proposé...

Le principal assistant du caporal chercha un bout de papier dans sa poche :

— Association anticommuniste des vétérans, lut-il avec difficulté.

— On va s'réunir à l'hôtel de ville pour le baptême officiel. Tu vas v'nir ? Y va y avoir du beau monde.

— Je ne sais pas. Je ne connais rien à ce groupe.

— Cé pas compliqué. Pour le parlage, y a du monde en masse, pis pour le cassage de gueules des bolcheviques, nous aut' on va s'en occuper.

« Combien les fascistes ont-ils de partisans dans la ville ? se demanda Mathieu. Combien d'acheteurs iront voir ailleurs si je dis à ces bouffons de m'oublier ? » À titre de marchand prospère, on le sollicitait pour de nombreuses causes. Le soutien des scouts de la paroisse Saint-Jean-Baptiste ou de la fanfare de l'Académie commerciale lui paraissait infiniment plus sympathique que celui d'un contingent de casques d'acier éméchés. Toutefois, son appui devait être distribué entre diverses causes, pour ne blesser aucune susceptibilité.

Ne sachant que dire pour se défiler, il demanda :

— Vous avez dit à l'hôtel de ville ?

— Dans la salle de la cour du *recorder*.

Un rendez-vous dans l'arrière-salle d'une taverne l'aurait rebuté. Une réunion dans un lieu public garderait tout de même un air de respectabilité. Puis, visiblement, ces zigotos jouissaient de bons appuis au conseil municipal, et certainement dans la population, si les échevins se donnaient la peine de les accueillir ainsi. Ceux-là gardaient toujours les prochaines élections en tête, ils savaient d'où soufflait le vent.

— Je vais faire mon possible pour m'y rendre.

Autour de la table, les sourires satisfaits et les hochements de tête approbateurs le convainquirent que sa présence serait appréciée. « Ce n'est certainement pas en souvenir de mes états de service en Europe », se dit-il.

— Si on veut pas avoir l'air de voyous, précisa Turcotte, ça nous prendrait de beaux uniformes.

« Voilà le chat qui sort du sac », songea le marchand.

— Vous ne pensez pas à une organisation paramilitaire ?

Dans tous les pays européens maintenant placés sous une dictature de droite, des organisations de ce genre avaient préparé le terrain.

— Bin quoi ? Dans toutes les paroisses, y a des gardes paroissiaux ou des groupes de zouaves qui ont des uniformes. Si on a l'air de tout nus, le monde vont rire de nous aut'. Pis les beaux uniformes, ça coûte de l'argent.

«Évidemment», pensa Mathieu, qui continua à haute voix :

— Impossible de faire confectionner des chemises et des pantalons pour vendredi prochain.

Les vétérans se regardèrent les uns les autres avec des airs entendus.

— Les uniformes, on les a, dit le caporal. C'est l'argent pour payer la facture qu'on n'a pas.

Son bras droit évoqua un chiffre assez important.

— Ça, c'est pour une vingtaine de personnes, précisa-t-il. Mais après, y en aura d'autres. Beaucoup d'autres : la guerre contre les communisses, ça va attirer tous les vétérans.

«Décevoir ces hommes peut-il nuire à mes affaires ? », se demanda encore Mathieu. Cette nuée de quémandeurs, c'était la rançon de son succès économique. À la fin, un sentiment de fidélité pour de vieux camarades l'emporta.

— Pour vingt, j'accepte. Les autres s'habilleront à leurs frais.

À la mine satisfaite de Turcotte, il devina que la moitié de ce montant aurait suffi.

— Cependant, je pose une condition : pas de casques d'acier.

— Bin, les casses, c'est c'qui a de plus beau. Comment y disent dans les gazettes déjà ?... Martial, ça fait martial.

— J'en connais un, Martial, pis y est pas si impressionnant que ça, ricana un loustic.

Le mouvement d'hilarité les occupa une seconde.

— J'y tiens, pas de casque. Aucun.

Les porteurs de cet attribut avaient joué un rôle important en Allemagne, au début des mouvements d'extrême droite. Son interlocuteur confirma sa pensée :

— Pis ça, c'est le modèle boche.

Il ne s'agissait pas du couvre-chef avec une pointe de fer un peu ridicule. Le marchand contemplait plutôt le dernier modèle, qui avait été introduit à la fin de la guerre ; il connaîtrait une longue carrière.

— Pour être certain que personne ne sera casqué, je ne vous donnerai pas un sou avant la tenue de la réunion.

— Nous aut', la facture, on l'a déjà.

— Le paiement a attendu jusqu'à maintenant, répliqua Mathieu avec aplomb. Un mois de plus ne fera pas de différence.

Picard acceptait à contrecœur, mais les partisans de ces idées s'avéraient déjà si nombreux. Son interlocuteur donna son accord d'un mouvement de la tête, la mine satisfaite. Visiblement, il était parvenu à ses fins.

— Georges, va chercher les bouteilles en arrière, ordonna-t-il. Tu vas boire une grosse Dow avec nous autres, lieutenant ?

— Non, je vais rentrer à la maison. Je ne vois plus assez mes enfants.

Son départ ne semblait décevoir personne. Au moment où il se levait, un vétéran lui demanda :

— Lieutenant, c'est ti bin vrai qui va y avoir une aut' guerre ?

— Dans tous les pays, on empile les armes. Malheureusement, je pense que oui.

— Moé, j'y r'tournerais, mais du côté des Allemands, c'te fois-cite, pas avec les Anglais. Hitler, ça c't'un bon homme.

Mathieu leva la main pour montrer son doigt manquant.

— Je m'en tiens aux mêmes allégeances qu'en 1917. Bonne soirée, messieurs.

La plupart lui rendirent son souhait. Il atteignait la sortie quand Turcotte lui lança :

— Lieutenant, tu sais que moé pis Adolf, on a le même grade.

Caporal tous les deux. Ce bonhomme caressait-il le projet de suivre le même chemin ?

— Mais pour égaler sa Croix de fer première classe, ça te prendrait au moins la *Victoria Cross*. L'as-tu ?

L'éclat de rire de ses compagnons vexa bien un peu le chef des casques d'acier.

Marielle Saint-Onge dormit mal dès qu'un quinquagénaire eut commencé à la combler d'attentions : des regards aux compliments, des petits cadeaux aux effleurements. Pendant un temps, qu'un homme d'âge mûr s'intéresse à elle lui donna l'impression d'être importante. Bien vite toutefois, une vague inquiétude l'avait tenaillée. Puis, après le jour de sa déchéance, une terreur imprécise l'avait habitée, liée au fait d'avoir franchi une ligne invisible, celle séparant la jeune fille d'un bon milieu de la femme perdue.

Depuis l'arrêt de ses règles, elle ne dormait plus du tout.

Puis, il y avait cette médecin qui refusait de l'aider. Parler à ses parents ! Il fallait être bien enfermée dans un bureau et demeurer vieille fille pour suggérer une chose pareille, pensait-elle. Dans les familles convenables, cet acte était inadmissible. Et si jamais on le commettait, impossible d'en parler.

Ce matin-là, assise à la table familiale, les yeux un peu baissés, la jeune femme regardait son père au bout de la table. Maigre au point de paraître émacié, son col toujours trop grand, tout comme son veston, il faisait penser à ces moines fous dans les films d'horreur venus d'Europe. Comment cet homme pouvait-il avoir fait cinq enfants ? On l'imaginait se fouettant le dos avec des lanières plombées, comme un pénitent. Pourtant, ses rejetons se trouvaient là :

elle la plus âgée allant sur ses vingt ans, puis le plus jeune, sur ses douze ans.

Ensuite, plus aucune grossesse. Sa femme et lui vivaient comme frère et sœur.

Devant le père, se tenait une mère effacée, soumise. Sa voix portait à peine quand elle dit :

— Marielle, tu ne manges pas ?

La jeune femme jouait du bout de sa cuillère dans son gruau.

— Je n'ai pas faim, maman.

En réalité, la nausée lui nouait la gorge. Même le café passait difficilement. Seule la nécessité de s'éviter un long interrogatoire l'empêchait de plaider la maladie pour rester au lit.

— Ta mère a préparé ce repas pour toi.

La voix paternelle flottait comme une menace dans la pièce. Jamais il ne levait la main sur ses enfants, pourtant chacun de ses mots valait une injonction. Marielle porta la cuillère à sa bouche, réprima avec peine un haut-le-cœur. L'homme finirait par se lever pour se préparer à aller au bureau, ainsi chacun se sentirait soulagé et la conversation deviendrait possible.

Tant qu'à se faire prendre à partie à cause des frasques de son frère et de ses camarades, Béatrice se dit qu'il valait aussi bien savoir à quoi s'en tenir. Les délégués du gouvernement espagnol se tenaient dans un amphithéâtre du pavillon Redpath en début d'après-midi. En entrant dans la grande salle, elle chercha des yeux des personnes qu'elle pourrait reconnaître.

Depuis le dernier esclandre, un certain nombre d'étudiants la saluaient au passage, sans doute les plus compatissants. Cela n'en faisait pas des amis. Un moment, elle chercha un coin à l'écart. Une brunette avait eu la même intention. Sarah lui adressa un petit geste de la main.

— Je suis un peu surprise de te voir ici.

— Parce que je suis canadienne-française ?

La jeune fille eut un sourire un peu navré.

— Je dois avoir des préjugés.

— En même temps, les chances de te tromper s'avéraient toutes petites. Tu n'en verras pas d'autre.

La blonde occupa la chaise voisine de celle de Sarah, dans la dernière rangée, complètement sur la droite. Une autre étudiante à la tignasse foncée s'assit juste devant elle, une prénommée Ruth. Un certain Egon les rejoignit. La conversation porta sur les derniers événements survenus en Espagne, mais le regard de ce dernier revenait régulièrement sur la nouvelle venue. Des cheveux blonds et des yeux bleus agissaient comme un aimant dans ce groupe. D'autres jeunes prirent place parmi eux, mais la venue d'un quatuor sur la scène interrompit les présentations.

— Mesdames, messieurs, commença l'animateur de l'activité.

Il s'agissait d'un professeur de droit dans la soixantaine. Vêtu de son costume de tweed comme s'il se préparait à une chasse à la perdrix, il faisait bien informel.

— Les troupes du général Franco s'approchent de la capitale espagnole. Dans quelques jours, dans quelques semaines ou dans quelques mois tout au plus, le gouvernement légitime, régulièrement élu, tombera. Ce sera la première victoire de l'Allemagne nazie.

Les représentants du gouvernement républicain montés sur la scène avec lui comprenaient assez bien l'anglais pour que leur visage se décompose un peu.

— Le seul espoir, c'est que les pays démocratiques apportent leur soutien. Tous les partisans de la justice et de la liberté doivent unir leurs forces, se jeter dans la bataille pour leur venir en aide.

Béatrice couvrait la grande salle des yeux. Les trois quarts de l'auditoire étaient des hommes jeunes. Quelques professeurs se trouvaient là aussi. Les autres étaient des jeunes femmes. Un pli au milieu du front, elles demeuraient attentives au moindre mot. Pour la première fois, la Canadienne française se sentit heureuse d'être là, avec des compagnes intéressées par autre chose que les vedettes de cinéma et la recherche du bon parti.

Après l'exposé situé quelque part entre le cours de science politique et la leçon de morale, les délégués espagnols prirent la parole. On les avait recrutés selon deux critères : la fidélité à la cause et la connaissance de l'anglais. Peut-être se débrouillaient-ils à l'écrit, mais à l'oral, l'exercice se révéla pénible. Dans la grande salle, tous murmuraient, l'un répétant à l'autre le mot saisi au vol.

Avec beaucoup d'attention, le contenu devenait intelligible : les bombardements à l'aveugle par les fascistes de populations civiles et les exécutions sommaires se multipliaient. L'image apocalyptique laissa tout le monde pantois. Une heure après le début de l'assemblée, on passa à la période de débats. L'amphithéâtre regroupait sans doute tout ce que McGill comptait de progressistes. Cela désignait des protestants partisans des idées généreuses de l'évangile social et des communistes staliniens, et toutes les nuances idéologiques entre les deux.

Un micro était installé au milieu de l'allée centrale. Des spectateurs se plantaient devant pour aligner des questions convenues afin de donner l'occasion aux visiteurs d'évoquer les misères du gouvernement du Front populaire et les horreurs commises par les nationalistes dirigés par le général Franco.

— Mais pourquoi personne n'évoque-t-il toutes les accusations formulées dans les journaux contre le régime espagnol? murmura Béatrice.

— Pourquoi ne le fais-tu pas? demanda Egon.

Le garçon semblait la défier du regard. La jeune femme sentit la chaleur envahir ses joues. Que faisait-elle là, parmi ces gens aux opinions différentes des siennes? D'un autre côté, demeurer sagement à sa place ce jour-là était risquer de n'en jamais sortir. Aussi, nerveuse, la bouche sèche, elle se plaça dans la file de jeunes gens. Trop rapidement, ce fut son tour.

— Il y a quelques semaines, dans une diffusion radio transmise au Canada depuis le Vatican, le pape a évoqué la mort de milliers de prêtres, de moines et de religieuses, par les mains des républicains. Cela cadre mal avec les agissements dont vous avez fait le récit.

Dès les premiers mots, un murmure parcourut la salle. Sur la scène, les invités se regardèrent, surpris par cet accroc au scénario prévu. Béatrice se demanda si sa mauvaise prononciation la rendait inintelligible. L'un des représentants espagnols la rassura à ce sujet.

— Tout ça, c'est de la propagande fasciste. Aucune de ces accusations n'est fondée. Au contraire...

— Vous voulez dire que toutes les nouvelles venant des agences de presse internationales sont fausses? Tous les articles dans les divers journaux? Toutes les dépêches diplomatiques reprises dans les médias?

Le murmure dans la salle augmenta un peu, quelqu'un lança « Va t'asseoir, Frenchie ». La blonde resta bien droite dans sa robe bleue.

— Dans un conflit aussi cruel qu'une guerre civile, quelques... incidents ont pu arriver, admit l'un des invités.

« Ou je regagne tout de suite ma place pour n'en jamais sortir, ou je commence dès à présent à dire ce que je pense », se répéta-t-elle pour se donner du courage.

— Quand des événements se renouvellent des milliers de fois, ce sont moins des incidents isolés qu'une politique délibérée.

— Une vraie beauté aryenne, lança un autre étudiant. Son accent, c'est allemand ?

Béatrice se tourna à demi pour identifier l'importun. L'interruption avait permis au représentant vêtu d'une soutane de préparer une réponse.

— Il y a peut-être, je dis bien peut-être, eu quelques victimes membres de l'Église. Bien sûr, quand des représentants du clergé prennent ouvertement position pour les fascistes de Franco, ils suscitent la colère du peuple.

— Une colère qui se répète des milliers de fois ?

— Ah ! Retourne t'asseoir, cria quelqu'un. On t'a assez entendue.

— Ce sont des mensonges, reprit un représentant du Front populaire vêtu d'un mauvais veston.

— Soit, quand les journaux évoquent les crimes des républicains, ils mentent. Mentent-ils aussi quand ils parlent des crimes des nationalistes de Franco ?

Comme cette fois, personne ne lui répondait, la jeune femme s'éloigna du micro. Tout de suite, un autre étudiant s'en empara pour discourir sur la presse internationale à la solde des fascistes. Dans une réunion de Canadiens français, on aurait plutôt dit à la solde des communistes et des Juifs.

Lorsqu'elle atteignit le fond de la grande salle, elle se demanda où s'asseoir. Sarah comprit son hésitation, lui adressa un petit geste de la main. Elle avait à peine retrouvé son siège quand Egon se retourna à demi pour dire :

— Une heure après cette réunion, tout le monde sur le campus sera informé de tes idées. Si tu souhaitais te faire connaître, c'est réussi.

— Je suis lasse de ressembler à une fleur sur le papier peint.

L'aveu vint avec un sourire contraint. Après des semaines à se faire discrète, elle s'était exprimée dans une assemblée publique, devant une bonne centaine d'étudiants. Elle tenta de prendre un ton plus léger en poursuivant :

— Avant, on ne me voyait pas et maintenant, je viens de heurter tous ces gens. Je ne sais pas très bien comment me faire des amis, admit-elle.

— Tu en auras certainement chez ceux qui reconnaissent à tous le droit d'exprimer des opinions. Tiens-tu vraiment à avoir de bonnes relations avec les autres ?

La question valait d'être posée. Elle y réfléchirait jusqu'à la fin de l'assemblée. De toute façon, rien sur la scène ni au micro ne requérait désormais son attention, les mêmes arguments se répétaient sans cesse. Le professeur formula enfin quelques mots pour remercier les Espagnols venus présenter la situation dans leur pays, et les «progressistes» dans la salle, sensibles à la situation internationale. Du coup, il excluait la petite Canadienne française ayant fait référence à une émission de radio transmise depuis le Vatican.

Béatrice remarqua qu'une bonne partie de l'auditoire mesurait ses applaudissements. Son ostracisme ne serait donc pas absolu. Dans le couloir, Sarah lui en donna la preuve.

— La fin de semaine, visites-tu tes parents ? demanda-t-elle en français.

— … Une fois par mois.

— Puis-je t'inviter à souper à la maison ?

Totalement surprise, la blonde mit un moment avant de répondre, en affichant son habituel sourire timide :

— Je te remercie, ce sera avec plaisir.

Après un échange de numéros de téléphone, elles se quittèrent sur un «Au revoir» un peu emprunté, intimidées d'avoir franchi ce pas.

Le grand hall de l'hôtel de ville ressemblait à une salle de l'Université de Montréal tellement les étudiants y étaient nombreux.

— Depuis le début de septembre, nous ne sommes pas très souvent en classe, criait Charles à son camarade Tremblay, assez fort pour couvrir le brouhaha.

— Pourtant, on apprend bien plus, j'en suis certain. D'ailleurs, c'est ce que dit l'un de mes professeurs de droit.

Le garçon de Québec retrouvait régulièrement Tremblay près de lui, lors de toutes leurs activités «extrascolaires».

— L'école de la vie, ajouta Sauvé.

«Plutôt l'école de la rue», songea l'étudiant de l'École des hautes études commerciales. Après avoir quitté le foyer familial six semaines plus tôt, il avait l'impression que son existence progressait à une vitesse accélérée. Cela lui procurait une petite ivresse. Sa lèvre supérieure demeurait un peu enflée, la coupure bien visible.

— On veut voir le maire! lança quelqu'un.

— Oui, oui, le maire! Le maire! chantèrent les autres étudiants.

Avec leur nombre, ils paralysaient les allées et venues. Les Montréalais n'avaient plus accès aux services municipaux, les fonctionnaires ne pouvaient travailler avec ce raffut.

— On ne peut pas se faire damer le pion par l'Union catholique des cultivateurs, insista Charles.

— Pourtant, on aurait dû y penser les premiers.

Le grand syndicat des agriculteurs tenait un congrès dans la ville de Montréal. La veille, ses membres avaient demandé à la municipalité d'interdire la soirée d'information sur la situation espagnole prévue le lendemain. Ces militants savaient que les Espagnols avaient parlé à McGill, leur travail de propagande ne devait pas toucher les Canadiens français.

— Le maire ! Le maire ! Le maire !

Un gros homme, le greffier de la ville, apparut au milieu d'un escalier conduisant à l'étage.

— Messieurs, messieurs, commença-t-il en faisant de grands gestes des mains pour les faire taire. Montréal n'a plus de maire, Camillien Houde a donné sa démission.

Évidemment, tous le savaient.

— Il y a un promaire, cria quelqu'un.

— Puis, un président du Comité exécutif. Des décisions se prennent encore, dans cette foutue ville, intervint un autre avec un ton de supériorité, comme s'il s'adressait à un homme stupide.

Deux étages plus haut, l'un des représentants évoqués parlait au téléphone : Joseph-Marie Savignac, président du Comité exécutif.

— Les étudiants menacent de fomenter une émeute pour empêcher les Espagnols de tenir leur séance d'information, disait-il. On a eu des problèmes d'ordre public toute la semaine.

— Dans toutes les campagnes électorales, des gens souhaitent empêcher les autres de parler, répondit son interlocuteur. On en arrête un ou deux, et les autres se calment.

Le chef de police Fernand Trudel répondait depuis son bureau, à l'autre bout de l'édifice.

— On ne parle pas d'une vingtaine de voyous recrutés dans des tavernes pour faire un peu de bruit dans une petite réunion partisane ! Ils peuvent se présenter par milliers à l'aréna.

— Des fils à papa !

De tels manifestants semblaient bien dérisoires, à en croire le ton du chef de police.

— Dans deux jours, on aura la grande assemblée du Christ-Roi. Tous les esprits sont surexcités, affirma Savignac.

— Ces Espagnols ne transgressent aucune loi en s'exprimant en public.

— Le conseil municipal peut interdire une réunion, s'il craint une flambée de violence. Ça vaut mieux que de lire l'acte d'émeute, comme en 1918 à Québec, puis de tirer dans le tas après. Dans une minute, je vais leur dire que l'assemblée d'information n'aura pas lieu. Votre travail, c'est de maintenir l'ordre autour de ce maudit aréna.

— Je suppose que vous êtes le boss.

Que Trudel formule son incertitude à haute voix montrait tout son mépris. Il devait être un partisan de Camillien Houde.

— S'il arrive quelque chose, on en parlera au conseil lundi prochain.

Le président du Comité déposa le combiné avec humeur, puis quitta les lieux. Passant dans un bureau voisin, il dit au promaire Leo-James McKenna :

— On y va avant qu'ils défoncent tout.

— Le maire ! Le maire ! Le maire ! réclamait-on encore au rez-de-chaussée.

Les deux hommes publics descendirent le grand escalier, s'arrêtèrent à quelques marches du bas. Les cris redoublèrent d'intensité. Le président du Comité exécutif, Savignac, fit de grands gestes pour obtenir un silence bien relatif.

— Messieurs, l'assemblée prévue pour ce soir n'aura pas lieu, lança-t-il.

Une salve d'applaudissements et des hurlements accueillirent l'annonce. Cette réaction donna à l'orateur l'impression d'être un tribun capable de soulever les foules. Ignorant ses hésitations des heures précédentes, il continua :

— Personne à l'hôtel de ville n'aime les communistes plus que vous, croyez-moi. Votre vigilance, votre empressement à défendre les droits de notre sainte mère l'Église et de notre province remplissent tous vos aînés de fierté.

La réaction de la foule l'encouragea à multiplier les lieux communs sur le rôle des institutions catholiques dans la lutte contre le bolchevisme pendant une petite demi-heure. Les journaux les reprendraient le lendemain. Finalement, en demeurant silencieux, le promaire gagna sans doute plus d'appuis que son collègue pour les élections prévues au début de décembre.

# Chapitre 13

Tous les jours à midi, le restaurant accueillait une clientèle d'habitués. Les bureaux de professionnels, les commerces et les banques situés à proximité employaient des centaines d'hommes. Jamais Béatrice n'avait suscité autant de salutations polies en un si bref laps de temps.

Jacques arriva à midi cinq. Il portait un complet bleu sombre, avec de très fines lignes noires, ainsi qu'un feutre élégant. Ce fut à son tour de la surprendre en lui faisant la bise. En s'asseyant, il demanda :

— Tu as eu le temps de consulter le menu ?

— De l'apprendre par cœur. Comme je me sentais nerveuse, je suis arrivée tôt.

— L'attente ici t'a permis de te calmer ?

— Pas du tout. Surtout quand on oublie d'apporter de quoi lire.

L'homme leva la main pour attirer le serveur. Il la laissa commander, puis se contenta de dire « Comme d'habitude ».

— Je peux poser une question peut-être indiscrète ? osa Béatrice.

— J'ai l'impression que cette rencontre servira à ça... répondit Jacques.

Son beau visage demeurait souriant. Il affichait celui de l'avocat ou du séducteur voulant faire la meilleure impression.

— Comment un Harris est-il apparu entre ton nom et ton prénom ?

— C'est le nom de mon père. Le vrai.

— Celui qui a pris soin de toi pendant dix-huit ans était donc le faux ?

Létourneau se fit sérieux devant la question, troublé même.

— Je te croyais plus timide que ça...

— Je suis timide, mais ça ne m'empêche pas de vouloir comprendre.

— Que veux-tu faire dans la vie ? En fait, que fabriques-tu si loin de Québec ?

Elle accepta de le laisser détourner la conversation.

— J'étudie à McGill. Si je finis par maîtriser l'anglais tout à fait, je souhaite suivre des études en psychologie.

Son interlocuteur acquiesça d'un signe de la tête, comme si cela expliquait sa curiosité. Se sentant soudain plus en confiance, il répondit :

— Tu sais, ta question me hante toujours, même après toutes ces années. Fulgence a été un père attentif, foncièrement bon. Pusillanime, aussi, mais cette caractéristique ne me ressemble pas. Je m'associe donc plus à ce Harris.

Devait-elle conclure qu'il n'était pas un homme bon ?

— Ou à ta mère adoptive.

L'hypothèse valait d'être pesée. Thérèse aimait que tout se plie à sa volonté. Cependant, combien il préférait s'imaginer tenir sa détermination d'un officier britannique, et non d'une mégère acariâtre, pourtant elle aussi des plus aimantes. Béatrice devinait là l'envie de gommer une identité pour en adopter une autre.

— Préférerais-tu mettre le nom Létourneau au milieu, et celui de Harris au bout ? Ou encore juste l'initiale : Jacques L. Harris ?

— Mieux encore, Jack ou James, fit-il. Tu as parlé de psychologie, non ? Voilà un beau sujet d'analyse : un garçon de Limoilou qui place le nom de son père naturel sur ses cartes, rêve d'apprendre l'anglais jusqu'à effacer le moindre accent et de faire carrière dans l'Ouest de la ville de Montréal.

Le sourire amusé du jeune homme montrait qu'il ne lui tenait pas rigueur de sa curiosité un peu intrusive. Cette capacité d'autodérision le rendit plus sympathique à Béatrice.

— Le grand obstacle à cette métamorphose, continua-t-il, c'est justement mon accent. L'anglais des frères des écoles chrétiennes, du Petit Séminaire et de l'Université Laval, n'est pas tout à fait à la hauteur.

— Celui du couvent de Sillery non plus.

L'arrivée des assiettes leur imposa le silence pendant un instant. Sa fourchette à la main, la jeune femme demanda encore :

— Je suppose que tu aimerais retrouver ce Harris ?

— Tu ne sais pas ? Le grand marin est décédé au combat. Autrement, je me serais rendu au Royaume-Uni pour lui demander des comptes.

De leur rencontre en 1928, elle gardait le souvenir d'un jeune homme torturé, tout à fait antipathique. Celui qui se tenait devant elle aujourd'hui était avenant malgré l'interrogatoire auquel elle le soumettait.

— Aux funérailles de maman, une jeune femme se trouvait avec toi…

— Germaine ? Nous nous sommes fréquentés quelques années, puis nos chemins se sont séparés.

Quelle façon élégante de présenter les choses. Une fille d'ouvrier convenait tout juste au fils de Fulgence. Or, pour une personne désireuse de gravir les échelons sociaux, elle serait en réalité devenue un obstacle, comme un poids l'entraînant vers le fond.

— Je suis là, avec mes questions, dit-elle. Ne veux-tu rien savoir de moi ?

Le rouge lui monta soudainement aux joues. S'imaginer qu'il lui portait le moindre intérêt tenait de la pure présomption. Pourtant, le jeune homme saisit l'occasion.

— L'idée d'attendre ton promis dans la maison du gros notaire ne te disait rien ?

L'évocation aussi cavalière de son père ne lui plut pas du tout. Répondre d'un ton égal fut difficile.

— Je me suis dit que je pouvais trouver le mariage en faisant des études. Ce sera même plus facile que cloîtrée à la maison.

— Bien sûr. McGill accueille les rejetons de la plupart des millionnaires du Canada. Voilà de meilleurs partis que les héritiers de la Haute-Ville de Québec.

— … Pourquoi te moquer comme ça ?

Devant les sourcils froncés de son interlocuteur, elle précisa :

— Les héritiers dont tu parles cherchent des épouses aux allures de comédienne, pas quelqu'un comme moi. Je suppose que j'aurai droit à un prétendant discret, rougissant, le genre qui se confond avec la moquette. Ça ne manque pas, sur le campus.

— Là, tu me fais marcher.

Comme les joues de la jeune femme rosissaient de plus en plus, Jacques comprit que ce n'était pas le cas. Puis, le souvenir de la jeune fille effroyablement timide, « enveloppée » comme plusieurs le sont à cet âge, lui revint.

— Regarde de ce côté-là… non, non, pas directement, dans le miroir derrière moi.

Le mur entier était couvert d'une glace ornée de publicités. Dans le cercle tracé par le « o » de Molson, elle voyait derrière elle. Deux hommes se tenaient à une table dont l'un se tordait la tête à moitié. Il pouvait regarder n'importe qui parmi la douzaine de clients dans cette section du commerce. Était-ce bien sur elle que ses yeux se posaient ?

— Ça ne veut rien dire.

Jacques Létourneau secoua la tête de droite à gauche.

— Comme tu veux. Alors, tu te rends à McGill pour te livrer à de brillantes études et ensuite fouiller dans le subconscient des gens.

Tout de même, constata son interlocutrice, il ne limitait pas ses lectures aux bouquins de droit.

— Ça me semble une bonne raison de fréquenter l'université.

— Je veux bien.

Pendant de longues minutes, la discussion porta sur les découvertes qu'offrait Montréal à des personnes venues de Québec. Un homme s'approcha de leur table, interrompant la conversation. Il adressa un clin d'œil à Jacques en disant en anglais :

— Désolé de vous déranger. Comment ça va ?

— Très bien. Je te présente ma demi-sœur, Béatrice.

Elle demeura tellement interdite que le nom de ce collègue lui échappa totalement. Elle lui abandonna sa main de façon machinale, murmura un « *Very pleased* » de convenance. Une telle présentation la touchait profondément, comme si ce demi-frère venu du néant lui faisait là une véritable faveur.

— Je suis très heureux de vous connaître, mademoiselle. J'espère que nous nous reverrons.

Puis, il s'éloigna tout de suite, comme si cet intermède ne visait qu'à savoir qui elle était. Discrètement, elle consulta l'horloge accrochée au mur, supputant le temps qu'il lui restait.

— Penses-tu à maman, parfois ?

Chaque fois, sa voix changeait un peu au moment de prononcer «Maman», des émotions difficiles à supporter lui remontant dans la gorge.

— Tu parles de laquelle? Thérèse ou Eugénie?

— Ne te moque pas de moi.

Tout badinage sur ce sujet s'avérait interdit, Jacques le comprit très bien.

— Plus souvent qu'à Thérèse. Curieux, n'est-ce pas? Après tout, je ne l'ai fréquentée que quelques mois. En la retrouvant, je voulais...

— Récupérer ta place dans ce monde.

Jacques resta un moment silencieux, contemplant les grands yeux bleus intelligents. La petite phrase définissait toute sa démarche. Il hocha la tête.

— Avant de la voir, je pensais avoir eu une vie malheureuse. Or, je l'ai trouvée en train de crever, détestant son mari au point de ne pas supporter qu'il fréquente une veuve...

L'homme s'arrêta, contempla son interlocutrice. Elle l'amenait sur des sujets très intimes, tolérerait-elle la réciproque?

— Si je dis vraiment ce que je pense du couple formé par tes parents, te sentiras-tu blessée?

— ... Si je pense que tu as tort, je devrais rester indifférente. Dans le cas contraire, je tenterai de vivre avec des vérités désagréables. J'essaie de devenir une adulte.

— Pour son propre bien, jamais ton père n'aurait dû lui jeter même un regard. Eugénie ne s'en cachait pas lors de nos conversations: elle n'a jamais eu d'autre sentiment que du mépris à son égard. Même au premier jour de leur mariage.

— Alors pourquoi?

Jacques hésita avant de poursuivre:

— La vengeance. Dupire ne lui aura servi qu'à cela : se venger de mon père qui l'avait engrossée avant de la traiter avec mépris. Même mourante, elle souhaitait le priver de tout bonheur.

De nouveau, le jeune homme s'interrompit, essayant de juger à sa mine ce que Béatrice pouvait entendre encore.

— Sa vengeance s'étendait à ses enfants. D'abord, parce que Dupire en était le père, je suppose. Sans doute aussi parce qu'on lui avait retiré son premier fils.

Cet inconnu, croisé une douzaine de fois dans la salle à manger, tout au plus vingt fois, venait de résumer l'expérience de toute une famille. Peut-être cela tombait-il sous le sens pour un étranger.

— Papa a finalement épousé la veuve qu'il voyait en 1929, dit-elle, et ils sont heureux ensemble. Peut-être est-ce une vengeance aussi, sur toutes les années gâchées avec maman.

Béatrice se tut, songeuse. Personne ne savait comment reculer dans le temps pour corriger une erreur. Tout au plus pouvait-on essayer de ne plus la répéter.

— La perspicacité de ton analyse m'étonne, commenta-t-elle.

— Ne te souviens-tu pas de mes visites, après que ton père eut éventé mes ruses ? Elle en a eu pour des heures à expliquer ce qu'elle comprenait de sa propre vie, et moi pour lire le reste entre les lignes.

— Évidemment. Elle t'a consacré des heures, et à nous, une simple lettre ! remarqua-t-elle, absolument dépitée.

Elle et ses frères gardaient une missive dissimulée dans le fond d'un tiroir, peut-être lui aussi en avait-il une.

— Penses-tu qu'elle a eu la tâche facile avec moi ? Jamais Eugénie n'a choisi de m'abandonner, son père l'a forcée. Toutefois, elle en éprouvait une honte tenace.

Les huit années écoulées depuis les funérailles de leur mère leur avaient permis, à tous deux, de passer de l'adolescence au monde adulte. Ils portaient un bagage d'expériences familiales susceptible de leur gâcher l'existence, ou de les rendre très sages.

— Tu as lu cette lettre ? s'enquit-il.

— Non. Elle a cru se rendre quitte en nous griffonnant quelques mots chacun. Je ne veux pas du tout lui donner l'absolution.

Des larmes gonflaient maintenant les paupières de la jeune femme. L'idée de se donner en spectacle devant un presque inconnu ne lui disait rien, mais fuir lui aurait fait plus de mal.

— Je suis en train de te faire rater tout ton après-midi de travail. La dame à l'entrée ne doit pas blaguer avec les retards.

— Elle se donne un air sévère comme ça, mais elle m'aime bien, ricana son interlocuteur.

— Comme toutes les femmes.

La remarque de Béatrice contenait une part de dépit, celui de la jeune femme un peu jalouse de la beauté de son demi-frère. Jacques leva la main pour attirer le serveur, régla l'addition alors qu'elle cherchait son sac sur la banquette, à ses côtés. Ensuite, tous les deux se dirigèrent vers la sortie. Dehors, la jeune fille commença :

— Je te remercie d'avoir accepté de me voir.

— Tu m'as surpris l'autre jour, mais ça m'a fait plaisir.

La blonde hocha la tête, tout de même un peu méfiante. Elle songeait au fait qu'il aurait pu prendre l'initiative de cette rencontre, surtout à titre d'aîné de la fratrie. Ils demeurèrent silencieux, empruntés. Aucun ne savait comment conclure. Le regard de l'homme capta son reflet dans la grande vitrine.

— Regarde là.

Ils se tinrent côte à côte un instant. Intriguée, elle leva les yeux vers lui.

— Nous nous ressemblons. Ça veut dire que je tiens plus de ma mère que je ne le pensais.

C'était vrai. Cela signifiait aussi qu'il voyait les traits communs entre elle et Eugénie. Cette pensée la troubla.

— À la prochaine.

Sa main se posa sur l'épaule de Béatrice, ses lèvres sur sa joue. Un peu maladroitement, elle chercha un petit rectangle de carton sur lequel se trouvaient inscrits son nom et son numéro de téléphone, le lui tendit.

— Tu as raison, je vais aussi te donner ma carte.

— Non… non, dit-elle un ton plus bas. J'ai pris l'initiative la première fois. Nous nous reverrons si tu le veux bien.

Puis, elle tourna les talons pour s'éloigner, laissant son demi-frère planté là, soucieuse de repasser toute la conversation dans son esprit.

Tout l'après-midi se passa en va-et-vient et en hurlements au Quartier latin. La circulation était encore perturbée, au grand déplaisir des automobilistes et des passagers des tramways. Les piétons progressaient plus vite que les premiers et les seconds.

Vers quatre heures de l'après-midi, la tension monta d'un cran. Aucun véhicule ne bougeait plus, les trottoirs et la chaussée de la rue Saint-Denis s'encombraient d'une foule de personnes, la très grande majorité de celles-ci étant âgées entre seize et vingt-cinq ans. Seules quelques femmes figuraient dans le lot. À l'intersection de la rue Sherbrooke, une trentaine de policiers à motocyclette entreprirent de repousser les manifestants vers le sud. Avec des casques, des lunettes protectrices et des vestes de cuir, ils s'avéraient très impressionnants. Plaçant leur roue avant tout contre les jambes des étudiants, ils emballaient les moteurs de leur machine.

Les jeunes gens n'offrirent aucune résistance, reculant jusqu'à la hauteur de la rue Sainte-Catherine. De toute façon, personne dans cette paroisse n'alimentait leur colère.

— Les Juifs sont dans Saint-Laurent, allons leur rendre visite, proposa quelqu'un.

Les agents avaient une certaine habitude de ces saccages. Les expéditions racistes se succédaient assez fréquemment pour justifier une forte présence policière, à pied, à cheval, en motocyclette ou en voiture. On voyait un policier tous les dix pieds dans l'artère commerciale. Les marchands craignaient certainement pour leurs vitrines, sans égard à leur religion. Les pierres pouvaient tout aussi bien être lancées vers un commerce possédé par un israélite ou sur celui d'un bon catholique.

Les étudiants franchirent quelques centaines de mètres entre deux haies de policiers. À la frontière entre l'Est et l'Ouest de la ville, les manifestants devaient être deux mille, peut-être un peu plus. De nouveau, Charles se surprit de la quantité d'étrangers établis dans Saint-Laurent. L'alphabet hébraïque décorait une vitrine sur deux, lui semblait-il. Des commerçants portant la kippa, d'autres un chapeau à large bord et une longue redingote noire, rentraient les fruits, les légumes, les chaussures et tous les autres produits laissés sur les trottoirs, pour ensuite verrouiller les portes derrière eux.

Tous, sauf une femme d'une quarantaine d'années ayant placé de vieux bouquins et des journaux sur une boîte posée sur le sol. Son étal lui avait paru pauvre au point de ne pouvoir capter l'attention de personne.

— Des livres communistes! cria quelqu'un.

Bientôt, dix mains s'emparèrent de cette littérature, cherchèrent dans des textes rédigés en allemand, en polonais, en yiddish ou en russe des noms incriminants: Karl Marx, Trotski, Lénine ou Staline.

La vendeuse voulut reprendre ses livres, lançant des cris perçants dans une langue qu'aucun de ses assaillants ne comprenait. Charles se tenait un peu à l'écart, mal à l'aise maintenant. Le combat contre les communistes et les Juifs voleurs d'emplois lui paraissait toujours légitime, du moment où il ne s'agissait pas d'une pauvre femme un peu échevelée, vêtue d'une mauvaise robe, assez désespérée pour tenter de gagner de quoi survivre en vendant de vieux bouquins.

Des cris perçants comme les siens portaient sur quelques dizaines de verges. Des têtes passèrent dans des embrasures, des hommes du quartier envahirent les trottoirs, avec ou sans kippa, avec ou sans redingote. Les bruits des vitrines défoncées couvrirent les appels stridents de la vendeuse. En même temps, des bras saisirent à bras-le-corps les censeurs de littérature étrangère, les projetèrent sur les pavés. Les coups de poing et de pied fusèrent.

Les marchands et leurs familles ne pouvaient avoir le dessus sur deux mille étudiants vigoureux. Des dizaines de jeunes hommes arrivaient du nord, certains armés de gourdins, pour prendre leur défense. L'Université McGill dépêchait de nouveau son contingent de justiciers. Si les policiers s'étaient montrés soucieux de protéger les vitrines de la rue Sainte-Catherine, ils semblaient moins empressés de réagir boulevard Saint-Laurent. Comme une échauffourée d'envergure vaudrait une mauvaise presse à la ville, ils finirent par se dégourdir.

La moitié de la force policière de Montréal était rassemblée sur les lieux. La plupart des étudiants partirent sans demander leur reste. Les plus têtus échangèrent des coups avec les policiers. Deux d'entre eux dormiraient en cellule ce soir-là.

Depuis la Haute-Ville, le trajet jusqu'à la rue Signaï se faisait en partie en tramway, en partie à pied. Marielle Saint-Onge attirait l'attention dans ces parages, avec son manteau bien coupé, orné d'un col de renard argenté. Son père réussissait bien dans la vente d'assurances, sa femme et ses filles lui servaient à le faire savoir.

Les maisons bordaient les trottoirs, aucun brin d'herbe n'y poussait. Parfois, par des fenêtres entrouvertes, elle entendait des bribes de conversation. Les rideaux paraissaient en lambeaux, des carreaux brisés étaient remplacés par des morceaux de carton ou même des chiffons coincés dans l'ouverture. Ce monde suintait la misère. Des tavernes louches recevaient les travailleurs, mais dans ce quartier, une part importante de la population survivait grâce aux travaux d'utilité publique – construction de bâtiments, réfection de route, par exemple – confiés à des chômeurs et aux secours directs.

La buanderie se situait bien là. Même si personne ne parlait anglais dans le quartier, les mots *Chinese Laundry* ornaient la vitrine. Marielle doutait pourtant que les habitants du coin possèdent les sous requis pour y donner leur lessive. Peut-être des maisons de chambres ou des hôtels miteux apportaient-ils leur patronage à ce commerce minable.

Marielle poussa la porte, provoquant un petit tintement. Une vieille dame aux yeux bridés surgit du fond de la boutique. Ses vêtements crasseux et ses cheveux sales ne faisaient pas une bien bonne réclame pour son commerce.

— Mad'moiselle ?

L'accent la rendait presque incompréhensible. Dans une pièce au fond, une conversation se déroulait dans une langue inconnue. Comme la nouvelle venue ne disait pas un mot, hésitante, la Chinoise demanda un ton plus bas :

— Madame Hamelin ?

— Oui.

D'un signe de la main, la vieille femme lui fit signe de la suivre. Elles traversèrent une pièce où s'agitaient deux minuscules ouvrières asiatiques, l'une près d'un grand bassin, l'autre à une table à repasser. Dans la cour arrière, la jeune femme découvrit une construction misérable, sans doute un hangar transformé en habitation pour des chômeurs.

Son guide tendit un doigt noueux pour la lui désigner, puis s'esquiva.

Tout incitait Marielle à prendre la fuite à toutes jambes. Le souvenir du faciès sévère de son père la convainquit de frapper contre la porte. Un «Entrez» maussade l'amena à pénétrer dans l'antre. Une mégère était au milieu d'une pièce minuscule tenant lieu à la fois de cuisine et de salle à manger. Là-dedans tout était gris : les murs, le plancher, les meubles, la robe et la peau de la vieille femme devant elle.

— Tu r'gardes mon château ? Toé, tu vis pas dans une cabane de même.

La femme appréciait du regard la richesse du vêtement de sa visiteuse.

— T'as mon petit cadeau ?

Marielle chercha dans l'une de ses poches, sortit une petite liasse de billets.

— T'as bin cinquante ?

— Oui, madame.

— Bin, assis-toé là, pis mets l'argent su la table.

Peut-être la faiseuse d'anges se culpabilisait-elle de ses prix, car elle précisa :

— Ma logeuse est bin chèrante. Y avait du monde qui vivait icitte y a pas longtemps. Y avait des coquerelles grosses comme des rats, pis des rats…

La vieille indiqua plus de deux pieds avec ses mains.

— A me charge plusse qu'à c'te famille-là.

Elle fouilla dans une armoire, sortit un pot de verre, dévissa le couvercle et le posa devant la jeune femme.

— Asteure la belle, tu vas boire ça.

Une odeur d'alcool lui vint aux narines.

— Non, je ne bois pas.

— Fais pas ta difficile. Bois ça, sinon tu vas te lamenter t'à l'heure.

Après une hésitation, la jeune femme obtempéra, une grimace de dégoût sur le visage. L'odeur lui rappelait les verres de gin de son père. La brûlure dans la gorge la fit tousser.

— T'as pas l'habitude, toé. J'ai mis un petit queque chose dedans. Tu vas te sentir un peu étourdie, mais ça s'passera mieux. Là, tu vas aller t'allonger de l'autre côté.

La cabane était divisée en deux par une cloison de planches. Marielle trouva une table étroite et longue occupant presque tout l'espace. La nouvelle venue remarqua surtout, sur une caisse ayant servi à transporter des conserves, les outils du métier de son hôtesse qui s'étalaient: trois canules, dont l'une se terminait par des griffes comme celles d'un oiseau, une poire en caoutchouc, une petite bouteille de Lysol et plusieurs torchons.

Depuis la cuisine, la faiseuse d'anges lui dit:

— Y a un clou pour accrocher ton manteau. Puis, ensuite, tu te couches sur le dos. La tête va te tourner betôt, reste pas deboutte.

En réalité, ça tournait déjà. En plus de l'alcool, un ingrédient quelconque la rendait un peu hébétée. L'instant d'après, Marielle posait la tête sur la surface de bois. Son hôtesse apparut bientôt, portant deux chaises.

— Chus pas équipée comme un docteur. Faut s'arranger avec c'que j'ai.

Bientôt, la jeune femme, les jambes écartées, avait les deux pieds posés sur les dossiers des sièges. Le souvenir de sa consultation chez Thalie Picard lui revint. L'avorteuse troussa sa robe pour commencer le travail, aperçut la culotte.

— Bin tiens, t'as pas enlevé ça?

Marielle tenta de s'asseoir, mais la tête lui tourbillonna au point où elle se laissa retomber sur le dos. La mégère retira le sous-vêtement. Fesses nues, la jeune femme ressentit la même honte que quelques semaines plus tôt, avec cet homme.

— Je r'viens.

La vieille tint parole. À son retour, ses mains luisaient d'eau savonneuse. Au premier contact des doigts sur son sexe, la visiteuse laissa échapper un «Oh!» à la fois surpris et outré. Puis, la douleur eut raison de ses états d'âme. En insérant deux doigts de chacune de ses mains, l'avorteuse écarta la paroi du vagin. Au gémissement pitoyable, elle répondit:

— On voit bin qu'ç'a pas servi beaucoup, tout ça. Bin, t'inquiète pas, si un bébé peut passer, mes mains aussi.

L'image de son corps ouvert de cette façon terrorisa Marielle. La faiseuse d'anges ajouta à sa frayeur en annonçant:

— Ça va brûler. Le r'mède de t'à l'heure, c'est pour aider.

La vieille ouvrit la bouteille de Lysol, y enfonça l'embout de la poire de caoutchouc pour faire le plein. Cette fois, ce fut avec trois doigts d'une main qu'elle ouvrit le vagin, pour chercher le col de l'utérus à l'aveuglette avec le bout du tube. Quand l'objet s'enfonça d'un ou deux centimètres, elle pressa la poire avec force.

Le cri étouffé emplit la pièce, Marielle eut l'impression qu'un feu flambait à l'intérieur de son ventre. Un produit si corrosif devait décoller tout embryon du corps de la cliente. Celle-ci se tordit de douleur. Une pensée lui traversa l'esprit: «Je suis punie par où j'ai péché.»

— Calme-toé, la p'tite. Dans queques minutes, j'vas l'décrocher, pis tu rentreras à la maison. T'habites où?

La jeune femme n'avait pas l'intention de faire la conversation, que la souffrance la coupe en deux ou non.

— Tu viens d'la Haute-Ville. J'le voué avec ton beau linge.

La robe retroussée lui donnait une perspective imprenable sur la ceinture à la taille destinée à soutenir des bas de soie et le jupon brodé de dentelle. Quand l'avorteuse disparut dans la cuisine, la visiteuse osa laisser échapper une longue plainte. La vieille revint au bout de quelques minutes, ou d'une heure, Marielle n'aurait su le dire tant la douleur annihilait toute notion du temps. La faiseuse d'anges tenait l'une de ses canules.

— On va chercher ce que t'as là, pis tu r'tourneras dans ta belle maison.

La drogue faisait toujours effet, toutefois ni la peur ni la douleur ne se trouvaient sous contrôle. Le vagin entrouvert par les doigts rugueux, Marielle sentit la canule griffée la pénétrer, puis ressentit une impression de déchirure. Un instant plus tard, l'utérus était vidé de son contenu.

— Là, c'est fini, la p'tite. Le mieux serait qu'tu restes icitte une petite heure pour te reposer.

— Non, non, je m'en vais.

Si elle arriva à se redresser à demi, sa chute fut immédiate, sa tête donnant lourdement contre le bois de la table. La souffrance l'empêcha de s'endormir. Il s'écoula peut-être une heure avant que ses forces ne lui permettent de s'asseoir. Sa culotte était restée accrochée à la hauteur de son genou. Ce ne fut qu'en tentant de la remonter qu'elle constata la présence du torchon entre ses cuisses, collé à son vagin. Il était tout poisseux. Ayant entendu du bruit, l'avorteuse revint.

— Je saigne.

— Bin sûr, tu saignes. C'est pour ça qu't'es v'nue, pour recommencer à saigner. Donne-moé-lé.

Le torchon sanguinolent changea de main, Alice Hamelin lui en remit un autre.

— T'as pas pensé à mettre une ceinture ?

Celle-ci lui aurait permis de faire tenir une serviette hygiénique entre ses cuisses.

— Non, je ne pensais pas…

— Alors, tu t'mets ça dans l'fond d'culotte. Ça devrait aller.

La pièce de tissu représentait un bon volume, la coincer contre son sexe ne serait pas si difficile. Marielle imagina combien elle mourrait de honte si elle la laissait tomber par terre en marchant. Lorsqu'elle se redressa sur ses pieds, la tête lui tourna. La sensation de brûlure causée par le Lysol demeurait vive, à la limite du supportable. Seules la honte, la crainte et la conviction de recevoir la juste punition de sa faute l'empêchaient de geindre sans cesse.

Pour rejoindre la cuisine, chacun de ses pas lui coûta un énorme effort. Au passage, elle décrocha son manteau du mur mais n'arriva pas à l'enfiler toute seule, la mégère dut l'aider.

— Tu vas boire un autre p'tit verre, ça te remontera un peu.

Inutile de protester, même si son haleine risquait d'en porter l'odeur. Passer pour saoule paraissait moins grave à la jeune fille que la vérité sur son état. Le gin lui brûla une nouvelle fois la gorge.

— Inutile de repasser dans la buanderie, tu pourrais croiser des clients. J'vas te montrer un aut' chemin.

Dehors, l'air frais d'octobre agit comme un coup de fouet sur la jeune femme. Alice Hamelin la guida dans une succession de cours envahies de détritus pour la conduire dans la rue Signaï un peu plus loin.

— Là, dit l'avorteuse, si ça continue de saigner, t'iras voir un docteur.

— Je ne pourrai pas…

— Si les salauds refusent de faire passer les bébés, sauf dans le cas des grands bourgeois, y soignent les dégâts, pis y ferment leur gueule si tu dis qu't'as plus que vingt et un ans. J'te laisse icitte.

La mégère lui tourna le dos pour se mettre en route vers le nord. Le « Merci madame » de la jeune femme s'éteignit sur ses lèvres. Un moment, elle posa sa main contre un mur pour attendre la fin d'un éclair de douleur dans son bas-ventre, puis elle marcha en direction du boulevard Charest. Au coin de Dorchester, elle s'appuya contre un poteau de la Quebec Power pour attendre le prochain tramway.

Pendant tout l'après-midi, des cris, des chants nationalistes parmi lesquels *Ô Canada* dominait, mais surtout des coups de klaxon et la cloche des tramways retentirent dans le Quartier latin. Béatrice n'avait pas de cours ce vendredi-là, aussi une fois de retour du restaurant, elle entendit les échos des manifestations par la fenêtre laissée entrouverte.

Vers cinq heures, elle quitta la maison de chambres pour se diriger vers l'Ouest de la ville en tramway. Elle changea de voiture pour monter vers le nord dans l'avenue du Parc. La ville d'Outremont lui était inconnue, mais un *street finder* acheté à la gare lui permettait de se débrouiller. Plus le moment de ce rendez-vous approchait, plus elle regrettait d'avoir accepté. D'un autre côté, sa petite vie solitaire commençait à lui peser.

Dans la rue Bernard, la vitrine d'une petite librairie attira son attention. Le journal *La Patrie* annonçait, en caractère de deux pouces sur toute la largeur de la page, qu'une émeute se tiendrait à l'aréna le soir même.

— Charles se trouvera là, glissa-t-elle entre ses dents.

Les organisateurs de la manifestation profitaient de la meilleure publicité possible sans que ça leur coûte un sou.

L'avenue Querbes ne se situait pas très loin, à quelques centaines de verges tout au plus. Une fois à destination, elle gravit les marches rapidement, cogna le heurtoir sur la porte de chêne. Ses yeux s'arrêtèrent sur le petit cylindre cloué dans le linteau, un rappel de la religion des habitants de la maison.

— Madame, je suis Béatrice Dupire, dit-elle à la personne qui ouvrit.

La dame lui adressa un large sourire, prononça dans un français lourdement accentué, mais plutôt charmant :

— Oui, je sais. Nous vous attendions.

Grande et élégante, elle portait des vêtements bien coupés. Dès son entrée, la visiteuse constata que ces gens vivaient dans l'aisance. Outremont représentait une version plus cossue de la Haute-Ville. Sarah la rejoignit bien vite, lui prit la main en disant :

— Te voilà enfin. Je me demandais si tu aurais du mal à venir à cause de toutes ces manifestations.

— … Tu parles un excellent français ? À McGill, sauf quand tu m'as invitée à venir ici, tu ne le fais jamais.

— Nous sommes toutes deux là pour apprendre l'anglais, non ?

Dans son milieu, la jeune femme souriait plus volontiers ; elle montrait davantage d'assurance.

— Pourquoi as-tu appris ?

— Ça nous permet de nous débrouiller en dehors de chez nous.

Ce « nous » désignait bien sûr les Juifs. Le ton badin ne parvenait pas à dissimuler une inquiétude bien réelle, construite sur des siècles d'errance.

— Mais je risque de me faire disputer pour mon manque de savoir-vivre. Maman, je te présente Béatrice. Nous suivons quelques cours ensemble.

— Je suis très heureuse de faire votre connaissance, fit la maîtresse de maison en tendant la main. Bienvenue chez nous, mademoiselle Dupire.

— Merci, madame.

En acceptant la main tendue, Béatrice esquissa une révérence maladroite.

— Je vous laisse entre les mains de ma fille, dit madame Bernstein.

En se tournant à demi, elle ajouta :

— Sarah, tu devrais la présenter à ton père, ne crois-tu pas ?

Prenant son amie par le bras, la brune l'entraîna vers une autre pièce, un bureau dont deux murs s'ornaient de rayonnages chargés de livres.

— Papa, je peux vous interrompre ?

L'homme releva la tête de ses papiers.

— Oui, bien sûr.

— Voici Béatrice, la camarade dont je vous ai parlé.

— Monsieur Bernstein, murmura celle-ci, je suis enchantée de faire votre connaissance.

— Bienvenue dans cette maison, mademoiselle.

La visiteuse eut l'impression de présenter une main molle et moite. Son hôte, assez grand, montrait un crâne chauve. Il lui restait tout juste une couronne de cheveux gris.

— Je vous remercie, monsieur.

— Il semble que vous ayez produit un certain effet sur les étudiants les plus… progressistes de l'Université McGill.

— Je n'ai fait que poser une simple question.

— Assez embêtante pour ridiculiser ces envoyés républicains, semble-t-il.

Son sourire indiquait combien il aurait aimé être témoin de la scène. Puis, son regard alla vers son bureau.

— Noüs nous reverrons à table, papa, dit Sarah en prenant le bras de son invitée.

— À tout à l'heure.

Les deux jeunes femmes grimpèrent l'escalier. À l'étage, elles se rendirent dans une chambre dotée de deux lits. Une gamine de douze ou treize ans s'y tenait déjà, allongée sur le ventre, le nez plongé dans une bande dessinée. Béatrice fut présentée à Becca.

— Veux-tu écouter de la musique ? proposa-t-elle d'un ton enjoué, en cherchant un disque sur le sol. C'est du Benny Goodman.

— Voyons, Becca, notre invitée ne veut pas nécessairement écouter du swing.

— Tout le monde veut écouter du swing. Tout le monde aime ça en Amérique.

Sarah adressa un sourire voulant dire « Les petites filles sont comme ça » à son amie. Les notes aigrelettes montèrent dans la pièce.

— C'est *Don't Be That Way*, précisa la gamine en esquissant un pas de danse.

Après un moment d'hésitation, elle prit la taille de sa sœur. Celle-ci ne résista pas très longtemps.

— Ce musicien vient de la même ville que papa. De Varsovie, expliqua Becca. Puis, il est juif aussi.

Cela semblait lui inspirer une réelle fierté. Elle en donna la preuve en disant :

— Beaucoup d'artistes sont juifs, aux États-Unis. À Hollywood, c'est plein.

Ce genre de musique meublait rarement les soirées dans la maison de la rue Scott. Pourtant, les pieds de Béatrice bougeaient en suivant le rythme. L'adolescente vint la prendre par la taille à son tour, l'entraîna dans l'espace étroit entre les lits.

— Becca, laisse notre invitée tranquille, dit Sarah en riant toutefois.

La remontrance ne troubla guère la jeune fille, d'autant que visiblement l'invitée, quoique surprise, prenait plaisir à l'exercice. La chaleur humaine et la joie de vivre qui émanaient de cette maison lui faisaient le plus grand bien.

Lorsqu'elle monta dans le tramway, la moiteur due à la présence de tous les corps fit tourner la tête de Marielle Saint-Onge. Elle se retrouva tout au fond, pendue d'une main à une courroie de cuir accrochée au plafond. Une curieuse impression de chaleur envahit sa cuisse. « Du sang », songea-t-elle. À la place d'Youville, la plupart des passagers descendirent afin de monter dans d'autres voitures, ou alors de faire le reste du trajet à pied. Cela permit à la jeune femme de s'asseoir sur la dernière banquette.

Elle se pencha un peu pour toucher sa jambe sous sa robe, à la hauteur du genou. Le bout de ses doigts revint englué. Dans la lumière plutôt faible issue de l'éclairage des rues, le liquide lui parut tout à fait noir.

— Je vais tacher ma robe !

Le murmure amena une passagère à se tourner à demi pour la regarder. La honte fit baisser la tête à Marielle. Sur le boulevard Saint-Cyrille, l'intersection de la rue Claire-Fontaine lui donna envie de descendre pour marcher jusqu'au bureau du docteur Caron. Thalie Picard serait peut-être de service. L'idée d'avouer ce qu'elle venait de faire cloua la jeune femme sur la banquette. Puis, une telle lassitude l'envahissait. Même quand le tramway s'arrêta à l'endroit où elle devait descendre pour regagner la maison paternelle, elle n'eut pas l'énergie de se lever. «Je vais me rendre jusqu'au terminus de la ligne, quitte à payer un nouveau passage, pour me reposer un peu.»

Au moins la douleur dans son ventre perdait beaucoup de son intensité. Quelques minutes plus tard, elle se sentait mieux. Les quelques centaines de verges qu'elle aurait à faire à pied lui faisaient moins peur. La sensation de chaleur sous ses fesses lui semblait un peu étrange, mais le feu s'estompait bel et bien, à son grand soulagement.

À quelques reprises, le conducteur du tramway se tourna à demi pour regarder la passagère à l'arrière. Peut-être se dirigeait-elle à Sillery, pensa-t-il. Pourtant, d'habitude, elle ne dépassait pas le couvent Notre-Dame-de-Bellevue. Sur cette ligne, tous les visages lui étaient familiers.

À l'arrêt de Sillery Junction, comme la jeune femme ne bougeait pas alors que la voiture se vidait complètement, le chauffeur lança :

— Mam'zelle, si vous voulez continuer vers l'ouest, faut changer d'wagon icitte. Sinon, vous allez r'tourner d'où vous venez.

La passagère resta penchée vers l'avant, sans répondre.

— Mam'zelle?

L'homme se leva pour s'approcher d'elle, posa une main sur son épaule pour la secouer un peu, sans susciter la moindre réaction. La jeune femme s'affaissa plutôt vers la fenêtre. Inquiet, il sortit pour aller téléphoner dans la petite gare.

# Chapitre 14

Charles se retrouvait de nouveau dans une assemblée politique, cette fois au marché Saint-Jacques. Une foule de jeunes gens se tenait au coin des rues Ontario et Amherst. À sept heures, tout le monde entra dans le grand édifice Art déco. Les conférenciers habituels devaient se succéder sur la scène, tous des représentants du mouvement nationaliste. Comme toujours, les sujets à l'ordre du jour se confondaient. Ce qui devait être une soirée destinée à combattre le communisme se métamorphosa en une protestation contre l'impérialisme britannique.

L'un des conférenciers, Pierre Desrosiers, déclara:

— Si l'Angleterre n'aime pas l'empire tel que nous le comprenons, qu'on s'en sépare. Nous nous arrangerons sans elle. Nous fonderons une république.

Les hurlements enthousiastes semblèrent soulever le toit de l'édifice. L'étudiant des Hautes études commerciales criait comme les autres, la voix un peu éteinte à cause de tous ses coups de gueule depuis le matin. Ses deux plus fidèles compagnons se tenaient près de lui. Tremblay s'imaginait devenir un jour un brillant avocat d'affaires. Sauvé rêvait de vendre des assurances au pays tout entier. Le trio supputait les chances que leurs grandes ambitions se concrétisent dans un Québec souverain.

Quelqu'un monta sur la scène, leva un bras pour réduire le vacarme.

— Nous avons eu des nouvelles de ce qui se passe à l'aréna Mont-Royal. Aucune assemblée n'a eu lieu. Les Espagnols se sont sauvés la queue entre les jambes, personne ne les a vus là-bas. Ils doivent déjà être arrivés aux États-Unis.

De nouveaux cris enthousiastes s'élevèrent, on fit un nouvel effort pour ramener tous ces jeunes au silence.

— Il y avait au moins deux cents policiers pour nous disperser... et pourtant, nous sommes tous ici !

Les rires remplacèrent les protestations. Cet intervenant paraissait décidé à transmettre les informations de la journée.

— Le plus ridicule, c'est que la république espagnole n'existera plus demain : tous les journaux du soir annoncent que trois armées se jettent à la gorge de Madrid. Les brigades internationales ne serviront à rien, les nationalistes chasseront tous ces communistes.

Si l'information s'avérait véridique, la prévision mettrait encore trois ans à se réaliser. Sans aucune transition, un nouvel orateur vint se planter devant le micro, traça un portrait apocalyptique des conditions imposées aux soldats lors de la Première Guerre.

— Les Canadiens français ne sont pas des lâches, conclut-il. Mais nous ne voulons pas verser notre sang inutilement, ni pour des pays qui nous sont étrangers.

De nouveau, on mélangeait les sujets, sans que les manifestants s'en préoccupent.

— Moi, en tout cas, commenta Ghislain Tremblay, s'il y a une autre guerre, ils ne m'attraperont jamais. Je me sauverai dans les bois.

— La dernière fois, ça n'a pas si bien fonctionné pour les fuyards, commenta Charles. Le mieux serait de t'échapper aux États-Unis, et même plus loin. Tiens, pourquoi pas au Mexique ?

Son ami lui adressa une grimace, comme si l'idée d'un exil semblable lui paraissait pire que quelques années dans les bois.

— Remarque, tu pourrais aussi te marier et faire un bébé au plus vite, juste pour te protéger bien comme il faut. J'ai un oncle qui a fait ça en 1917.

La référence à Édouard tira un sourire au garçon. Si juste la moitié des histoires sur son compte était vraie, le bonhomme avait eu une existence plutôt enviable. Déjà, le conférencier en était à un tout autre sujet :

— Moi, je n'achète jamais chez les Juifs. Les encourager, c'est trahir notre nationalité. Acheter chez nous, favoriser les nôtres, c'est notre devoir, notre sauvegarde. Jurez de ne jamais aller vous fournir chez les israélites.

Certains le firent à haute voix, tous donnèrent leur assentiment par des cris. Au terme de tous ces discours, quand tout le monde sortait dans la rue Ontario, quelqu'un lança :

— Les communistes, on les trouve du côté du temple du travail, dans la rue Saint-Dominique.

Il s'agissait d'un bureau de placement, en quelque sorte, tenu par des militants. De nouveau, l'armée bruyante encombra la chaussée, interrompant la circulation, attirant les riverains des deux côtés de la rue à leurs fenêtres. Si certains montraient des mines inquiètes devant tous ces désordres, d'autres criaient plutôt leur appui.

Formant une colonne désordonnée, les manifestants se dirigèrent vers la rue De La Gauchetière.

Finalement, trop de policiers protégeaient le temple du travail, puis les travailleurs manuels s'y trouvant représentaient des adversaires redoutables. Les cris de «Mort aux communistes» s'estompèrent pour être remplacés par «À bas les Juifs». Cela valant une invitation formelle, la troupe se rendit jusqu'à la rue De Bleury, où la boutique d'un tailleur au nom un peu trop exotique attira sa part de cailloux. Un libraire connut le même sort pour la même raison. À des journalistes, ce dernier avoua par la suite posséder de la littérature communiste.

Les forces de police dispersèrent de nouveau ceux qui troublaient l'ordre. Ces efforts s'avéraient inutiles : quand les agents se pointaient quelque part, les étudiants s'égaillaient pour se regrouper à un autre lieu de rendez-vous. Cette fois, ils revinrent dans la rue Saint-Denis pour reformer les rangs, puis se diriger vers le nord.

Béatrice comprit au cours du repas que Becca était un diminutif de Rébecca. Un autre enfant, un grand garçon celui-là, habitait aussi la maison. À vingt-cinq ans, Samuel consacrait son temps au droit. Assis en face de l'invitée, il lui adressa deux ou trois sourires un peu amusés. Évidemment, la chaleur montait sur les joues de la jeune femme, ce qui le réjouissait encore plus.

Sa timidité empêchait Béatrice de croire que son attention tenait à ses cheveux blonds et à ses yeux clairs. Plutôt que de s'estimer séduisante, elle se jugeait ridicule. Sa gêne monta d'un cran quand le jeune homme remarqua :

— Mademoiselle Dupire, j'ai appris que vous avez semé un certain émoi à l'Université McGill.

Des yeux, Béatrice adressa des reproches à Sarah. Samuel expliqua en riant :

— Non, non, ma sœur n'est pas coupable. Des amis m'ont raconté la scène.

Cette fois, l'invitée passa à l'écarlate. L'accueil de cette famille s'avérait sympathique, pourtant son malaise devenait intolérable. À chacune de ses rencontres avec lui, Charles l'entretenait de ses sentiments antisémites. À l'Université McGill, tous les protestants tenaient des discours identiques, malgré les réclamations de tolérance. Elle s'en voulait d'avoir accepté cette invitation. Devant son silence, Samuel insista, d'une voix chargée de sympathie :

— Vous avez du cran tout de même, pour donner ainsi votre point de vue dans une telle assemblée. Vous ne croyez pas que le gouvernement du Front populaire soit le seul légitime ? Il a été élu.

Toute sa vie, la blonde avait préféré se taire plutôt que de risquer le ridicule. Dans cette situation, c'était le silence qui lui paraissait le plus risible. Ce sentiment n'augmentait pas son assurance pour autant. Elle se risqua :

— Je ne connais pas les événements avec exactitude, les journaux me paraissent contradictoires. Toutefois, les excès décrits dans la presse ne peuvent pas tous être des inventions. Depuis juillet, les histoires d'horreur se succèdent.

— Les journaux anglais parlent plutôt des exactions des nationalistes.

Elle secoua la tête, comme pour chasser cet argument.

— Ce que tente Franco, insista-t-il, c'est un coup d'État contre un gouvernement élu.

Cette fois, la voix du jeune homme s'était faite plus abrasive, au point où sa mère murmura un « Samuel » pour rappeler les règles de l'hospitalité.

— Vous croyez que l'on doit toujours maintenir les gouvernements élus, et renverser tous les autres ? questionna la blonde.

Le jeune homme ne prononça pas un mot. Les joues brûlantes, Béatrice se força à le regarder dans les yeux en continuant. Elle en avait visiblement lourd sur le cœur, mais son ton se montrait toujours contrôlé.

— Je pourrais prétendre ne pas être assez bien informée pour porter un jugement éclairé. Un aveu d'ignorance féminin, accompagné d'un beau sourire, attire toujours la sympathie. Avec les Jeux olympiques de Berlin, la presse multipliait les informations sur l'Allemagne, l'été dernier. L'élection d'Adolf Hitler ne justifie en rien tout ce qui s'est passé là-bas depuis 1932. Sur l'Espagne, je n'ai pas les informations me permettant de bien évaluer la situation. Ces jeunes gens réunis dans cet amphithéâtre, à l'université, n'en possédaient pas plus. Pourtant, ils paraissaient convaincus. Comme moi, ils auraient dû s'interroger, ne pas boire les paroles des premiers venus.

Il s'agissait d'un long discours, pour une jeune femme si intimidée. Le père Bernstein laissa échapper un rire amusé, le fils chercha un moment une répartie, et n'en trouvant pas, il s'intéressa finalement à son assiette.

Le téléphone sonna dans une pièce voisine. Samuel profita de l'occasion pour se donner une contenance.

— Je vais voir qui c'est, dit-il en s'essuyant la bouche. Excusez-moi.

— Mademoiselle Dupire, commenta le maître de la maison quand son fils se fut retiré, je vois très bien pourquoi vous avez créé une petite commotion. Voulez-vous faire de la politique votre sujet d'étude ?

Ne percevant aucune ironie dans sa voix, la jeune femme se sentit rassérénée. Cet homme paraissait d'emblée la croire suffisamment compétente pour donner son opinion.

— Je pensais plutôt à la psychologie.

— Pourquoi faire des études en anglais ?

— Les universités catholiques ne sont pas très accueillantes à l'égard des femmes, même si les choses ont progressé un peu au cours des vingt dernières années.

Le souvenir de Thalie Picard lui revint en mémoire. Quelquefois, elle avait eu l'occasion d'entendre ses récriminations sur la place faite aux professionnelles dans la province. Son interlocuteur hocha la tête pour signifier sa compréhension. À cet instant, Samuel revint dans la pièce pour dire :

— Je suis désolé, mais je dois sortir.

— Voyons, tu vas terminer le repas avec nous, intervint sa mère sur un ton de reproche.

— Cet après-midi, des nationalistes s'en sont pris à des marchands du boulevard Saint-Laurent, et aussi de Bleury. Je dois rejoindre mes amis pour aller les protéger.

Le jeune homme faisait partie de ces secours venus de l'Université McGill pour affronter ceux de l'Université de Montréal. L'acquisition récente de son diplôme ne l'empêchait pas de se joindre aux étudiants. Ses parents hochèrent la tête ensemble. Avant de quitter les lieux, le jeune avocat prit tout de même le temps d'ajouter :

— Mademoiselle Dupire, j'ai été heureux de vous rencontrer. J'espère que nous aurons l'occasion de poursuivre cette conversation.

Elle demeura interdite un moment, puis réussit à articuler :

— Je l'espère aussi, monsieur Bernstein.

Un sentiment de honte la submergeait, au point de lui enlever une partie de ses faibles moyens. Bien sûr, les marchands étaient des Juifs, et les agresseurs, des Canadiens français. Alors que ces gens lui faisaient le meilleur accueil, Charles lançait des pierres et hurlait des insultes à leurs coreligionnaires.

Le père prit sur lui de revenir au sujet de conversation précédent :

— Vous savez, si les Juifs se montrent si enclins à soutenir le gouvernement du Front populaire, c'est que Franco dispose de l'appui de l'Allemagne et de l'Italie. Comme l'Union soviétique soutient les républicains, les bolcheviques deviennent nos alliés. Comme disent les Anglais, cela donne d'étranges compagnons de lit.

Béatrice appréciait le respect que le père de famille lui témoignait en l'entretenant de ces sujets.

La salle de la cour du *recorder* pouvait recevoir quelques dizaines de spectateurs. Cela s'avérait nettement insuffisant devant l'affluence. Aussi, des hommes se pressaient contre les murs, dans les espaces entre les rangées, et même dans le couloir.

Dans un coin, Mathieu surveillait la scène. Le caporal Turcotte gonflait sa poitrine, au risque de faire éclater sa chemise noire. Au moins, on ne voyait aucune trace de son casque d'acier. Une vingtaine de personnes portaient le même accoutrement. Les autres se contentaient de leur habit de ville. Toutefois, le marchand reconnaissait de nombreux anciens soldats dans le lot.

— Nous devons toute notre admiration aux braves de la Grande Guerre qui reprennent du service aujourd'hui afin de combattre la menace communiste qui pèse sur nous.

Le professeur Wilfrid Grenier enseignait le droit à l'Université Laval, le marchand se souvenait bien de lui. Un lorgnon en équilibre sur la racine du nez, il lisait ses notes d'une voix monotone, comme autrefois dans une classe.

— J'entendais tout à l'heure à la radio que les jeunes avaient réussi à empêcher la tenue de l'assemblée convoquée à Montréal par les représentants du Front populaire. Nous pouvons être fiers de nos enfants.

Bien peu des gens présents dans cette salle payaient des études supérieures à leurs fils. Le bonhomme parlait des enfants de la nation, cette génération qui montrait plus de courage que la précédente.

— Les nouvelles européennes nous le confirment tous les jours : les bolcheviques ont décidé de détruire complètement l'Église espagnole. Des évêques sont massacrés, des prêtres aussi. Mieux vaut passer sous silence le sort de ces saintes religieuses...

Un murmure d'horreur parcourut l'assemblée. Ces récits remplissaient les pages de *L'Action catholique* et personne ne les ignorait.

— Des Canadiens français sont invités à aller se battre aux côtés des républicains par les syndicats internationaux.

Il évoquait les organisations affiliées au Congrès des métiers et du travail du Canada, présentes dans de nombreuses régions du Québec.

— Bien sûr, nos syndicats catholiques résistent à ces influences, mais l'Association anticommuniste des vétérans nous rendra de fiers services. Nos adversaires recourent facilement à la violence. Ces hommes courageux défendront les intérêts de notre sainte mère l'Église et de notre nationalité.

Assis au premier rang, le caporal Turcotte affichait tout son orgueil. Peut-être s'imaginait-il appelé à remplir les plus hautes fonctions. Après tout, tellement de jeunes gens exprimaient déjà leur déception à l'égard de Maurice Duplessis.

Un autre professeur succéda au premier, répéta les mêmes choses à peu près dans les mêmes mots. Le maire Ernest Grégoire se trouvait dans la salle, de même que quelques échevins. Certains de ces notables se sentaient-ils des affinités avec les politiciens vêtus de chemise noire ? Mathieu les soupçonnait d'être là par opportunisme. Alors qu'il s'inquiétait de perdre des clients, eux s'inquiétaient sans doute de perdre des électeurs.

Les manifestants ne s'étaient pas rendus bien loin vers le nord, des policiers à cheval ou à motocyclette les attendaient au coin de la rue Sherbrooke.

— Circulez, les jeunes, circulez ! criait un capitaine dans un grand porte-voix.

La plupart de ces militants habitant tout près, plusieurs décidèrent de rentrer. À dix heures du soir, tous avaient la conviction que les délégués espagnols retourneraient chez eux bredouilles. D'autres s'entêtaient pourtant, reprenant le refrain habituel :

— À bas le communisme ! Mort aux Juifs.

Charles et ses camarades Ghislain Tremblay et Bernard Sauvé comptaient parmi les plus déterminés. Une fois la foule réduite à deux ou trois cents individus, les agents avancèrent. Les cavaliers se montrant menaçants, personne ne leur résistait. Les policiers à pied, malgré les longues matraques tenues à deux mains devant eux, suscitaient moins de crainte.

— Vous défendez les communistes, maintenant ? lançaient des manifestants.

— C'est Moscou qui vous paie ? renchérissaient les autres.

Si les policiers n'impressionnaient pas trop ces étudiants, des renforts venus de l'ouest constituaient une menace plus immédiate. Même à cette heure tardive, grâce au téléphone, plusieurs dizaines d'étudiants avançaient en rangs serrés, soutenus par des professionnels et des ouvriers dans la jeune vingtaine. Plusieurs portaient la kippa. Les premiers en vinrent rapidement aux coups avec les Canadiens français. Le choc les amena à reculer un peu, repoussant certains de leurs camarades contre les policiers.

— Circulez, circulez, crièrent ceux-ci, cette fois d'une voix moins magnanime.

Dès que les choses se transformaient en bataille rangée, les agents se chargeaient de vider les rues. Les premiers «plocs» sourds des matraques contre les crânes résonnèrent. Dans la pagaille, Charles fut séparé de ses compères Tremblay et Sauvé. Il sut éviter un coup à la tête, la pièce de bois porta contre son épaule.

— Arrête avec ton bâton! cria-t-il.

Il envoya le constable sur le dos.

— Aye toé, dit l'un de ses collègues.

Un coup atterrit sur la nuque de l'étudiant, et plusieurs autres ailleurs sur le reste de son corps. Le dernier, sur le côté de la tête, le sonna au point de le faire tomber sur les genoux. Des mains l'empoignèrent brutalement. Un petit fourgon noir attendait un peu à l'est, on l'y jeta sans ménagement, ainsi que trois de ses camarades.

Un peu après dix heures, Béatrice s'était levée en disant:

— Je vous remercie, madame Bernstein. Je dois maintenant rentrer.

Depuis la fin du repas, tous étaient réunis au salon. Rébecca avait obtenu la permission de chercher un poste américain à la radio, à condition de garder le volume très bas. Le swing servit de fond sonore à la conversation. Un verre d'une liqueur inconnue à la main, la jeune invitée avait livré de nombreuses informations sur sa vie et sur sa famille, plus qu'elle ne l'aurait voulu.

— Tu vas prendre le tramway ? demanda Sarah en se levant aussi.

— À cette heure, je préfère le taxi. J'en trouverai un rue Bernard.

— Non, mademoiselle Dupire, dit la maîtresse des lieux, mon mari va vous reconduire.

Si l'homme entendait demeurer bien au chaud, il serait déçu : maintenant, impossible pour lui de se dérober.

— Ce n'est pas la peine, je vous assure.

— Mademoiselle, ce n'est rien, quelques minutes tout au plus. Une belle occasion pour moi de prendre un peu l'air.

Qu'est-ce qui serait le plus indélicat ? Accepter ou répéter son intention de rentrer seule ? Finalement, elle céda :

— Je vous remercie, monsieur.

Dans l'entrée, Béatrice endossa sa veste sous les yeux de toute la maisonnée. Elle répéta à la maîtresse de maison :

— Merci encore de votre gentillesse, madame Bernstein.

— Ça nous a fait plaisir, croyez-moi. Vous serez la bienvenue chaque fois que vous voudrez vous joindre à nous.

Les paroles s'accompagnèrent de bises sur les joues. Les souhaits de bonne nuit vinrent ensuite. Les deux filles de la maison l'embrassèrent aussi. « Comme dans les films français », songea la blonde. Puis, l'instant d'après, elle fut dehors. Ce soir d'octobre se révélait frais et sombre. La voiture était stationnée près du trottoir. Monsieur Bernstein lui ouvrit la portière, puis s'installa derrière le volant.

Le trajet se fit à peu près en silence, la conversation se limitant aux commentaires sur la circulation et la température automnale. L'homme descendit jusqu'à la rue Sherbrooke. Quand ils arrivèrent à l'intersection de la rue Saint-Denis, de nombreux étudiants traînaient encore sur les trottoirs ainsi que de nombreux policiers.

— Le calme semble revenu dans la ville, remarqua le père de son amie. Il n'y avait personne dans Saint-Laurent, ceux-là seront au lit bientôt.

— Mon frère doit encore se trouver parmi eux.

Après s'être arrêté devant la maison de chambres, Bernstein se tourna vers elle :

— Que voulez-vous dire ?

— Mon jeune frère participe à toutes les manifestations. Vraiment toutes.

Béatrice voulait dire que cela comprenait même celles destinées à chasser les Juifs déjà établis au pays et à empêcher les autres d'entrer. Elle s'attendait à ce que son chauffeur lui fasse grise mine. Pourtant, il lui semblait nécessaire d'être franche avec quelqu'un lui ayant fait bon accueil dans sa demeure. Agir autrement serait hypocrite.

— Ça vous inquiète ? demanda-t-il.

— Surtout, je trouve ça inutile, parfois cruel. Ils se mobilisent contre des menaces qui n'existent pas, tout en oubliant les causes réelles de la misère ambiante : la crise économique, la menace de guerre en Europe.

Bernstein hocha la tête, conscient des préoccupations de la jeune fille, puis murmura :

— Vous, pendant ce temps, étiez chez nous. La porte restera ouverte pour vous.

— Je vous remercie, monsieur.

L'homme descendit pour venir lui ouvrir la portière. Après l'échange des souhaits de bonne nuit et une poignée de main, Béatrice demeura sur le trottoir jusqu'à ce que son hôte retourne dans son véhicule. Il démarra quand elle monta les quelques marches. À ce moment, une silhouette émergea de l'ombre pour lui demander :

— Mademoiselle Dupire ?

Elle s'arrêta sur le perron, tout de même un peu effrayée.

— Oui, c'est moi.

— Ghislain Tremblay. Je suis un ami de votre frère.

Cette fois très inquiète, elle descendit les marches pour le rejoindre sur le trottoir.

— Il lui est arrivé quelque chose ?

— Tout à l'heure, la police l'a arrêté, avec quelques autres.

— Où se trouve-t-il, maintenant ?

— Au poste de police.

Elle porta sa main gantée à sa bouche, étouffant un petit cri. Ses pires craintes se concrétisaient. Toute cette agitation ne pouvait que conduire à cette extrémité.

— Vous pouvez m'y accompagner ?

Sa main se posait sur l'avant-bras de l'étudiant en droit, comme pour l'encourager à accepter.

— À cette heure-ci, ça ne donnerait rien. Demain matin, nous pourrons y aller.

Après quelques mots sur les événements de la soirée, ils se séparèrent.

La maison des Dupire était silencieuse, ou presque. Dans le salon, la radio distillait sa musique à un très bas volume. Fernand parcourait un livre, assis sur le canapé, alors qu'Élise s'absorbait dans *La Revue moderne*. Tous les deux avaient déjà évoqué le moment de monter à l'étage, mais le notaire souhaitait attendre le bulletin de nouvelles.

La musique s'arrêta un peu avant dix heures trente. Après deux ou trois messages publicitaires, la voix du lecteur commença :

— Depuis ce matin, l'agitation règne dans les rues de Montréal. Finalement, les autorités municipales ont interdit la tenue de la séance d'information à l'aréna Mont-Royal. Les membres des associations nationalistes sont demeurées vigilants toute la journée. Des manifestations ont interrompu la circulation dans les principales rues commerciales de la ville.

— Je ne doute pas que Charles s'est bien amusé, bougonna Fernand.

— Ne t'en fais pas trop. Tous les jeunes se mêlent à ces mouvements. Tu devrais plutôt t'inquiéter s'il restait sagement dans sa chambre. Même Antoine n'est pas resté à la maison ce soir.

Le notaire demeura silencieux un instant pour entendre la suite.

— Des commerces israélites ont été victimes de vandalisme dans les rues… continuait le lecteur de nouvelles.

Fernand enchaîna :

— Dans son cas, je soupçonne une partie de cartes au Cercle universitaire, ou même les beaux yeux d'une voisine.

L'aîné continuait pourtant d'assister à toutes les réunions politiques organisées dans la ville, mais celles-ci concernaient la contestation grandissante contre Maurice Duplessis. La sonnerie du téléphone les fit sursauter tous les deux. À cette heure, ce ne pouvait pas être une bonne nouvelle. Le notaire se leva pour aller répondre dans son bureau, Élise s'appuya au cadre de la porte pour tout entendre.

— Papa! s'exclama Béatrice d'une voix inquiète dès le « Allô ». Ils ont arrêté Charles.

La jeune fille se tenait dans l'entrée de sa maison de chambres. Malgré son intention de parler à voix basse par discrétion, l'excitation la rendait un peu criarde.

— Arrêté ? Dis-moi ce qui s'est passé.

— Je ne le sais pas trop. Quand je suis rentrée tout à l'heure, l'un de ses amis m'attendait. Il ne m'a pas vraiment expliqué les circonstances.

— Où l'a-t-on arrêté ?

— Une manifestation s'est tenue à une centaine de verges de la maison.

La conversation se poursuivit un moment, surtout pour permettre à Béatrice de se calmer un peu. Quand il raccrocha, Élise demanda :

— Arrêté ?

— Lors d'une manifestation dans la rue Sherbrooke. Tu ferais mieux de monter te coucher sans moi. Je vais donner quelques coups de fil.

— À qui, à cette heure tardive ?

— D'abord au poste de police de Montréal. J'enchaînerai sans doute avec des appels à des avocats. Je verrai bien si ma bonne réputation me permettra de tirer quelques ficelles.

— Je vais retourner au salon. Nous monterons ensemble tout à l'heure pour que tu me racontes.

Le notaire alla s'asseoir derrière son bureau, espérant que les notables ne lui tiendraient pas trop rigueur de se faire déranger à une heure aussi tardive.

Quand le train s'arrêta à la gare Viger, Fernand devait être le plus bougon de tous les passagers à descendre sur le quai. Pourtant, son visage s'éclaira d'un sourire quand il aperçut sa fille. Son imperméable serré à la taille et ses cheveux blonds répandus sur ses épaules lui donnaient une fière allure. Il la serra contre lui, murmura dans son oreille :

— Tu es magnifique. Je suis content que tu tiennes un peu de ta mère.

— Pourtant, je me réjouis de te ressembler.

— Tout de même, mieux vaut ne pas te donner en héritage mon gros ventre et ma calvitie, non ?

La question de l'embonpoint avait tellement hanté la jeune femme, elle commençait tout juste à se réconcilier avec sa silhouette.

— Puis, si je t'avais donné un peu moins de ma timidité, ce ne serait pas plus mal.

Tout en parlant, il avait passé un bras autour de ses épaules pour l'entraîner vers le grand hall.

— À ce sujet, dit-elle, je pense que je suis en train d'apprendre ce que tu as compris, il y a longtemps. Tu as représenté un bon modèle.

— Je suis curieux de savoir ce dont il s'agit. Je me trouve souvent bien empoté.

— Ah ça, nous le resterons sans doute jusqu'à la fin des temps. Toutefois, je constate que demeurer discrète et silencieuse pour ne déranger personne ne me vaut pas tellement de sympathie, ni de respect ni d'affection. Au contraire, parler, même avec les joues écarlates à cause du trac, me donne l'impression d'être mieux appréciée. En tout cas, moi, je m'aime beaucoup plus quand j'ose m'exprimer.

Depuis son intervention dans l'amphithéâtre, les sourires sur son passage lui semblaient plus nombreux. Les regards hostiles aussi, mais au moins, elle se faisait l'impression d'exister.

— Tu as raison, tu sais, lui confia son père. Après avoir eu la grippe espagnole, je me suis dégelé un peu. Auparavant, j'endurais, sans m'accorder le droit de sortir de cette misère.

Sa candeur n'alla pas jusqu'à évoquer l'importante contribution de Jeanne dans cette métamorphose. Pourtant, des confidences de ce genre ne lui paraissaient pas impossibles, un jour. Rassuré que sa fille se montre ainsi plus satisfaite de son sort, il s'arrêta pour lui faire face :

— Tu m'accompagnes pour rencontrer notre grand révolutionnaire ?

— J'ai eu beau multiplier les appels depuis mon lever, impossible de savoir où il se trouve.

— Dans une cellule au poste de police de l'hôtel de ville.

Comme Béatrice lui jetait un regard surpris, il précisa :

— Maintenant, les vieux conservateurs comme moi deviennent des amis aux yeux des juges nommés par les libéraux. En comparaison avec les membres de l'Union nationale, je fais très respectable. Un juge de la cour municipale avec qui j'ai été à l'université a accepté de me renseigner. Viens, nous allons prendre un taxi.

Il y en avait toujours une bonne douzaine à attendre devant la gare. Dans la voiture, la blonde demanda :

— En prison ? Que va-t-il lui arriver, maintenant ?

— Un prévenu doit comparaître devant un juge dans les vingt-quatre heures pour connaître les accusations contre lui, ou alors on le laisse partir.

— Des accusations, comme pour les vrais criminels ?

La situation lui paraissait tout à fait impossible. Son jeune frère se montrait juste un peu... influençable, rien de plus.

— Il est accusé du refus de circuler, ce qui peut lui valoir une amende, sans plus. Ils sont une demi-douzaine dans ce cas. Mais il a aussi porté coups et blessures à un agent dans l'exercice de ses fonctions.

— Voyons, pas Charles…

Tout de même, pareille éventualité ne lui paraissait pas tout à fait impossible.

— J'ai passé tout le trajet à lire les journaux du matin : des centaines de jeunes surexcités en sont venus aux coups en pleine rue et des commerces ont été défoncés. Ce genre de violence entraîne bien des excès. Mais rassure-toi, on ne parle pas ici d'un agent passé à tabac. Selon mes informations, le bonhomme a été surtout blessé dans son amour-propre.

Bientôt, la voiture s'arrêta devant le grand édifice de pierre. Une agitation fiévreuse régnait au poste. En plus des manifestants, on avait récolté la veille une douzaine de petits voyous, et peut-être trois ou quatre vrais criminels, des habitués.

— Je dois voir le chef de police Trudel, dit Fernand au planton de service derrière un bureau.

— Vous croyez qu'il accepte de rencontrer le premier venu comme ça ?

— Vérifiez auprès de lui. Dupire. J'arrive de Québec pour le voir.

Sa fille apprécia l'assurance tranquille, la voix très calme. Le nom, l'attitude ou le fait d'être venu de si loin convainquirent l'agent de décrocher son téléphone. Après l'échange de quelques mots, il dit en montrant du doigt :

— Au fond du couloir, là-bas.

— Merci.

Après une hésitation, la jeune femme suivit son père. Le chef de police profitait d'un bureau spacieux. De grands classeurs en bois occupaient un pan de mur, des dossiers encombraient la surface de travail et même le plancher.

— Je vous remercie de me recevoir, monsieur Trudel.

L'homme se leva pour serrer la main de son visiteur. Béatrice eut droit à un salut de la tête et à un «Mademoiselle» poli.

— Les amis de mes amis ont droit à certains égards. Prenez ces sièges.

Le policier ouvrit un dossier cartonné et lut:

— Charles Dupire, mis en état d'arrestation hier soir au coin des rues Sherbrooke et Saint-Denis.

— L'acte d'accusation parle de coups et blessures, ajouta Fernand.

— Refus d'obéir quand on lui a demandé de circuler, puis il a bousculé un agent.

— Cet homme a-t-il été blessé?

Le chef de police sourit en se souvenant de la description des faits entendue de la bouche d'un collègue de la victime le matin même. «Y est tombé sur l'cul, chef.» Puis, il avait éclaté de rire.

— Non, rien de grave. Votre fils mérite un bon savon, pas une condamnation en vertu du code criminel.

— Ça, je peux m'en occuper, croyez-moi.

L'officier de police demeura un moment songeur, puis il tendit le dossier à Fernand.

— Disons que je n'ai jamais vu ceci, faites-le disparaître. Vous pouvez aller récupérer votre fils au sous-sol.

— Je vous remercie, monsieur Trudel.

— Laissez cette jeune personne au rez-de-chaussée. En bas, nos invités ne sont pas tous des étudiants d'université.

Ce serait donc sous les regards curieux de nombreux constables que Béatrice attendrait de revoir son frère.

Fernand avait choisi le notariat, car l'idée de côtoyer des criminels ne lui disait rien. Juste l'odeur d'excréments, quand il entra dans la section des cellules, lui confirma son choix professionnel.

— Vous pouvez me laisser une quinzaine de minutes en tête-à-tête avec lui ?

Le gardien acquiesça d'un mouvement de la tête. Les cellules étaient de petits rectangles de quatre pieds par sept tout au plus. Un lit y logeait tout juste. Dessous, les seaux hygiéniques ne fermaient pas très bien, ce qui expliquait la puanteur ambiante.

— Papa, que fais-tu ici ?

Le garçon ne payait pas de mine. L'hématome sur le côté droit de sa tête présentait une mauvaise couleur. L'arcade sourcilière fendue avait saigné abondamment, la chemise blanche en gardait la trace.

— Je viens voir ton nouveau logis. Tu n'as pas amélioré ton sort.

L'ironie et la voix très basse troublaient plus le garçon que des reproches sévères. Voulant refaire le monde, il avait atterri dans ce trou, et son père aux réactions toujours mesurées venait l'en sortir.

— Je n'ai rien fait.

— Quand un policier te dit de circuler, si tu n'obéis pas, c'est un crime.

— On était des centaines.

— Ça ne devait pas être ton jour de chance.

Charles baissa les yeux, intimidé par le regard de son père. Fernand continua :

— Là-dedans, on ajoute que tu as frappé un policier.

— C'est lui qui m'a frappé.

Des doigts, le garçon montra le côté de son visage.

— Coups et blessures à un agent de la paix, dit le notaire en regardant le document qu'il tenait dans ses mains.

L'étudiant vieillissait d'une année à chaque minute qui passait.

— Je n'ai pas voulu le blesser, je ne l'ai pas frappé. Il… il est tombé.

— Je te crois. Tout de même, les accusations existent.

— Que va-t-il se passer?

Le notaire décida de mettre fin à l'angoisse de son fils.

— Rien. Tu pourras sortir avec moi.

— Alors, allons-y!

— Dans une minute. Je me demande ce que je ferai de toi une fois dehors.

Le silence suivant cette déclaration contenait une menace sourde. Charles craignit qu'il ne le ramène dans la rue Scott et qu'il perde ses amis. Son père semblait suivre exactement le cours de ses pensées.

— Il y a une école de commerce à l'Université Laval. Ses professeurs ne sont pas adulés dans les cercles nationalistes, mais ça me les rend plutôt sympathiques…

Puis, le garçon constata qu'aucune autre punition ne l'effrayait plus que d'avoir déçu son père. D'une voix atone, il tenta de se justifier:

— Je n'ai rien fait de mal. Bien des étudiants se rassemblent dans ces associations, comme les Jeunesses Patriotes et toutes les autres.

— Franchement, se justifier en disant que les autres se livrent aux mêmes sottises ne me convainc pas du tout.

— L'indépendance de la province est une cause noble.

Fernand hocha la tête. Des milliers de jeunes gens n'en pouvaient plus de se voir priver de tout avenir professionnel décent, puis maintenant se profilait la menace d'une nouvelle boucherie en Europe. Si le Québec demeurait une province canadienne, le scénario de la conscription de 1917 se répéterait.

— Je ne crois pas que se séparer serait si simple, mais tu sais, je peux très bien me tromper. Toutefois, aller défoncer les vitrines des pauvres gens, ça, je ne l'accepterai jamais.

— Tous ces Juifs…

— Ne sont pas une menace pour les Canadiens français. Ils ne le seront jamais. Ils représentent des victimes toutes désignées, voilà leur seule faute.

À ce sujet, Charles ne se sentait pas la force de protester. Lui-même avait ressenti un malaise la veille, boulevard Saint-Laurent.

— Bon, reprit le notaire, certaines de tes idées politiques me semblent fantaisistes, mais tu me décevrais si tu les abandonnais seulement parce que papa n'est pas d'accord. Toutefois, je compte bien te convaincre à la table familiale.

Le garçon lui adressa un premier sourire.

— Les communistes ne forment pas une menace au Québec, ni même au Canada. Si des gens y croient, cela tient à la misère et à une clique résolue à profiter de la situation. Si le chômage baissait de façon significative, plus personne n'en parlerait. Bon, sortons d'ici, ça empeste.

Le père se leva, poussa la porte de fer pour l'ouvrir.

— Que se passera-t-il pour moi?

Dans sa cellule, l'évocation d'un retour à Québec restait dans son esprit. Cela lui donnerait l'impression de reculer, de redevenir un enfant. Le notaire se montra plus magnanime.

— Tu vas aller prendre un bain et te changer. Ce soir, invite ta sœur à souper quelque part. La pauvre se meurt d'inquiétude depuis des heures. Elle n'a pas fermé l'œil de la nuit.

— Mais pour mes études?

— Tu ne te souviens pas de notre entente ? Si tu réussis les études que tu as choisies, je continuerai de te soutenir. Sinon, tu te chercheras un emploi.

Le plus difficile pour Charles fut de parcourir le couloir sans verser une larme. Ses voisins de cellule donnaient volontiers dans l'humour cruel. Devant sa sœur, il ne se sentit pas obligé à pareille pudeur. Ils demeurèrent tous trois silencieux dans le taxi jusqu'à la rue Saint-Denis. En descendant de la voiture, le notaire dit au chauffeur :

— Attendez-moi, je reviens dans un instant.

Sur le trottoir, le père commença par embrasser son fils, puis il lui remit le dossier de police en disant :

— Déchire ça en tout petits morceaux, puis va te laver. N'oublie pas de venir me visiter la semaine prochaine… à moins qu'un échec scolaire ne résulte de cette courte absence, lança-t-il avec un clin d'œil.

— J'y serai, papa. Juré.

Le garçon s'engagea sur la chaussée, puis se retourna pour demander :

— Béatrice, veux-tu venir manger avec moi, ce soir ?

— … Oui, bien sûr.

— Je te prendrai vers six heures.

Le père et la fille le regardèrent traverser la rue, puis entrer dans sa maison de chambres.

— Je pense que j'aurai le fils le plus obéissant du monde pendant quelque temps, ricana Fernand.

— Tu l'as déjà toute l'année, et il s'appelle Antoine. Pourquoi en avoir un deuxième ?

Elle marqua une pause, puis continua :

— Dois-tu vraiment rentrer tout de suite ?

— J'ai un engagement ce soir. Mais si ça te dit de prendre une bouchée avec moi à la gare, ce sera une belle occasion de me parler de ton assurance retrouvée.

Tous les deux avaient sauté l'heure du dîner, une collation serait bienvenue. Surtout, ils ne pouvaient se résoudre à se quitter sans un vrai tête-à-tête.

# Chapitre 15

Après une journée de rendez-vous à l'hôpital Jeffery Hale, Thalie revenait toujours épuisée au Château Saint-Louis, en rêvant de l'achat d'une voiture. L'envie lui passait généralement après une bonne nuit de sommeil. Ce soir-là, le portier lui réserva une nouvelle fois le même accueil à demi insultant. Elle redescendit à la salle à manger après être passée chez elle pour se défaire de son manteau et se rafraîchir un peu.

Parfois, Édouard Picard lui revenait à la mémoire lorsqu'elle balayait les lieux du regard. Depuis son départ quatre ans plus tôt, il ne restait plus beaucoup de solitaires en ces lieux. Plus personne ne tentait d'entrer en relation avec elle, sans doute parce que tous les locataires connaissaient les visites régulières du marchand de musique.

Aussi les journaux lui tenaient-ils compagnie au moment du repas. Un certain nombre de périodiques, publiés à Montréal et même parfois aux États-Unis, étaient déposés à l'entrée. La médecin se contentait le plus souvent du *Soleil*. On discutait encore de la mise à pied massive des fonctionnaires nommés par l'ancien régime.

Certaines des mesures proposées gagnaient la faveur de Thalie, comme la Loi sur les salaires «raisonnables». Bien que modestes, les minima proposés procureraient le nécessaire aux travailleurs. On évoquait aussi l'aide aux mères dans le besoin. Si cela n'en ferait pas une partisane de l'Union nationale, au moins ces initiatives lui paraissaient compenser un peu les côtés plus conservateurs de ce parti.

Un fait divers attira son attention : *JEUNE FEMME MORTE D'UNE HÉMORRAGIE*. Ses yeux s'arrêtèrent sur un mot, un nom plutôt.

*Une jeune femme, Marielle Saint-Onge, a été trouvée hier inconsciente dans un tramway de la ville, à Sillery Junction. On l'a transportée à l'Hôtel-Dieu, où elle est décédée au cours de la soirée d'une hémorragie massive. La police de Québec enquête.*

— Oh non ! gémit Thalie.

Cette perte de sang ne pouvait tenir qu'à une seule explication : un avortement. Il lui était arrivé de constater les conséquences d'une telle intervention par le passé. Des femmes avalaient des breuvages répugnants ou encore s'enfonçaient des aiguilles à tricoter dans l'utérus. Les plus imaginatives allaient jusqu'à utiliser le tuyau d'un aspirateur.

Les sanglots de la jeune femme attirèrent l'attention des autres convives. Abandonnant son repas, Thalie quitta précipitamment la table.

Madame Caron avait écarquillé les yeux en ouvrant la porte.

— Thalie, que se passe-t-il ?

Le visage barbouillé de pleurs ne laissait aucun doute sur le caractère dramatique de la situation.

— Entrez, ne restez pas dehors.

— J'aimerais voir le docteur… Seul à seule.

Si la vieille dame se sentit blessée de cette exclusion, elle n'en laissa rien paraître.

— Mon petit-fils n'est pas ici ce soir.

— Je parlais de votre époux.

Celui-ci se tenait juste derrière sa femme, dans l'entrée. À soixante-dix ans, avec ses rares cheveux tout blancs, il ressemblait à un vieux sage. Toutes les souffrances rencontrées au fil des ans lui adoucissaient les yeux.

— Viens, Thalie. Autant aller dans le cabinet, n'est-ce pas?

Il adressa un sourire à sa femme en passant dans la section de la maison réservée aux consultations, un bras autour des épaules de la visiteuse.

Le lieu fit une drôle d'impression sur la praticienne. Elle se sentait comme une gamine, pas comme un médecin. Pourtant, elle gagna sa place habituelle derrière son bureau, pendant que le vieil homme occupait la chaise réservée aux patients.

— Tu me dis ce qui se passe?

Elle déplia la copie du *Soleil* tenue dans sa main depuis son départ de la salle à manger, la posa sous les yeux de son collègue.

— Oui, j'ai vu ça. Tout de même bien curieux, cette histoire. Demain, je téléphonerai à des amis de l'Hôtel-Dieu, pour en savoir plus.

— Il y a peu de temps, elle est venue me demander de l'avorter.

Le chagrin de la praticienne se comprenait très bien. Elle donna libre cours à son émotion.

— Si j'avais dit oui, elle serait encore vivante.

Son vis-à-vis hocha la tête, entendit la suite sans surprise.

— C'est de ma faute.

— Nous vivons assez de situations difficiles, cela ne nous aide en rien de nous en mettre encore plus sur les épaules.

— Elle paraissait si désespérée. Je n'ai rien trouvé de mieux que de lui conseiller d'en parler à ses parents. Ses yeux exprimaient tant de frayeur.

Dans la liste des péchés mortels, aucun ne dépassait en horreur l'impureté pour une femme. S'en confesser, surtout à son père, avait de quoi terroriser toutes les coupables.

— Je la connais... ou plutôt je la connaissais, dit le docteur Caron. Elle habitait tout près, je l'ai mise au monde. Je la voyais sur le parvis de l'église Saint-Dominique.

Donc, Thalie la croisait aussi au même endroit, sans jamais la remarquer.

— Perdre une patiente à cause de la tuberculose, du cancer ou d'une infection, c'est déjà pénible, confia-t-elle, mais là, je me sens si mal... Elle demandait mon aide, et je n'ai rien fait.

— Pourquoi tiens-tu autant à te flageller, ce soir?

Un instant, elle eut envie de parler de sa lassitude de vivre parmi des hypocrites. Cette société voyait des hommes mariés séduire des gamines aux allures de couventine, pour les laisser ensuite crever au bout de leur sang. Peut-être s'en voulait-elle surtout de ne pas parvenir à s'arracher à ce milieu.

— Nous ne faisons pas les règles, nous les suivons. L'avortement est proscrit, les malchanceuses ont le choix entre les coups de fouet de leur père et l'abandon d'un enfant aux sœurs de la Providence, ou une faiseuse d'anges dans une cuisine crasseuse, ou bien des moyens encore plus radicaux.

Le vieux médecin affichait toujours la même sagesse : faire pour le mieux avec des règles souvent inhumaines.

— Ne vous sentez-vous jamais désespéré quand une patiente meurt pour rien?

— Désespéré, non. Terriblement attristé souvent. Alors, je rentre à la maison pour retrouver les miens.

Voilà qui renvoyait la visiteuse à sa propre solitude. Bien sûr, à la place d'aller voir son vieux patron, peut-être aurait-elle dû téléphoner à Victor, lui demander de venir la prendre dans ses bras. Mais son compagnon serait probablement resté parmi sa famille, un soir en pleine semaine. Puis, il n'aurait sans doute pas compris.

— Je me sens un peu ridicule de vous avoir dérangé ainsi.

— Décidément, tu tiens vraiment à te punir. Comment penses-tu que je prendrai ça, le jour où personne ne voudra se confier à moi ?

Le vieux docteur quitta sa chaise, ouvrit les bras devant elle. La visiteuse s'y réfugia, se laissa enlacer. Quand ils se séparèrent, il dit encore :

— Maintenant, viens prendre un verre avec nous. Ta compagnie nous fera plaisir.

Non seulement Élise, mais sa petite-fille Estelle avaient quitté les lieux au moment de leur mariage. Heureusement, Pierre prévoyait emmener sa femme vivre dans cette grande demeure. Avec un peu de chance, des arrière-petits-enfants s'ajouteraient ensuite. Voilà une pensée susceptible de le rasséréner les soirs où une mort totalement inutile le rendrait morose.

Le dernier dimanche d'octobre, toute l'Église catholique célébrait la fête du Christ-Roi. L'expression était prise au pied de la lettre : les nations devaient obéir au Fils de Dieu. Le matin de cette grande fête, Béatrice se leva un peu plus tard que d'habitude. Le souper de la veille avec son frère s'était prolongé jusque tard en soirée. Puis de toute façon, afin de pouvoir communier, il fallait sauter le déjeuner. La propriétaire de la maison de chambres désirait permettre à ses locataires de se sanctifier, car elle accueillait avec des remontrances celles qui tenaient tout de même à prendre ce premier repas.

Ce jour-là, plusieurs locataires ne rendraient pas visite à leurs parents. Elles marchaient ensemble en direction de l'église Saint-Jacques, située presque au coin de la rue Sainte-Catherine. Elles formaient un contingent assez imposant. Des jeunes gens ne pouvaient s'empêcher d'entamer la conversation avec l'une ou l'autre, pour se heurter souvent à une mine recueillie.

— Nous ne voyons pas fréquemment ton frère à la messe le dimanche, remarqua Annette à l'intention de la blonde.

Chaque fois que Béatrice entendait cette voix douce et élégante, elle imaginait les hommes contactant le service téléphonique de Bell Canada totalement séduits. Dans son cas, l'allure cadrait avec la voix.

— Comme il a toujours des activités au programme, il préfère se lever tôt et aller à la basse messe.

— Le chanceux, ça lui permet de déjeuner ensuite, remarqua une locataire un peu frustrée de devoir sauter un repas.

— Tu sais, admit Béatrice en se tournant à demi pour voir cette voisine marchant derrière elle, je ne pense pas qu'il communie avec la même régularité que nous.

La blonde soupçonnait que son frère se donnait volontiers congé de cette obligation d'assister à la messe. Aujourd'hui, c'était certainement le cas.

— Les hommes négligent souvent leurs devoirs religieux, rétorqua la jeune femme.

Elle paraissait déçue de ce comportement, certaine que les meilleurs chrétiens faisaient les meilleurs époux. Béatrice comprenait pourtant le choix de Charles, ce matin-là. La veille, au restaurant, les marques des coups de matraque lui avaient valu sa part de salutations un peu admiratives. Si, dans les établissements du Quartier latin, il pouvait poser en héros, cela ne lui disait rien de tenter de renouveler l'expérience sur le parvis d'une église.

— C'est vrai que la police l'a arrêté? questionna une autre.

Régulièrement, Béatrice entendait les comportements de son frère évoqués par l'une ou l'autre de ses voisines. Plusieurs de ces jeunes femmes se voyaient courtisées par des étudiants des institutions des environs – certaines avaient accepté de payer leur pension un peu plus cher juste pour vivre à proximité de tant de bons partis –, et immanquablement, les agissements d'un militant aussi enthousiaste étaient commentés.

— Oui, vendredi soir, juste à côté de la maison.

Mentir lui répugnait.

— C't'une médaille qu'y devrait recevoir pour chasser ces maudits Juifs, dit l'une des jeunes femmes. Y ruinent les commerçants canadiens-français.

Celle-là travaillait chez Dupuis Frères, une entreprise qui n'employait que des Canadiens français, d'après le texte publié sur la page couverture de son catalogue. L'instinct de survie du magasin ne s'exprimait pas seulement avec sa politique de «l'achat chez nous», sa direction souhaitait aussi la fermeture des commerces des Juifs.

— Risque-t-il de se retrouver en prison? demanda Annette.

— Non, on l'a laissé sortir hier matin.

— Comment ça?

Béatrice haussa les épaules pour signifier son ignorance. La mention des relations de son père dans la magistrature ne lui vaudrait pas l'amitié de ces travailleuses. Déjà que son statut d'étudiante créait une distance.

— Tout à l'heure, nous irons toutes ensemble à la manifestation ? demanda Nicole, une secrétaire.

Quelques «oui» fusèrent. La blonde donna aussi son assentiment. Tout le monde ne parlait que de ce grand rassemblement anticommuniste depuis que monseigneur Gauthier avait lancé sa croisade, au début du mois.

La veille, *La Patrie* affirmait que toutes les associations catholiques participeraient à la grande démonstration de foi. L'éventail s'avérait immense, des Filles d'Isabelle à la Ligue du Sacré-Cœur. Béatrice fit de nouveau le trajet jusqu'à l'église Saint-Jacques en compagnie de ses voisines. Des centaines de paroissiens se tenaient déjà là, d'autres arriveraient encore. Les membres des confréries pieuses marcheraient ensemble, puis les écoliers se regrouperaient en fonction de leur établissement et de leur classe.

À une heure, les rangs se formèrent sur la chaussée, interrompant une nouvelle fois la circulation. Le curé occuperait le premier rang, dans ses plus beaux atours sacerdotaux. Dans toutes les paroisses, des contingents identiques se regroupaient afin de se diriger vers le manège militaire de la rue Craig tout en chantant.

*En avant marchons*
*En avant marchons*
*Soldats du Christ à l'avant-garde*
*En avant marchons*
*En avant marchons*
*Le ciel nous regarde*
*En avant bataillon*

La grande armée catholique se mettait en campagne pour assurer le règne du Christ-Roi sur terre. Les chants guerriers se succédaient à un rythme rapide. Après *Nous voulons Dieu*, un hymne exprima tout le programme de l'Église québécoise :

*Tandis que le monde proclame*
*L'oubli du Dieu de majesté,*
*Dans tous nos cœurs l'amour acclame,*
*Seigneur Jésus, ta royauté.*
*Parle, commande, règne,*
*Nous sommes tous à Toi.*
*Jésus, étends ton règne,*
*De l'univers sois Roi.*

Le manège militaire de la rue Craig servait de quartier général au régiment de Maisonneuve. Il s'agissait d'une grande construction inélégante, au revêtement de pierre. D'un seul étage, très vaste pour permettre aux soldats de faire de la *drill*, il se révélerait pourtant largement insuffisant pour cette multitude. Le lendemain, les journaux évoqueraient cent mille personnes. Seuls les notables purent y entrer. Les autres se rassemblèrent au Champ-de-Mars. De grands haut-parleurs permettraient d'entendre les discours aux allures de prônes.

— Nous allons demeurer tout l'après-midi plantées ici ? murmura Annette.

Son ton ne témoignait pas du plus grand enthousiasme. La plupart des locataires se laissaient entraîner par le besoin de faire comme les autres : pareille mobilisation tenait plus du conformisme que de la foi, finalement.

— Selon le journal, on parle d'une dizaine de conférenciers, répondit la blonde.

Donc, ce serait long. Béatrice fit un tour sur elle-même. Partout, elle voyait des gens le chapelet à la main. Une fois rendue là, impossible de rebrousser chemin. Les grésillements dans les grands cônes de fer couvrirent un peu les paroles d'introduction. La suite retentit bien clairement. L'instigateur de cette grande manifestation, monseigneur Gauthier, formula son intention :

— Il nous a paru qu'il n'était pas juste que nous laissions le monde entier sur une impression fausse. Une initiative malheureuse a eu lieu dans notre pays, l'accueil bienveillant par certains milieux des représentants espagnols en faveur du Front populaire, ces nouveaux barbares qui ont couvert le sol de la malheureuse Espagne de tant de ruines et de sang. Pour notre bon renom, il était opportun de fournir à nos catholiques l'occasion d'exprimer leur réprobation de pareils actes.

Cette journée, dont les propos étaient plus sages et respectables, se poursuivait dans la même lignée que celle du vendredi précédent, tout aussi anticommuniste et nationaliste.

Les derniers événements rendaient Charles terriblement studieux. D'un autre côté, la perspective d'une grande manifestation pieuse n'exerçait pas sur lui un attrait irrépressible. De toute façon, la station CKAC diffusait sans discontinuer, en direct. Déjà, monseigneur Gauthier, d'autres dignitaires ecclésiastiques et des politiciens avaient pris la parole. Des universitaires aussi : Édouard Montpetit et Guy Vanier figuraient dans le lot.

Quand Philippe Girard, le président du conseil central des syndicats catholiques, prit la parole, l'étudiant posa son livre pour écouter.

— Debout! Debout, ouvriers catholiques! L'heure a sonné et le moment est venu de paraître au grand jour et de répondre fièrement au communisme que nous reconnaissons le Christ pour notre Sauveur, notre Rédempteur et notre Roi, et que nous répondrons à toutes les avances du bolchevisme par le cri vainqueur de notre foi! Vive le Christ-Roi!

— Dans notre belle province, murmura Charles, les curés font de la politique et du syndicalisme, et les syndiqués des discours religieux.

Finalement, l'étude avait du bon, comparée à des heures à faire le pied de grue dans le froid humide de ce 25 octobre.

La musique envahissait le petit appartement. Victor se tenait souvent près du phonographe pour changer le disque au besoin. Le son de la clarinette n'arrivait pas à égayer Thalie. Son compagnon ne s'était pas beaucoup ému du sort de la pauvre Marielle. Selon lui, une femme pouvait toujours dire non. C'était faire peu de cas de la manipulation dont certains hommes étaient capables. Qu'il ne partage pas d'emblée sa révolte n'améliorait pas l'humeur de la médecin.

Ils s'apprêtaient à sortir pour aller souper à l'extérieur quand le téléphone sonna.

— Thalie, tu avais raison, la jeune fille est morte des suites d'un avortement. J'ai échangé quelques mots avec le collègue qui a fait l'autopsie.

Au cours des dix dernières années, le docteur Caron ne devait pas lui avoir téléphoné à la maison plus de trois fois.

— Et la cause exacte?

— Littéralement, elle s'est vidée de son sang sur la banquette du tramway.

Une intervention médicale ne lui aurait sans doute pas sauvé la vie.

— Ils savent qui a fait ça ?

— Le nom de la coupable était écrit sur un bout de papier dans la poche du manteau de la victime. Les policiers l'ont cueillie le même soir.

— Je me demande bien comment elle a su où aller. On ne donne pas des adresses de ce genre chez les Ursulines ou les sœurs de la congrégation Notre-Dame.

Même la praticienne se demanderait vers qui se tourner, si une telle mésaventure lui arrivait.

— Je me posais la même question. Le désespoir rend débrouillard, je suppose. Tu étais à l'église, tout à l'heure ?

La femme demeura interloquée. Ça ne ressemblait pas au docteur Caron d'enquêter sur sa pratique religieuse.

— Oui, en matinée.

— Les Saint-Onge aussi vivent dans Saint-Dominique. Le curé n'a fait aucune allusion au décès.

L'anomalie lui avait totalement échappé. Pourtant, la mort d'une paroissienne faisait toujours l'objet d'une invitation à la prière.

— Il n'a même pas annoncé les funérailles. J'ai déjà entendu parler de mariage discret, jamais d'enterrement.

— Comment savez-vous cela ?

— Le père a réclamé le corps à la morgue pour procéder dès demain matin, à dix heures. Aucune veillée au corps, le tout en cachette.

— Comme quelqu'un qui a honte, conclut Thalie.

Il s'agissait bien de cela, sans doute. Le nom de la famille était définitivement terni, l'opprobre retombant à la fois sur les parents et la fratrie.

— Docteur Caron, seriez-vous assez gentil pour me remplacer, en matinée ?

— Tes patientes et leurs rejetons seront déçus de tomber sur un vieux monsieur, ricana-t-il.

— Alors, vous vous ferez passer pour votre petit-fils. Elles n'y verront que du feu.

La praticienne regretta tout de suite sa remarque. Autant elle trouvait son vieux patron sage et tolérant, autant son petit-fils Pierre s'affichait conservateur.

— Je suivrai ton conseil, Thalie, dit pourtant son interlocuteur sans se formaliser. Bonne fin de soirée.

— Bon dimanche, docteur.

L'instant d'après, plus morose encore, elle sortait pour souper au restaurant avec un compagnon guère plus souriant.

Flavie se regardait dans le miroir. Chaque fois qu'elle contemplait son reflet avec son vison sur le dos, elle pensait voir une étrangère, l'une de ces épouses de notables, à L'Ancienne-Lorette.

— Je me demande ce que je vais faire là-bas, maugréa-t-elle.

— La même chose que moi. Les Américains appellent ça des *public relations*. Nous allons faire de la réclame sans avoir le droit de nommer un seul de nos produits. C'est pour ça que tu dois porter cette jolie fourrure, même s'il ne fait pas encore si froid, et moi mon meilleur complet.

De son emploi au magasin, la secrétaire ne détestait que ces activités officielles. Et elle les devait à son statut d'épouse.

— Si tu crois que ma présence peut être utile…

— Le bon mot, c'est "essentielle".

La remarque suscita un simple haussement d'épaules. Elle revint vers la cuisine pour dire :

— Bonne soirée, Laura. Les enfants, venez me faire la bise.

Alfred et Ève s'exécutèrent, répétèrent l'exercice avec leur père. Dehors, le marchand leva les yeux pour regarder la fenêtre éclairée à l'étage.

— Malgré ses grands soupirs, Paul doit être bien heureux d'échapper maintenant à toutes ces sottises.

— Tu penses que ça ne lui plaisait pas?

— Au début, peut-être qu'il appréciait. Il s'agissait surtout d'un travail, comme pour nous ce soir.

Pendant l'après-midi, la radio avait rendu compte de la grande manifestation de Montréal. Celle de la capitale provinciale serait bien plus modeste. Le plus grand lieu de réunion de la ville se dressait sur le terrain de l'exposition provinciale. On l'utilisait pour tenir des spectacles, des foires, et quelques fois de grands rassemblements.

L'événement attirait sa part de spectateurs, au point d'alourdir la circulation automobile. La société de transport avait ajouté des voitures de tramway pour faire face à l'affluence de passagers. En conséquence, les terrains alentour se muaient en immenses stationnements et les gens se bousculaient dans les grandes portes de la façade.

Comme les autres notables, le couple Picard échappa à la cohue pour entrer par une porte dérobée. Une scène avait été dressée à un bout de la grande salle d'exposition. Des estrades se trouvaient de part et d'autre pour accueillir plusieurs milliers de spectateurs. La dernière fois que Mathieu était venu dans cet endroit, des bovins paradaient dans le grand espace central. Aujourd'hui, on y avait aligné des centaines de chaises supplémentaires.

Le couple se retrouva sur la grande scène et Flavie eut l'occasion de comparer son vison avec ceux d'autres épouses d'hommes d'affaires, de professionnels et de politiciens. La salle, aménagée de la sorte, pouvait contenir quinze mille personnes. À vingt heures, il ne restait pas une place de libre. Les vedettes du jour se firent attendre pendant une bonne demi-heure. Le maire Ernest Grégoire arriva le premier, suivi du premier ministre et de Sa Grandeur le cardinal Jean-Marie-Rodrigue Villeneuve.

Mathieu eut l'impression d'une certaine tension entre les deux politiciens, le maire comptant parmi les progressistes défiant Maurice Duplessis, notamment sur la question de l'électricité. Il jouait en ces lieux le rôle d'hôte pour les deux autres invités. À ce titre, il prit la parole le premier, évoqua un « ordre nouveau » sans plus de précisions, puis céda sa place à « l'honorable premier ministre ».

Assez petit de taille, un peu penché en avant, des lunettes perchées sur un grand nez, Maurice Duplessis commença par évoquer la menace du communisme et la grandeur de l'Église catholique canadienne.

— La propagande communiste entre dans la province par le livre, par les journaux, et aussi par le cinéma. Mon gouvernement interdira la projection des films russes.

La foule fit une véritable ovation à l'annonce de cette mesure.

— Tu as déjà vu des films russes projetés à Québec ? murmura Flavie à l'oreille de son mari.

— Non, jamais. Voilà une mesure qui n'embêtera personne et fera plaisir à la multitude.

— Mon gouvernement demandera au fédéral de prendre des mesures concrètes afin que la poste royale ne serve pas à répandre cette propagande.

Combien de personnes croyaient vraiment à ces menaces ? Pourtant, chaque mot soulevait des hurlements d'approbation. Une défense contre ces attaques illusoires donnerait peut-être au politicien la stature d'un héros. La suite marqua un retour à l'actualité.

— Je tiens à féliciter les étudiants de l'Université de Montréal pour leur contre-manifestation de vendredi, qui a empêché l'assemblée en faveur du gouvernement espagnol. Je veux dire combien de fierté j'ai éprouvé lorsque j'ai appris que les étudiants avaient privé les communistes de parler à Montréal. Ces jeunes, fiers des principes de leurs aïeux qui ont fait l'épopée du Canada, ont posé là un acte bien consolant.

Ce petit aparté lui rallierait peut-être une partie de l'électorat dans la vingtaine, aujourd'hui attiré par les nationalistes plus radicaux. La suite de son discours portait sur son programme électoral : il aborda l'adhésion au régime fédéral des pensions de vieillesse, le crédit agricole ainsi que les salaires raisonnables. Quand monseigneur Villeneuve vint au micro, il commença par remercier Duplessis pour son action contre les entreprises subversives.

Puis, il expliqua pourquoi il convenait de demeurer vigilant :

— La province de Québec, à cause de son grand catholicisme, devient de plus en plus la convoitise du communisme. Nous possédons le moyen d'éteindre le brasier de la révolution qui consume actuellement la civilisation chrétienne.

Son allocution, qui faisait des Canadiens français de véritables croisés mobilisés pour sauver la chrétienté, se termina par les mots lancés à pleins poumons :

— Vive le Christ-Roi ! Vive l'Église catholique ! Vive le pape !

— Vive le cardinal Villeneuve ! cria une voix nasillarde au-dessus de l'épaule de l'ecclésiastique.

Le premier ministre s'était avancé sur la scène pour inviter à grands gestes l'auditoire à reprendre ses mots. Ces deux-là moussaient sans se faire prier la notoriété de l'autre, un échange de bons procédés mutuellement rentable.

Les vedettes de la soirée se retrouvèrent dans les locaux administratifs du grand pavillon, une fois les harangues finies. Après avoir donné à baiser son anneau à tous les notables à la ronde, monseigneur Villeneuve eut la bonne idée de regagner son palais. Quand l'illustre personnage fut parti, on osa faire apparaître des bouteilles d'alcool. Maurice Duplessis paraissait aimer particulièrement le gin. L'effet le faisait discourir d'une voix un peu pâteuse. À l'entendre, l'île de Montréal comptait au moins autant de communistes aujourd'hui que d'Iroquois au temps de Maisonneuve.

Une petite cour entourait Ernest Grégoire, des hommes sensibles aux idées de Philippe Hamel. Pendant un moment, Édouard Picard se tint parmi eux, Oscar Drouin aussi. Le marchand de voitures de seconde main avait trouvé son chemin jusque dans cette assemblée grâce à l'amitié de ce ministre. Sans aucune importance politique, il s'avérait plus modeste encore comme homme d'affaires. Pourtant, son bagout en faisait le centre d'attraction de ce petit groupe.

— Tous ces jeunes gens à Arthabaska, ça me rappelait le temps des grandes contestations contre la conscription. Vous vous souvenez, nous nous rassemblions par milliers devant l'Auditorium de Québec.

— Moi j'étais là quand ils ont tiré sur la foule, mentionna quelqu'un.

— Je me trouvais au magasin de mon père, dit le marchand. Je me souviens du bruit de la mitrailleuse… tac-tac-tac.

L'un des employés du grand commerce était tombé sous les balles. Ce souvenir s'accompagnait de celui de la douce Clémentine. Le regard d'Édouard s'assombrit. Le temps passait si vite. Un éclat de rire attira son attention à l'autre extrémité de la salle. Quelques personnes s'amusaient plus que de raison des anecdotes du premier ministre. Le commerçant s'approcha du grand homme, la main tendue.

— Monsieur Duplessis, je suis heureux de vous revoir, après toutes ces semaines.

— Nous nous sommes déjà rencontrés ?

— Bien des fois au cours de la campagne…

En réalité, il avait seulement été présent lors des discours enflammés du politicien.

— Puis, je suis allé vous féliciter à Trois-Rivières, le soir de la victoire. Ça m'a permis de faire la connaissance de vos charmantes sœurs, en particulier Étiennette et Gabrielle.

Seul garçon au milieu de quatre filles, Maurice portait une affection particulière à ses cadettes. Le charme amplement cultivé du marchand de voitures avait produit son effet sur les dames Le Noblet Duplessis.

— Ah ! C'était donc vous, le bel homme de Québec.

Finalement, son audace ce soir-là se révélait payante. Les députés Gagnon et Bourque le regardaient avec une légère méfiance : ce quémandeur bénéficiait maintenant de l'intérêt du chef.

— Je vais vous décevoir, monsieur Picard, annonça Duplessis de sa voix gouailleuse, Nénette est mariée et sa cadette aussi.

— Je m'en doutais. Charmantes toutes les deux, les garçons d'une quinzaine de comtés ont dû faire le siège de la maison de votre père pour les courtiser.

— Je ne sais pas s'il y en avait autant, mais les quatre paraissent bien mariées.

Onésime Gagnon ne cachait pas son impatience, de nombreuses personnes attendaient un conciliabule avec le chef, des personnes autrement plus importantes que ce petit marchand. De son côté, le premier ministre entendait mousser sa réputation d'être toujours à l'écoute de ses concitoyens, du plus humble au plus grand.

— Vous êtes bien le fils de Thomas, le propriétaire du gros magasin de la rue Saint-Joseph ? L'affaire est passée à un de vos cousins, je pense.

Maurice Duplessis impressionnait ses concitoyens avec cette habileté à évoquer de mémoire les histoires de famille de ses interlocuteurs. Il semblait connaître tout le monde au moins un peu.

— Avec la crise, bien des personnes ont connu des expériences de ce genre. Dans mon cas, au moins le commerce est resté entre les mains de proches : mon nom s'affiche encore sur la façade.

Pour dire de telles paroles en conservant le sourire, Édouard montrait une grande maîtrise de ses émotions. Il continua :

— Dans des cas semblables, de nos jours, c'est souvent un patronyme israélite qui apparaît près de l'entrée.

Le politicien choisit de faire écho à cette méfiance à l'égard des entrepreneurs juifs, si souvent exprimée.

— Ce genre de situation arrive, malheureusement. Maintenant, que faites-vous ?

— J'essaie de me refaire dans la vente d'automobiles. À ce sujet, j'ai d'ailleurs écrit à monsieur Bourque pour demander un petit coup de main. Cependant, je ne veux pas vous ennuyer avec ça ce soir. Bravo pour votre discours, on les aura, ces communistes.

De nouveau, les deux hommes se serrèrent la main. Duplessis le regarda s'éloigner.

— Comme ça, ce bonhomme s'adresse à mes ministres pour obtenir une faveur ?

— Il m'a parlé une couple de fois, se souvint Gagnon. Lors des deux dernières élections, il s'est rendu utile, et maintenant, il souhaite qu'on lui rende la pareille.

— Johnny, tu sembles entretenir une correspondance avec lui.

— Il voudrait quelque chose comme une recommandation auprès d'un fabricant de chars. Les chars, c'est pas notre spécialité.

Duplessis chercha une bouteille sur une table afin de remplir son verre.

— Juste une recommandation ? Pas d'emploi ? Pas d'argent ?

— Il veut nous vendre des autos, précisa le ministre.

— Toute la province veut vendre à l'État. C'est long des fois, mais le gouvernement finit toujours par payer ses fournisseurs. Bon, on s'en va.

Le premier ministre fit le tour de la pièce pour saluer les gens, puis sortit, flanqué des deux membres du cabinet. Comme il ne conduisait pas, il dépendait des autres pour ses déplacements. Dans le stationnement, Johnny Bourque dit encore :

— Ce type s'intéresse juste à ses affaires. Si les communistes avaient gagné les élections, il essaierait de vendre des chars pour la Sibérie.

— Tu ferais la même chose dans la même situation, non ? Tu me montreras sa lettre.

Édouard avait prononcé quelques bons mots pour les chères Étiennette et Gabrielle, et voilà que le sort de ce bonimenteur l'intéressait. Le vieux garçon conservait un esprit de famille inaltérable.

Quand tous ces gens retournèrent à la maison, ils purent se rassurer : leur femme, leur demeure et leur brosse à dents ne deviendraient pas propriétés collectives.

— Mathieu, me priver de la présence des enfants mon seul jour de congé pour assister à des célébrations de ce genre me désole.

— Crois-moi sur parole, ça ne m'amuse pas plus que toi.

Ils restèrent silencieux jusqu'au moment de gravir la côte d'Abraham.

— Tu sais, si tu préfères abandonner l'emploi de secrétaire, tu es libre.

— J'aime ce travail. De toute façon, les petits sont à l'école cinq jours par semaine. Ce sont ces activités qui me puent au nez. La course de trottinettes, puis tous ces discours…

Le marchand hocha la tête. Trois heures plus tôt, il considérait encore sa présence comme essentielle. Après une soirée si pesante, ça ne lui paraissait plus si important. Peut-être valait-il mieux épargner à Flavie cette corvée, si toute son attitude trahissait son déplaisir d'être là. Il valait peut-être mieux s'ennuyer seul dans ce genre d'activité que le faire à deux.

— Je crois que je pourrai m'arranger sans toi.

La main de Flavie chercha la sienne sur la banquette.

Le lendemain matin, un lundi, peu avant dix heures, Thalie entra dans l'église Saint-Dominique et n'y vit personne. Le docteur Caron lui avait déjà parlé de la tenue de mariages discrets. De telles cérémonies se passaient dans la sacristie. On y accédait du côté gauche de la nef. Il s'agissait d'une seconde église en format réduit, avec son autel plus modeste et sa demi-douzaine de rangées de bancs.

Le cercueil de bois paraissait tellement énorme, en proportion. À l'arrivée de la médecin, une dizaine de personnes se retournèrent : les parents, les frères et sœurs, des personnes âgées, les grands-parents sans doute. Le père semblait près d'exploser de rage, au point où l'on ne distinguait aucun chagrin chez lui.

Le prêtre expédia la cérémonie, comme pressé d'en finir dans un contexte aussi hostile. Aucune des amies de la jeune femme n'était présente, aucun cousin, aucune cousine. Sa mort la trouvait aussi seule que les dernières semaines de sa vie. Puis la célébration se termina à la sauvette, des employés des pompes funèbres vinrent récupérer le cercueil. Personne n'indiqua où se déroulerait l'inhumation.

Thalie décida de sortir par la porte latérale. Dehors, monsieur Saint-Onge, le père de la défunte, l'attendait. Sans autre entrée en matière, il siffla entre ses dents :

— Vous êtes la femme médecin ?

Dans la paroisse, personne ne devait ignorer son identité.

— Je suis la docteure Picard.

— Que faites-vous ici ?

— Les funérailles sont des événements publics.

Le père serra les mâchoires. Elle se souvint de la terreur de la jeune femme à l'évocation de se confier à cet homme. Sa frayeur lui devenait tout à fait compréhensible.

— Vous a-t-elle consultée ?

— Connaissez-vous la notion de secret professionnel ?

Son interlocuteur parut vouloir la frapper. Près du corbillard, toute la famille attendait.

— Ma fille était mineure. J'ai le droit de savoir.

Évidemment, en recourant à un avocat, il aurait accès à son dossier. Autant éviter des procédures légales fastidieuses.

— Jamais elle ne m'a dit son nom.

— Savez-vous qui a fait ça ?

— Fait quoi ?

Puis, elle comprit. Cet homme cherchait qui était responsable de la souillure à la renommée de sa famille.

— Le père ? Elle ne me l'a pas dit.

Pas question de divulguer les quelques détails révélés lors de la consultation : mieux valait se taire pour éviter une vengeance meurtrière.

— Est-ce vous qui lui avez donné l'adresse de cette femme de la Basse-Ville ?

La même question venait à l'esprit de toutes les personnes ayant connu Marielle.

— Non, monsieur. Maintenant, je dois aller travailler.

Saint-Onge ne se déplaça pas d'un pouce, son regard menaçant toujours posé sur elle. Thalie dut le contourner pour rejoindre le trottoir.

# Chapitre 16

Le docteur Caron acceptait de sortir de sa retraite, ce qui permettait à Thalie de bénéficier de vacances. Jusque-là, la praticienne n'en avait pas beaucoup profité. Ce dernier jeudi d'octobre, elle prenait congé du cabinet, des consultations au magasin PICARD et même de Victor Baril pour quelques jours.

En début d'après-midi, elle était montée dans un train du Canadien National à la gare du Palais. Elle descendit vers six heures à Ottawa. Sur le quai, elle chercha une figure connue parmi la foule.

— Thalia ! cria une voix.

Catherine Baker se tenait là, une grande femme châtaine de son âge. Les retrouvailles furent marquées par une longue étreinte, puis elles prirent le temps de se regarder.

— Tu n'as pas changé.

— Toi non plus.

Chacune affectait de ne pas voir les rides au coin des yeux de l'autre, les cinq ou dix livres s'étant ajoutées sur les hanches au fil des ans.

Catherine prit la valise posée sur le sol.

— Mais non voyons, je peux m'en occuper.

Son amie fit semblant de ne pas entendre, Thalie lui emboîta le pas. À la sortie de la gare, elles aperçurent le Château Laurier juste de l'autre côté de la rue.

— Nous allons manger là, proposa Catherine. Comme nous sommes piétonnes, ce sera plus simple que de chercher en ville.

Sa compagne donna son assentiment sans discuter. Ottawa lui était inconnue, puis cet établissement gardait une réputation irréprochable. Dans le grand hall, Thalie trouva le luxe habituel de ce type d'endroits : les tapis épais, les lustres aux pendeloques de verre, les hautes plantes dans leur pot de cuivre. Le Château Frontenac présentait le même faste.

Un chasseur voulut s'emparer du bagage. Catherine s'entêta à le porter elle-même jusqu'à l'étage où se trouvait sa chambre, une pièce largement occupée par un grand lit. La valise fut déposée sur une chaise.

— Nous allons mettre nos manteaux dans la garde-robe, puis descendre.

— Si tu veux me laisser un moment…

La salle de bain se trouvait dans un coin. Catherine avait déjà étalé son rouge, sa poudre, son peigne et sa brosse à dents sur la tablette au-dessus du lavabo. La situation rappelait à Thalie les visites de l'une chez les parents de l'autre, des années plus tôt. Alors, elles partageaient aussi la même chambre. Depuis, le passage du temps les avait éloignées.

Vingt minutes plus tard, elles étaient installées dans le bar de l'hôtel, un verre de vin à la main. Le reste de la clientèle se composait d'hommes. On reconnaissait parmi eux un certain nombre de politiciens : le Parlement se dressait tout près.

— Ils vont s'arracher les yeux, à force de loucher dans notre direction, ragea la médecin.

— Tout de même, avoue que nous formons une jolie paire.

— Ces temps-ci, les attentions masculines me tombent un peu sur les nerfs.

— Ah oui ? Raconte.

Thalie fit un geste de la main pour signifier son intention de ne pas s'engager sur ce sujet. Au contraire, elle orienta la conversation sur la carrière de son amie.

— Cette affaire Palmer, tu vas la plaider demain ?

— Tu veux rire. Jamais mon patron ne me laisserait faire. Mon rôle se limite à préparer l'accusée, à glaner toutes les informations et à alimenter mon collègue. Si je résume, c'est moi qui réfléchis et c'est lui qui parle.

— Pourquoi rester dans ce cabinet alors ? Tu pourrais ouvrir ton propre bureau, je suppose.

— Pour la même raison que tu as de rester au même endroit. Ils m'ont donné mon premier emploi, alors que la plupart ne voulaient rien savoir des avocates. Je suppose que je me sens redevable aux gens qui m'ont donné ma première chance. Puis, je gagne bien ma vie.

— Tu as raison. Au fond, je prends aussi la solution facile. Un collègue m'a d'abord fait une place, et je continue au *Jeffery Hale* comme au tout début de ma carrière. L'esprit d'entreprise doit me manquer.

Elles se déplacèrent pour le souper. Dans la salle à manger, l'équilibre des genres s'avérait mieux respecté. Une fourchette dans la main, un filet d'aiglefin poché devant elle, Thalie se sentit de meilleure humeur.

— Alors, tu me dis un mot de cette étrange affaire ? demanda-t-elle à son amie.

— Tu ne lis pas les journaux ?

— Ceux de la province de Québec ne parlent pas de contraception. Les gens découvriraient que la chose existe.

— Tu es sérieuse, là ?

La praticienne expliqua que l'entreprise de presse se risquant à couvrir de façon explicite un tel sujet serait condamnée du haut de la chaire. Par ailleurs, on rendait scrupuleusement compte des procès des avorteurs, car ces histoires se soldaient toujours par une condamnation sans nuances de toutes les turpitudes. Le seul comportement acceptable demeurait l'abstinence ou l'enchaînement des grossesses.

— Alors, voilà le résumé : il existe au Canada quelques groupes féminins qui donnent des informations sur les moyens d'empêcher les naissances. Dans le lot, il y a un fabricant de bottes de caoutchouc de Kitchener.

— Pardon ?

— Un industriel finance le Parents' Information Bureau. Il s'appelle Alvin Kaufman. Il embauchait Dorothea Palmer, maintenant, il paie pour sa défense.

Ça ne représentait pas une première. En effet, au début du siècle, un millionnaire américain avait soutenu l'un des premiers groupes de femmes new-yorkais intéressés par la contraception. Tout de même, l'initiative avait de quoi surprendre.

— Ce monsieur s'est levé un matin en se disant : "Je vais sauver des milliers de femmes en leur évitant les grossesses à répétition" ?

L'ironie de Thalie amena un sourire sur les lèvres de sa compagne.

— Pas tout à fait. Son engagement a une dimension politique. Je ne t'enseignerai pas ce qu'est l'eugénisme.

La médecin fit « non » de la tête. Depuis plusieurs décennies, des intellectuels s'inquiétaient de la décadence des sociétés occidentales à cause des nombreux couples dont la progéniture s'avérait « tarée ». Il s'agissait d'infirmes – intellectuels ou physiques – faisant passer leurs tares à la génération suivante, mais aussi des membres des races jugées inférieures. Au total, le bagage génétique le plus sain voyait son importance diminuer de génération en génération.

— Notre cher industriel s'inquiète d'une reproduction sans frein des plus pauvres, qui conduirait à une croissance ininterrompue de la proportion des démunis, conclut Catherine.

— Quoi de mieux que d'apprendre à tous ces malheureux à réduire leur famille ? Si le mouvement est si répandu, pourquoi avoir arrêté cette femme ?

— Elle distribuait ses brochures et ses conseils dans un quartier catholique.

Thalie hocha la tête, découvrant un côté plus complexe à cette histoire.

— Catholique et francophone, dans le cas d'Eastview, précisa l'avocate. Des gens qui ont de grosses familles au nom de la revanche des berceaux. Évidemment, c'est l'un des motifs, l'autre est religieux. Personne ne peut se dérober à l'objurgation divine : croissez et multipliez.

Les mouvements de population tenaient de la politique, au Canada. Jusqu'en 1929, le gouvernement fédéral avait récolté tous les ans une moisson d'immigrants en Europe. Pour demeurer une majorité au Québec, et une minorité significative au Canada, les Canadiens français n'avaient comme stratégie que les utérus de leurs femmes. Il s'agissait de la fameuse revanche des berceaux.

— En conséquence, continua Catherine, sans doute les curés l'ont-ils dénoncée. Même si jusqu'ici, les activités du Parents' Information Bureau ont été tolérées, elles peuvent susciter des poursuites en vertu du code criminel.

— Comment la distribution de brochures peut-elle devenir un crime ?

— Pas n'importe lequel, en plus : grossière indécence.

Comme sa compagne fronçait les sourcils, l'avocate expliqua :

— Si les femmes savent éviter les grossesses, elles risquent de donner libre cours à leur concupiscence.

377

Comment ces messieurs toléreraient-ils que les femmes puissent… coucher sans crainte ?

Les inquiétudes au sujet des rapports entre les hommes et les femmes, de même que la morale sexuelle, venaient compliquer l'affaire.

— Ne regretteras-tu pas de passer ta journée au tribunal, demain ? Il y a un musée ou deux, si tu préfères.

— Je suis venue pour te voir, mais aussi pour assister à ce procès. Ce sera meilleur pour mon éducation que les orignaux empaillés du musée d'histoire naturelle.

Quelle que soit l'activité de la journée, les soirées de Thalie lui serviraient à refaire connaissance avec Catherine. Si l'homme de sa vie lui faisait faux bond, l'amitié reprenait tous ses droits. Les deux femmes avaient passé des années entières sans se voir, il fallait donc un peu de temps avant qu'elles ne se sentent complètement à l'aise l'une avec l'autre.

Le tribunal, une grande bâtisse de pierre grise, se dressait dans la rue Nicholas. Les deux femmes y arrivèrent avant le début des procédures. Catherine se dirigea tout de suite vers une brunette de moins de trente ans, assise sur un banc, la tête basse.

— Madame Palmer, comment vous portez-vous ce matin ?

— Comment voulez-vous que je me porte ? Depuis deux jours, toutes ces femmes débitent les mêmes mensonges sur moi. Jamais je ne les ai forcées à me laisser entrer dans leur maison et à accepter une brochure. Je ne faisais pas du porte-à-porte, je me présentais aux adresses que le Parents' Information Bureau me désignait.

Le ton tenait à la fois de la plainte et de la colère.

— Je vous ai dit que ce serait comme ça. Ce sont les témoins de l'accusation. Si elles avaient quelque chose de positif à dire, elles témoigneraient pour nous.

Tout à fait vrai, ce discours donnait une drôle d'impression de la justice.

— Dorothea, reprit l'avocate après une pause, j'aimerais vous présenter une amie qui s'intéresse beaucoup à votre procès, Thalia Picard.

L'échange des « *How do you do ?* » manqua de conviction.

— Voulez-vous entrer avec nous ? demanda Catherine.

Son interlocutrice secoua la tête de droite à gauche. L'avocate pénétra dans la salle d'audience suivie de son amie. Elles prirent place dans la première rangée de sièges, tout juste derrière la table des procureurs.

— Pauvre dame, commenta Thalie.

— Voici plus d'un mois qu'on lui crie des bêtises dans la rue. Pire, son mari tient une petite librairie rue O'Connor et des gens vont vociférer devant sa vitrine. Tôt ou tard, quelqu'un y lancera une pierre.

Des curieux commençaient à occuper les sièges. Ce procès faisait l'objet d'une couverture de presse régulière, le sujet touchant à la fois la politique, la morale et la religion.

— Les procédures durent depuis quelques jours, je crois.

— Depuis mercredi. Les témoins de l'accusation se sont succédé pendant deux jours.

— Quelle impression ont créée ces premiers jours sur l'auditoire ?

Catherine haussa les épaules. Le même scénario avait déjà été raconté par près de vingt femmes.

— Une personne détestable s'introduirait de force dans les demeures de bonnes catholiques pour leur imposer des moyens contraceptifs. Cela au plus grand détriment du bien public.

— Seigneur! Dis-lui de plaider coupable pour qu'on la brûle au plus vite sur la place publique.

Catherine accueillit ce défaitisme avec un sourire.

— Voyons, ma belle, son calvaire achève. Cet après-midi, nous commencerons à montrer combien son apostolat permet de sauver de nombreuses vies humaines, de soulager la misère dans ces temps de crise. Remarque, ça ne veut pas dire que tout le monde sera content.

Derrière elles, des gens pestaient, car il ne restait plus de place dans la salle. Les avocats regagnaient leur siège, les lourds dossiers dans leur mallette de cuir. Dorothea Palmer était assise entre ses défenseurs, deux solides gaillards portant des toges. Les acteurs se trouvant maintenant sur la scène, tous se levèrent quand le juge Lester Clayton entra à son tour.

Raoul Mercier, un Canadien français, agissait comme procureur de la Couronne. Il devait mettre en évidence les éléments de la preuve accumulée contre la prévenue. Pour cela, des témoins venaient faire rapport de leurs expériences, de leurs découvertes ou de leurs observations.

— J'appelle à la barre des témoins madame Zidonie Lacasse, dit-il.

Une grosse dame entra par la porte arrière pour avancer jusqu'à la barre des témoins. Son manteau élimé, ses cheveux sales et ses yeux mornes transpiraient la misère.

— Madame Lacasse, dites-moi ce qui s'est passé le 14 septembre dernier.

— Hein! Quand ça?

— Le jour où la femme du Parents' Information Bureau s'est présentée chez vous.

«La difficulté avec des témoins un peu perdus comme elle, murmura Catherine à l'oreille de son amie, c'est qu'ils oublient ce qu'on leur a appris.» À la barre, la mégère resta d'abord interdite, puis se souvint de la raison de sa présence.

— L'Anglaise ? Bin est v'nue à la maison pour m'donner ses cochonneries.

— Pour vous donner quoi ?

— Son papier sur les choses qu'y faut faire pour pas tomber en famille. Chus pas sûre, précisa-t-elle, parce que c'tait en anglais.

Un éclat de rire parcourut la salle, d'abord parmi les francophones qui comprenaient ses paroles, puis parmi les anglophones, entraînés par les premiers. Mal fagotée, l'air un peu perdu dans cette grande salle, la grosse dame faisait un témoin plutôt ridicule.

— Vous aviez demandé cette brochure ?

— Bin non, j'la comprenais même pas.

Le procureur de la Couronne se tourna vers le juge avec un regard entendu.

— Vous reconnaissez dans la salle la femme qui vous a rendu visite ?

— C'est elle, là.

Du doigt, elle désigna Dorothea Palmer.

— Quand elle vous a rendu visite, elle s'est bien comportée ?

— … Bin, c't'une Anglaise. Ça nous r'garde de haut, les Anglaises qui sont allées longtemps à l'école.

De nouveau, un éclat de rire fusa. Le procureur de la Couronne espérait entendre que Dorothea Palmer défonçait la porte des gens. Il comprit ne rien pouvoir attendre de mieux de madame Lacasse.

— J'ai terminé, monsieur le juge, dit-il à l'intention du magistrat.

— Maître Wenegast, votre témoin.

Le voisin de Dorothea Palmer se leva, un gros homme chauve, pour demander :

— Cette dame parle-t-elle un moins bon français que le mien ?

— Bin oui, parc'que vous, j'vous comprends.

— Alors, vous ne pouvez pas savoir si elle était polie ou non.

La bonne femme fronça les sourcils, soucieuse.

— V'nir me parler du nombre d'mes enfants, pas s'mêler de ses affaires, c'est pas poli, ça.

Au ricanement des spectateurs, elle comprit avoir marqué un point.

— Vous êtes absolument certaine de ne pas avoir demandé la visite d'une travailleuse sociale ?

La voix contenait tellement d'assurance que le témoin réfléchit un moment.

— M'semble bin qu'non, ça peut être mon mari, par exemple.

— Vous pouvez me dire ce que fait monsieur Lacasse ?

— Vous voulez dire mon mari ? Y travaille pour le gouvernement, comme bin du monde dans Eastview.

— Pour le gouvernement ?

Le scepticisme de l'avocat sautait aux yeux. Ça ne correspondait pas aux informations glanées par ses assistants.

— Bin oui, y est su l'secours.

Cette fois, toute la salle s'esclaffa. « Cette femme aurait dû témoigner pour la défense », murmura Catherine. Thalie ne comprit le sens de la remarque qu'avec la suite de l'interrogatoire.

— Ça fait longtemps que votre mari est sans travail ?

— Des fois y en trouve, ça dure jamais longtemps.

— Vous avez eu beaucoup d'enfants ?

— … Huit.

L'aveu venait avec une certaine gêne, comme s'il s'agissait d'une faute.

— Quand le premier est-il né ?

— En 1926.

— Ça lui fait donc dix ans.

De nouveau, la femme s'agita sur son siège, mal à l'aise.

— Y est mort, m'sieur.

L'information plana sur la salle d'audience.

— Vous avez donc eu un enfant presque tous les ans…

Wenegast se priva de demander si des fausses couches s'ajoutaient au nombre. Sans attendre de réponse, il enchaîna :

— Aujourd'hui, combien sont encore vivants ?

— … Trois.

L'avocat de la défense pivota sur lui-même, regarda la foule assemblée, des hommes et des femmes.

— Je n'ai plus de questions, Votre Honneur.

Madame Lacasse quitta son siège pour se diriger vers la sortie. La grimace du procureur de la Couronne témoignait d'une certaine inquiétude.

À l'heure du dîner, les deux femmes tinrent compagnie à l'accusée. Celle-ci ne quittait jamais son air morose, ses efforts pour sourire la rendaient plus pitoyable encore. À une table d'un petit restaurant, Catherine s'évertuait à entretenir la conversation.

— Vous souvenez-vous de votre visite chez madame Lacasse ?

— Je l'ai vue il y a près de deux mois. Je suis allée dans une vingtaine de maisons d'Eastview pour rencontrer des Canadiennes françaises.

— D'habitude, l'accueil était bon ?

— Personne n'aime étaler sa misère. Toutes ces femmes se montraient mal à l'aise. Puis, c'est vrai que mon français leur semblait un peu étrange. J'ai appris dans les livres.

« Ces ménagères connaissent le catéchisme, sans plus, songea Thalie. Un langage trop châtié devait les rendre méfiantes. » Elle-même ressentait cette distance lors de toutes ses consultations au magasin PICARD. Elle appartenait à la Haute-Ville, aucune des vendeuses ne l'ignorait.

— Vous receviez la liste des personnes à visiter du Parents' Information Bureau ? voulut savoir la médecin.

— Oui. Le bureau met des annonces dans certains journaux, des personnes écrivent là-bas, les noms me reviennent.

— Tout ça peut donc être un simple piège. Un curé vous envoie des demandes d'information et alors c'est la police qui vous attend.

Le repas les occupa un long moment, puis Dorothea Palmer regarda la montre à son poignet, poussa un soupir.

— Il faut y retourner.

— Nous avons encore une demi-heure.

Pourtant, Catherine leva la main pour faire revenir la serveuse. L'accusée se révélait rarement encline à faire la conversation.

À la reprise de l'audience, le ton changea complètement. Un professeur d'économie vint à la barre des témoins. Puisqu'il était appelé par la défense, maître Wenegast posa les premières questions. Visiblement, l'usage de la langue anglaise lui convenait mieux.

— Monsieur Kemp, pouvez-vous me parler de la mortalité infantile dans Eastview ?

— Les recensements nous donnent des informations à ce sujet. On présente les taux de mortalité infantile en évoquant le nombre de décès survenus avant l'âge d'un an sur mille naissances vivantes. Pour ce quartier, on parle de cent quarante.

— Vous voulez dire que pour tous les mille enfants nés vivants, on compte cent quarante décès dans les douze premiers mois. Environ un sur six.

Présentée comme cela, la proportion paraissait plus effrayante encore.

— C'est beaucoup ?

— On parle d'un taux d'une moyenne de soixante-quatorze pour l'Ontario et de cent vingt-sept pour le Québec. La province de Québec présente le plus haut taux du Canada, plus encore que la Saskatchewan.

Comme toutes les personnes informées, Thalie comprenait le sens de la précision : même si cette province des Prairies était celle qui souffrait le plus de la crise parmi les provinces canadiennes, la mortalité infantile y demeurait plus faible qu'au Québec.

— Même à soixante-quatorze, le chiffre demeure élevé.

— Dans les quartiers les plus riches, il peut descendre aussi bas que vingt-cinq.

L'avocat émit un petit sifflement admiratif.

— Dans quelle localité trouve-t-on le plus élevé ?

— À Trois-Rivières, le taux est de deux cent quatre-vingt-sept.

De nouveau, le silence témoigna de l'émotion de l'assistance. Cela représentait plus d'un enfant sur quatre dans une localité toute canadienne-française. Puis le fait d'avoir atteint douze mois de vie ne signifiait pas que l'enfant se rendrait à l'âge adulte, de beaucoup s'en fallait. Madame Lacasse en avait fourni une preuve éloquente : plus de la moitié des siens étaient morts avant d'atteindre leur dixième anniversaire. Ces données alimentaient le sentiment de supériorité des Canadiens anglais.

— Tous ces décès de jeunes enfants dans Eastview étaient-ils inéluctables ?

— La moitié tient à des causes facilement contrôlables.

— Vous êtes certain ? Comment devrait-on faire ?

Le professeur se déplaça sur la chaise des témoins, adopta la posture du spécialiste devant former des néophytes.

— D'abord, en espaçant les naissances. Les experts considèrent qu'il faut ménager deux ans entre chacune. Bien sûr, l'accès à des soins médicaux, à une bonne alimentation, les conseils des travailleurs sociaux, tout cela aide. Mais en premier, il faudrait espacer les naissances.

Pendant un long moment, il évoqua des recherches menées au Royaume-Uni, établissant un lien direct entre le nombre des naissances, leur rapprochement et la mortalité infantile.

— La diminution de la quantité de ces décès est certainement l'objectif le plus louable. Voyez-vous une autre raison de contrôler les naissances ?

La présence d'un économiste à la barre, dans un procès semblable, laissait présager la tournure éventuelle de la discussion.

— Oui, le gaspillage des fonds publics. Tous ces enfants que leurs parents ne peuvent nourrir relèvent à la fin de nos impôts.

Personne n'avait oublié la boutade de madame Lacasse : son mari « travaillait » pour le gouvernement. Pour tous les bons contribuables, les bénéficiaires de leurs largesses devraient au moins montrer un peu de honte, et non s'amuser de la situation.

— Votre témoin, maître Mercier, invita l'avocat de la défense en français à l'intention de son collègue.

La règle voulait que les témoins de la Couronne soient contre-interrogés par la défense, et ceux de la défense par la Couronne. Le procureur s'approcha de la barre, l'air soucieux.

— Vous conviendrez que l'on peut économiser l'argent des payeurs de taxes de bien d'autres façons que par le contrôle des naissances.

— Si vous me donnez deux jours, je peux vous présenter une centaine de moyens de le faire. Cependant, aucun ne sera plus efficace que le contrôle des naissances. Pensez au coût des secours, des soins de santé, de l'éducation…

Mercier s'empressa d'interrompre la démonstration trop efficace.

— Pour réduire la mortalité infantile, le contrôle des naissances serait le meilleur moyen, selon vous ?

— Ce serait certainement un bon moyen.

— Des cliniques accessibles aux parents pauvres, des visites d'infirmières ou de travailleuses sociales permettraient aussi d'améliorer la situation, n'est-ce pas ?

— Certainement.

Dans l'assistance, chacun mesurait combien ces stratégies seraient plus dispendieuses que la diffusion d'informations au sujet des contraceptifs.

— Croyez-vous convenable que des femmes comme celles qui ont défilé ici reçoivent de l'information sur la contraception ?

— Bien sûr.

— En posant cette question, murmura Thalie à l'intention de sa compagne, il aide ta cause.

L'avocate, malgré le regard sévère du juge dans sa direction, lui répondit :

— Mais qui te dit que ce procureur de la Couronne est contre le contrôle des naissances ? Il fait son travail.

— Où croyez-vous que la population d'Eastview trouvera l'argent pour se procurer des informations sur la contraception ?

— J'ai compris que le Parents' Information Bureau les distribuait gratuitement. Un philanthrope, monsieur Kaufman, paie les travailleuses sociales ou les infirmières qui visitent les maisons.

Le professeur quitta son siège visiblement satisfait de sa performance. Peu après, les gens quittaient la salle avec certaines de leurs croyances confirmées. En particulier, leur opinion relative au comportement démographique des Canadiens français : en plus d'être tout à fait irrationnelles, les mœurs de ces derniers coûtaient cher en impôts de toute sorte.

Pour la seconde fois, Fernand venait chercher ses enfants à la gare. Cette fois, tous les deux étaient bien là. Le père et son fils Charles se serrèrent la main. Pour accueillir Béatrice, l'étreinte convenait mieux.

— Alors, que se passe-t-il à Montréal ?

— Pas grand-chose, répondit le benjamin. Depuis le grand rassemblement catholique, il n'y a eu aucune autre manifestation.

— Quelques centaines d'étudiants, après les cent mille de monseigneur Gauthier, ça ne ferait pas sérieux.

Si le notaire ne pouvait dissimuler son sourire satisfait, au moins, il ne raillait pas leurs idées. Dans le stationnement, Béatrice se dirigea tout naturellement vers la portière donnant accès à la banquette arrière.

— Non, monte à l'avant, lui dit son frère.

— Tu deviens attentionné à l'égard des femmes ? demanda-t-elle en riant.

— Plutôt envers mon aînée. Donne-moi cette valise, je vais la mettre dans le coffre.

La fille s'installa donc à côté de son père. Celui-ci se tourna à demi pour dire :

— Samedi dernier, je n'ai pas eu beaucoup de temps pour m'informer de toi, avec cette... affaire. T'intègres-tu mieux à l'Université McGill ?

— Si ça continue, je finirai par dire que ça va bien.

Son sourire confirmait ses paroles optimistes. Le samedi précédent, par discrétion et à cause de l'excitation politique, elle n'avait pas parlé de son dîner avec Jacques ni de son souper chez Sarah Bernstein. Elle entendait demeurer discrète sur ces deux sujets. L'hospitalité d'une famille juive entraînerait inévitablement des remarques de la part de son cadet. Quant à la rencontre de son demi-frère, elle se demandait toujours comment présenter la chose à son père. Malgré son immense compréhension, celui-ci tolérerait peut-être mal cette relation avec le fils caché d'Eugénie.

Comme son frère s'installait sur la banquette arrière, elle se tourna plutôt vers lui.

— Charles, tu sais que j'ai une voisine désireuse de te connaître ?

— Ah oui ! Comment est-elle ?

— Elle a une voix d'ange...

— Et le reste ?

Tout en s'engageant boulevard Charest, Fernand afficha une mine satisfaite. Peut-être le plus jeune préférerait-il des yeux doux aux Jeunesses Patriotes.

— Le reste ? Tu jugeras par toi-même. Tiens, tu pourrais te joindre à moi pour aller à la messe, dimanche prochain.

— Je vous ai vues passer, un véritable contingent.

— Alors, tu auras l'embarras du choix.

Dans ce cas, lui aussi serait soumis à un examen. Cette perspective rendait l'expérience moins intéressante.

Quand ils entrèrent dans la demeure de la rue Scott, le notaire leur dit à voix basse :

— Pour grand-maman, il faut que vous sachiez que... la situation devient critique.

Si Charles reçut l'information avec stoïcisme, Béatrice porta sa main gantée à sa bouche.

— Oh non ! Je vais aller la voir tout de suite.

Son père lui mit les deux mains sur les épaules.

— Attends demain matin. Sa journée a été mauvaise, elle verra sa princesse seulement quand elle sera reposée.

La jeune femme se laissa enlacer, s'abandonna à sa peine. Une part d'elle voulait détester son père pour ne pas l'avoir avertie de l'évolution de l'état de son aïeule ; d'un autre côté, le connaissant maintenant, elle demeurait totalement impuissante.

Catherine eut un sommeil agité. Partager un lit faisait tout drôle à Thalie, qui se leva la première. Elle gagna la salle de bain sans faire le moindre bruit. À son retour dans sa chambre, son amie cherchait dans la commode de quoi se vêtir pour la journée.

— J'espère ne pas t'avoir réveillée.

— Non, non, je dois me lever pour aller au travail. Toi, tu pourrais faire la grasse matinée. Ce sera un beau samedi.

— Rater un procès historique ? Jamais.

L'avocate disparut à son tour dans la salle de bain. Bien sûr, l'affaire Dorothea Palmer ferait date. L'acquittement de celle-ci marquerait la jurisprudence : plus jamais on ne poursuivrait quelqu'un pour avoir transmis des informations sur la contraception. La conclusion de ce procès aurait des répercussions sur le travail de Thalie et de tant d'autres professionnels de la santé.

Quelques minutes plus tard, toutes les deux prenaient l'ascenseur pour se rendre à la salle à manger. Dans celui-ci, un peu hésitante, Thalie dit :

— Si tu préfères ne pas en parler, dis-le-moi, mais la séparation avec ton mari, c'est définitif ?

Elle ne savait jamais si questionner sur un sujet semblable s'avérait trop intrusif, ou encore si s'en abstenir paraîtrait insensible. L'ouverture des portes pour permettre à d'autres personnes d'entrer réduisit sa compagne au silence. Ce ne fut qu'une fois assise dans la salle à manger que Catherine commença :

— Aussi définitif que possible. Nous allons divorcer.

Demander pourquoi ne se faisait pas. Les confidences viendraient ou non, selon le désir de son interlocutrice.

— Ce mariage nous semblait une bonne idée dans le temps. Nous nous entendions bien, je gardais ma liberté de mener une carrière tout en vivant comme tout le monde. Après dix ans, toutefois… tu sais, il manquait l'essentiel, dans cette union.

Son amie demeura songeuse, puis émit un simple petit « Oh ! ». Bien sûr, ses parents n'étaient pas les seuls à avoir scellé une union de convenance. S'agissait-il pour les deux époux de montrer une façade respectable, tout en cherchant ailleurs leur satisfaction amoureuse ?

— Je ne savais pas. Je suis désolée.

— Il ne s'agit pas du genre de chose dont on se vante sur la place publique.

— Je comprends.

Elle-même tenait bien secret l'engagement convenu entre ses parents presque trente ans plus tôt. Au milieu du repas, ce fut au tour de Catherine de vouloir satisfaire sa curiosité.

— Tu sembles mélancolique, Thalie. Jamais tu n'as évoqué ton marchand de musique lors des quarante dernières heures.

— Sans doute parce que je ne sais pas trop comment conclure cette histoire.

— Si tu parles de conclusion, tu veux dire que…

La course de trottinettes datait déjà de cinq semaines. Depuis, les relations avec son amoureux étaient restées tendues.

— Les choses se passaient bien… enfin, nous sortions quelques fois pendant la semaine, nous nous voyions tous les samedis, tous les dimanches.

— Cela me semble être un arrangement parfait.

Jusqu'à peu de temps auparavant, Thalie pensait exactement la même chose.

— Tout à coup, il a voulu éviter qu'on nous voie ensemble dans la rue, dans des endroits publics.

— Je connais des femmes ayant le même souci, mais de la part d'un homme, c'est curieux. Eux sont plutôt enclins à parader avec une femme à leur bras en bombant le torse.

— Je sais, on dirait que les rôles sont inversés. Ses voisins lui feraient des observations mesquines, son curé menacerait de lui refuser les sacrements.

L'avocate souleva les sourcils, intriguée. Elles occupaient une table un peu à l'écart, dans la salle à manger, afin d'échanger leurs confidences en toute discrétion.

— Rappelle-toi, je vis au Québec. C'est comme en Ontario, mais en dix fois plus sévère.

Catherine hocha la tête. La *priest ridden society*, la société dirigée par des prêtres, suscitait sa part de commentaires méprisants ailleurs au Canada.

— Il veut donc te quitter pour faire plaisir à son confesseur?

— Non, pas du tout. Son premier choix serait le mariage, je pense. Sinon, il aimerait limiter notre relation à des visites discrètes pour… tu comprends ce que je veux dire.

Catherine hocha la tête : la voir pour se soulager, satisfaire un besoin physique, sans plus.

— Je ne veux pas accepter de m'unir à lui, continua Thalie. Comment ferais-je pour poursuivre ma carrière avec le ventre gros. Tu as entendu madame Lacasse, hier. Une fois mariée, un prêtre me menacerait de l'excommunication si je contrôlais les naissances. En soi, cela ne me dérangerait pas trop, mais une telle sentence viderait complètement mon cabinet.

Ces réflexions la hantaient depuis toutes ces semaines. Une conclusion s'imposait à elle, il lui faudrait maintenant trouver le courage d'y donner suite. Elle précisa :

— Mon attachement aux enfants de Victor vient compliquer la situation. Je devrais me séparer d'eux aussi. Si l'aîné ne dissimule pas son désir de me voir disparaître de la vie de son père, j'aime beaucoup le plus jeune, Aimé.

— *Loved ?*

— Oui. Comme tu vois, il porte un prénom prédestiné.

Le souvenir du gamin si fier de sa trottinette lui revint en mémoire. Sa serviette lui permit de s'essuyer un peu les yeux.

— Je constate que… je n'ai plus envie que Victor soit dans mon existence. Son désir de mariage me coûterait trop cher et lui tient à retrouver sa respectabilité en me passant un anneau au doigt. Je ne vois pas d'autre solution. En ce moment, on se rencontre pour se faire la gueule.

Ces trois jours en compagnie de sa vieille amie lui permettaient d'échapper à cette tension, tout en lui offrant d'en mesurer tout le poids.

— En même temps, la vie de solitaire, enfermée dans mon appartement, ne me dit rien qui vaille.

— Depuis dix ans, je te répète la même chose. Tu pourrais venir travailler en Ontario sans aucun mal. Comme tu le disais, la surveillance de la vie privée y pèse moins lourd. Surtout dans une ville comme Toronto.

Cela demeurait bien sûr une possibilité. Toutefois, Thalie résistait à l'idée de se faire chasser de chez elle par le conservatisme ambiant.

# Chapitre 17

Après une nuit blanche, Béatrice se présenta dans la cuisine dès le matin. Selon les domestiques, la pauvre aïeule avait somnolé toute la journée de la veille. Hortense expliquait tout en préparant le déjeuner :

— Madame n'a pas voulu se lever ce matin. Elle va passer la journée au lit, comme hier.

— Ça lui arrive souvent ?

Devant l'inquiétude dans la voix, la domestique se troubla en répondant :

— Non, pas souvent... Depuis que le curé est venu pour l'extrême-onction.

Les larmes aux yeux, la blonde se tourna vers son père qui entrait dans la pièce.

— Tu ne m'as pas dit, pour les derniers sacrements.

Le ton laissait filtrer une certaine colère.

— Je comprends ta frustration, Béatrice. Ta grand-mère a réclamé la discrétion. Tu sais combien elle tient à ta réussite.

Bien sûr, ce fils attentif ne pouvait outrepasser les désirs de sa mère. Tous les deux conspiraient pour la protéger.

— Il faut faire venir Thalie, dit la blonde un peu plus amène.

— Ce ne sera pas possible, répondit Élise en les rejoignant dans la pièce, elle est à Ottawa. Je vais téléphoner à mon fils. Il est venu la voir hier.

Finalement, ils tenaient une réunion de famille debout dans la cuisine, présentant une nuisance pour les domestiques.

— Je vais aller la voir, décida Béatrice.

Fernand donna son accord d'un hochement de la tête. Depuis les derniers jours, l'état de la vieille dame déclinait. Son départ de ce monde, alors que tous les enfants se trouvaient dans la maison, la réconfortait sans doute. Même la mort obéirait à sa volonté.

Quand elle poussa la porte, la blonde renifla un bon coup et tenta de présenter une bonne mine. Machinalement, ses yeux se portèrent vers la fenêtre. Personne n'occupait la grande chaise, le jeu de cartes reposait sur la table. Sa grand-mère sommeillait dans le lit, les bras le long du corps. Le bonnet blanc s'était déplacé, laissant apercevoir les cheveux fins, rares au point de laisser voir la peau.

— Grand-maman, je suis là, dit la jeune femme en se penchant sur elle.

Les yeux bleus s'ouvrirent, un sourire fugace éclaira le visage ratatiné.

— Ma princesse, te voilà. J'aurais aimé te parler hier, mais je n'étais pas présentable.

Les mots s'avéraient à peine perceptibles. La commissure des lèvres se crispa encore dans un sourire.

— Imagine, c'était pire que ce matin.

— Ça va aller, grand-maman.

La mourante aspira difficilement, tourna un peu la tête.

— Écoute, on est des grandes personnes, on ne va pas se mentir, dit la vieille dame. Le bon Dieu va venir me chercher très bientôt, Béatrice.

Pleurant cette fois, la blonde acquiesça d'un mouvement de la tête.

— Approche une chaise et tiens ma main. Parler m'épuise.

La jeune femme fit comme on lui disait. Dans sa paume, elle avait l'impression de tenir une patte d'oiseau, les petits os étant couverts d'une peau ridée. L'aïeule venait de lui rappeler qu'une adulte devait accepter le moment du départ, inéluctable de toute façon. Tous ses efforts permettraient à la blonde de conserver sa contenance.

Moins d'une heure plus tard, à la place de Pierre Hamelin, le vieux docteur Caron se présenta. Il alla se poster près du lit, de l'autre côté. Quand Béatrice fit mine de se lever, il l'arrêta d'un geste.

— Restez avec nous, mademoiselle.

Au son de sa voix, la vieille dame ouvrit les yeux.

— C'est mon ange. J'ai la chance d'en avoir un avant de partir, j'espère qu'il y en aura un autre de l'autre côté aussi. Mon vieil époux doit s'impatienter, je ne me suis pas pressée pour le rejoindre.

Le praticien ne se donna même pas la peine de sortir son stéthoscope. Ses doigts se posèrent sur le poignet, pour ne rien distinguer.

— Que faites-vous ici ? demanda-t-elle tout doucement.

— La jeune docteure Picard a pris congé. Puis, nous nous connaissons depuis si longtemps.

Madame Dupire hocha tout doucement la tête. Ce praticien avait soixante-dix ans. Quand elle était entrée dans son bureau pour la première fois alors qu'elle avait quarante ans, il commençait tout juste sa pratique.

— Je peux vous donner quelque chose, dit-il à voix basse. Pour vous permettre de vous reposer.

Il s'agissait d'un euphémisme. Un opiacé réduirait son angoisse, son niveau de conscience aussi. L'acquiescement de la tête fut à peine perceptible. Le sac noir recélait, entre autres choses, un petit flacon.

— Mademoiselle, pouvez-vous aller chercher une cuillère, je vous prie ?

Comme elle jetait un coup d'œil vers sa grand-mère, le
médecin précisa :

— Je ne bougerai pas de son chevet.

Quand elle revint un instant plus tard, le docteur Caron
se penchait sur sa patiente, lui murmurait quelque chose à
l'oreille. Béatrice reprit sa chaise, le regarda verser quelques
gouttes de sa potion dans la bouche de la malade. Il effleura
l'épaule de la jeune femme avant de quitter la pièce.

Dorothea Palmer affichait la même mine maussade
que la veille. Le juge Lester Clayton fit son entrée dans la
salle d'audience. L'avocat de la défense appela à la barre
Margareth Batt. Blonde, les cheveux coupés court, et vêtue
d'une robe élégante et étroite, elle attira tous les regards en
traversant la salle.

— Pouvez-vous nous dire en quoi consiste votre occupation, docteure Batt ?

— Je suis la directrice médicale de la clinique de contrôle
des naissances de Toronto.

— Il s'agit d'une clinique très fréquentée, n'est-ce pas ?

— Nous avons reçu six mille femmes en consultation.
Je me suis personnellement occupée du tiers de celles-ci.

Thalie éprouva pour la première fois un réel désir de
déménager ses pénates. Cette femme admettait en public
avoir reçu deux mille femmes en consultation au sujet de la
contraception, et personne ne tentait de la lapider.

— Votre clinique est financée par l'organisation qui
embauche madame Palmer, n'est-ce pas ?

— En effet, par le Parents' Information Bureau.

— Madame Palmer présentait-elle aux femmes visitées les mêmes moyens contraceptifs que ceux que vous conseillez à vos patientes ?

— Exactement les mêmes.

Décidément, l'accusée se trouvait dans une position étrange : on la poursuivait pour avoir fait la publicité de méthodes qu'un médecin prescrivait impunément dans son bureau.

— Ces produits présentent-ils le moindre danger ?

— Jamais je ne conseillerais quelque chose pouvant nuire à mes patientes.

— Quelques-uns de vos collègues prétendent qu'ils peuvent causer la stérilité.

— Certains médecins disent n'importe quoi. Ils ne pourraient citer une seule étude scientifique prouvant leur assertion.

La docteure Batt affirmait cela d'un ton qui ne tolérait pas la réplique.

— Quel est le but de votre clinique ?

— Permettre à des couples mariés de faire l'amour aussi souvent qu'ils le désirent, de se donner une vie sexuelle épanouie sans pour autant avoir un enfant tous les ans. L'idée de l'abstinence que certains conseillers spirituels recommandent est totalement contre-nature, et tout à fait mauvaise pour la santé mentale.

Cette femme en tout point respectable énonçait cette évidence d'une voix tranquille, de nouveau sans susciter de réaction hostile. Dans ce même prétoire, deux jours plus tôt, trois prêtres catholiques et un évêque anglican expliquaient que le seul moyen contraceptif acceptable demeurait la privation de relations sexuelles. Aujourd'hui, un autre témoin évoquait non seulement la légitimité des plaisirs charnels, mais aussi leur apport dans le maintien d'une bonne santé. Au Canada, deux sociétés se situaient aux antipodes, sur cette question. Certains dans la salle devaient souhaiter abjurer pour rejoindre les rangs des églises plus tolérantes.

— Vous évoquez les grossesses rapprochées. Quels risques encourent les femmes, à ce sujet?

— À la première naissance, les complications s'avèrent assez fréquentes, elles sont plus rares pour la seconde et la troisième. Les risques s'accroissent ensuite de façon dramatique pour atteindre un sommet à la huitième grossesse.

— Si je vous comprends bien, plus une femme porte d'enfants, plus élevé est le risque de mourir en couches?

— Oui. Après le troisième, le risque augmente à chaque accouchement.

Le témoin de la défense venait de décrire la situation de la grande majorité des familles d'Eastview.

— Des opposants à la contraception craignent que ces moyens n'incitent à l'immoralité. Par exemple, s'ils tombaient entre les mains de célibataires, ou même de prostituées, ce serait comme une permission de pécher, avança l'avocat.

— Ces gens prétendent-ils qu'il faut refuser la contraception à tous les couples mariés pour qu'aucune personne malintentionnée n'y ait accès? Prive-t-on tout le monde du droit de conduire une voiture sous prétexte que des imbéciles causent des accidents?

Wenegast pivota sur lui-même, avec l'air de dire : « Que pouvez-vous répondre à ça? »

— Votre témoin, maître Mercier.

Le procureur de la Couronne se leva sans enthousiasme. Comment mettre en boîte une jolie femme qui évoque la satisfaction sexuelle dans une salle d'audience?

— En Ontario, vous en avez beaucoup, des médecins comme celle-là? murmura Thalie à l'oreille de son amie.

— Pas des milliers, je t'assure. On pourrait en avoir une de plus, tu sais. Ce midi, je te la présenterai. Nous mangerons ensemble.

Le contre-interrogatoire de Margareth Batt les ramena au silence.

Le docteur Caron s'arrêta devant la porte de la salle à manger. Les deux garçons s'y tenaient maintenant, une tasse de café devant eux.

— Elle s'en va doucement. J'ai laissé de quoi la soulager.

Tout le monde dans la maison connaissait le pronostic, inutile de tenter d'atténuer la réalité.

Antoine et Charles tentaient maladroitement de contrôler leurs émotions. Fernand laissa échapper un long soupir, puis s'enquit d'une voix blanche :

— Voulez-vous prendre un café avec nous ?

— D'accord.

Un peu plus tard, Élise le reconduisit jusqu'à la porte.

— Tu aurais dû laisser Pierre venir. Faire ce trajet à pied par un temps maussade, ce n'est pas raisonnable.

— Elle n'a pas besoin d'un médecin. Pour ce genre d'au revoir, ton garçon n'est pas prêt. Bon, je passerai en fin d'après-midi, ajouta-t-il. Si nécessaire, appelle-moi.

Pendant ce temps, Fernand se rendait auprès de sa mère. Béatrice profita de l'occasion pour prendre une pause, boire quelque chose, pleurer sans retenue. Élise et les garçons défilèrent aussi devant la mourante, dans leurs petits souliers. Quand la blonde s'apprêta à retourner à son poste, son père la prit à part.

— Tu n'es pas obligée de rester auprès d'elle, tu sais. De toute façon, je ne la quitterai pas.

— Tout à l'heure, elle disait de moi que j'étais une grande personne.

Ils se penchèrent de part et d'autre du lit, Béatrice reprit la main décharnée. Le souffle de la mourante était léger, un peu irrégulier. Qu'ils soient deux facilitait les choses ; ils pouvaient prendre quelques minutes pour se détendre de temps à autre à l'extérieur de la chambre. Profitant d'une absence de son père, la blonde se pencha jusqu'à effleurer l'oreille de l'aïeule.

— Grand-maman, j'ai rencontré Jacques.

Aucune réponse, pas même un frémissement des paupières.

— Ça a été si étrange. Il m'a présentée à un collègue comme étant sa demi-sœur. J'aurais aimé avoir le temps d'en parler un peu avec toi.

La vieille dame ne dispenserait plus de conseils. Son départ fut si discret que Béatrice ne se rendit compte de rien. Fernand le constata en revenant d'une petite pause avec les siens. Il vint vers sa fille, l'incita à se lever pour la prendre dans ses bras. La figure contre la poitrine paternelle, Béatrice sanglota un moment. Quand elle se fut calmée, il lui dit :

— Elle a attendu ta présence pour s'en aller.

— Voyons, ça ne se peut pas. Personne ne décide de l'instant.

— Tu crois ? Cette semaine, elle m'a confié un message pour toi : continue.

Bien sûr, la mourante avait retardé le moment jusqu'à sa prochaine visite. Sans doute voyait-elle le dimanche après-midi comme une ultime limite.

— Va te reposer un peu, je vais appeler le docteur Caron.

Ce serait sa dernière visite à la vieille dame. Il remplirait le certificat de décès.

Thalie revint du restaurant la tête un peu bourdonnante. Catherine lui avait-elle tendu un guet-apens ? Son amie avait d'abord évoqué sa venue à Toronto au déjeuner, et au dîner, la docteure Batt parlait d'une offre d'emploi dans une clinique de contraception. Thalie commençait à s'inquiéter de la surprise que lui réservait peut-être le souper.

Ce jour-là du procès serait consacré aux médecins prêts à témoigner pour la défense. On le finirait avec un professeur d'obstétrique de l'Université de Toronto qui ajoutait la contraception à son corpus d'enseignement. Avant d'en arriver là, le docteur William Hutton, de Brandford, vint à la barre. Une fois les présentations faites, une simple invitation l'amena à commencer une véritable leçon.

— Notre société vit à la fois une révolution biologique et une révolution économique.

— Pour l'économie, nous le savons tous. Mais pour la biologie ?

— Actuellement, les personnes les moins intelligentes se reproduisent beaucoup plus vite que les personnes douées. La différence de comportement des classes sociales au niveau de la démographie fait baisser le degré d'intelligence des nations.

Maître Wanegast se recula un peu, comme si pareil raisonnement le laissait bouche bée.

— Vous pouvez nous expliquer ?

— J'ai étudié un groupe de policiers de Toronto. Ils représentent bien la part de la population intelligente et physiquement forte.

Un ricanement parcourut la salle.

— J'espère que les journaux vont reprendre ce témoignage en entier, dit Thalie à sa compagne. Imagine combien nos constables seront fiers.

— Au point d'afficher les articles dans tous les postes...

Le juge partageait sans doute l'étonnement des spectateurs. Il se pencha pour demander au témoin :

— Des policiers ?

— Oui, des policiers de Toronto. Ils ont en moyenne 2,7 enfants chacun. Puis, j'ai retenu cinquante familles indigentes...

Avant que le juge Clayton ne lui pose la question, le médecin se tourna vers lui et expliqua :

— Des familles incapables de nourrir leurs enfants, qui comptent sur la charité publique. La moyenne du nombre de leurs enfants monte à plus de cinq. Les moins intelligents ont deux fois plus d'enfants que les autres. Après une génération, vous aurez donc en proportion deux fois plus de personnes peu intelligentes, à la seconde, quatre fois plus. Je me suis basé sur de petits échantillons, mais il y a des études américaines...

L'exposé de plusieurs minutes montra combien l'intelligence désertait les civilisations occidentales.

— Docteur Hutton, demanda le juge, je comprends tout cela. Quel est le rapport avec la contraception ?

— Les personnes les plus intelligentes, donc les plus riches, vont chez le médecin pour obtenir des moyens de limiter les naissances. Si nous voulons que les pauvres se reproduisent moins, le travail de madame Palmer est essentiel. Nous devrions l'encourager, pas la poursuivre.

Le maintien du patrimoine cérébral de l'Occident valait bien cet effort. Cet argumentation séduisait beaucoup moins Thalie que la précédente.

Même si la perspective de se reposer lui paraissait saugrenue, Béatrice monta à sa chambre et s'étendit sur le lit, les yeux grands ouverts. Tantôt elle trouvait la maison étrangement vide à la suite de ce décès, tantôt elle sentait une présence, comme si sa grand-mère la hantait déjà. À la fin, elle se leva pour ouvrir un tiroir de sa commode, fouiller sous des vêtements rarement portés. L'enveloppe de couleur crème se cachait là, avec son prénom tracé à petits coups de plume serrés.

La jeune femme la tourna en tous sens pour l'examiner, passa le bout de son ongle sur le rabat. Le cœur lui manqua pour l'ouvrir. La lettre fut reléguée au fond de sa valise. Elle l'apporterait à Montréal pour en prendre connaissance un jour où son courage ne fléchirait pas. Elle ne se sentait pas la force d'affronter de nouvelles émotions difficiles.

L'expérience du procès se révélait exténuante pour Dorothea Palmer. Toute cette histoire la dépassait. Payée une misère pour distribuer des brochures à des femmes quasi analphabètes et leur expliquer comment utiliser de simples moyens contraceptifs, elle se retrouvait mêlée à un procès d'envergure nationale, avec des journalistes la traquant sans cesse.

Pour s'échapper à la fin des séances, il lui fallait courir hors de la salle d'audience, passer parmi les scribouillards et s'élancer dans la rue Nicholas. Les deux premiers jours, quand les femmes et les trois prêtres avaient défilé à la barre des témoins, des Canadiens français lui lançaient des insultes. Ils vivaient nombreux autour du palais de justice, le risque de se voir abreuvée de bêtises était élevé.

Avec la succession des spécialistes toute la journée à la barre des témoins, la menace lui paraissait moins grande. Puis, ce soir-là, la perspective de la journée de relâche du lendemain lui apportait un certain soulagement. Une fois qu'elle eut traversé le pont sur le canal Rideau, elle se sentit presque bien dans un quartier habité par les seuls Canadiens anglais. Juste au moment où sa vigilance baissait un peu, quelqu'un arriva tout près derrière elle, un bras la saisit à la hauteur de la gorge pour l'entraîner vers un espace étroit entre deux maisons.

— Toé ma câlisse, gronda une voix dans son oreille, tu veux empêcher la famille chez les Canayens, bin j'vas t'en faire un, p'tit Canayen.

Une main gantée appuyait sur sa bouche pour étouffer tous les cris, un corps la plaquait contre la brique. L'autre main cherchait sous le manteau, sous la robe, pour la trousser. Elle la sentit monter entre ses cuisses.

— Ça te prend un homme pour te mett' à ta place. T'en as-tu un, chez les Anglais ?

La panique donna à la victime la force de se projeter vers l'arrière, déséquilibrant ainsi l'agresseur, assez pour lui faire relâcher un peu son étreinte. Dorothea en profita pour se dégager et regagna la rue en hurlant. L'homme s'esquiva dans la direction opposée pour rejoindre une enfilade de cours crasseuses.

Les passants s'éloignaient d'elle, comme si ses cris et ses larmes témoignaient d'une crise de folie. Il fallut trois ou quatre minutes avant que quelqu'un ne s'arrête pour demander :

— Qu'est-ce qu'il y a, mademoiselle ?

Après une bonne heure étendue sur le dos, tout habillée, Béatrice redescendit au rez-de-chaussée pour trouver les lieux lugubres. Cela tenait en partie aux brassards noirs que son père et ses frères portaient déjà en guise de deuil. Même Élise arborait une belle robe noire.

— Moi, je n'en ai pas, dit-elle à sa belle-mère, préoccupée par son inconvenance.

— Il y en a deux qui t'attendent. J'ai téléphoné à Marie Dubuc et un taxi est venu les livrer.

Sa fréquentation du magasin de la rue Saint-Jospeh permettait à la marchande de connaître ses mensurations. La jeune femme se laissa prendre par le bras, conduire dans le salon pour retrouver le reste de la famille.

— J'ai entendu les gens des pompes funèbres, tout à l'heure, dit-elle.

— Ils sont passés prendre le corps. Nous allons manger un peu plus tard, pour nous rendre ensuite au salon.

— Jamais elle n'aurait accepté d'être montrée dans une boîte.

Les commissures des lèvres de Béatrice frémirent un peu dans un effort pour sourire en imaginant la réaction de la vieille dame à l'idée de se voir exhiber ainsi.

— Aussi, tu comprends que je ne lui ferai pas ça, dit le notaire. Le cercueil demeurera fermé. Nous poserons dessus une grande photographie prise il y a quelques années.

— Je me demande combien de ses connaissances vivent encore, dit Élise. Puis les vivants ne seront pas nécessairement en état de se rendre dans le chemin Sainte-Foy.

Au cours des deux dernières décennies, la pauvre avait fréquenté plus de funérailles que sa juste part.

— Une invitation à venir ici ne serait pas vraiment plus facile, dit Fernand. Puis, les veillées au mort dans le domicile du défunt se raréfient, maintenant.

Béatrice hocha la tête pour indiquer qu'elle comprenait. Après y avoir vu un cercueil, même fermé, elle aurait trouvé le salon sinistre. Elle chercha les yeux de ses frères. Ils montraient une mine basse. Leurs liens avec la défunte ne ressemblaient guère au sien, mais tout de même, leur grand-mère recevait toute leur estime. Gloria, aussi triste que tous les autres, se présenta à la porte pour dire :

— Le repas est prêt, madame.

Tous voulurent répondre «Je n'ai pas faim», pourtant ils se levèrent pour aller dans la salle à manger. La routine les garderait debout.

Catherine et Thalie s'étaient arrêtées dans un restaurant de la rue Dalhousie pour souper, afin d'échapper cette fois à la routine de l'hôtel. Elles entraient dans le Château Laurier quand un employé affecté à la réception vint vers elles pour dire à l'avocate :

— Madame, vous avez reçu un message, mais je n'ai pas bien compris, tellement la personne à l'autre bout du fil se montrait paniquée. Vous devez vous rendre tout de suite chez madame Palmer.

— Mais pourquoi ?

— Je ne le sais pas. Il a juste dit "tout de suite", sur un ton sans équivoque.

Les deux femmes tournèrent les talons pour sortir, alors qu'un portier appelait un taxi. Moins de vingt minutes plus tard, la voiture les déposa devant un commerce de la rue O'Connor.

— Shakespeare, lut Thalie au-dessus de la porte.

— Le mari est venu d'Angleterre pour nous vendre des livres. Les affaires paraissent tourner au ralenti.

— En période de crise, les gens coupent sur les loisirs avant tout le reste.

Même longtemps après l'heure de fermeture, une ampoule brillait toujours à l'intérieur du commerce. Au premier coup contre la porte, celle-ci s'ouvrit sur un homme dans la jeune trentaine tout échevelé.

— Vous voilà enfin. Le salaud a essayé de la violer.

Devant leur mine interdite, il continua :

— Entrez, entrez. Un maudit *frog* l'a attaquée en pleine rue.

Tout en les guidant à l'étage, l'homme répéta deux fois un récit embrouillé. Les visiteuses trouvèrent Dorothea Palmer sur son lit. Son propre récit des événements se révéla à peine plus clair, surtout compte tenu des pleurs, mais tout de même, elles comprirent qu'un homme parlant français l'avait poussée dans un coin sombre.

— Voulez-vous que nous appelions la police, madame ?

La travailleuse sociale lança à Catherine un regard effaré.

— Il convient de porter plainte, insista l'avocate. Il mérite la prison.

— … Non, je ne peux pas. C'est beaucoup trop honteux.

Thalie serra les mâchoires plutôt que de livrer le fond de sa pensée, qui alourdirait la souffrance de Dorothea. L'agressée se sentait honteuse d'être la victime, alors que l'agresseur s'endormirait sans se sentir coupable. Peut-être même serait-il assez fier pour s'en vanter à la taverne, devant ses amis. Après tout, des mésaventures pareilles n'arrivaient pas aux honnêtes femmes.

— Veux-tu l'examiner ? demanda Catherine.

L'exercice ne donnerait pas grand-chose, sauf permettre à la victime de circonscrire ses émotions avec une parfaite étrangère. La médecin hocha la tête, les deux autres se retirèrent. Après une demi-heure, Thalie sortit pour les rejoindre.

— Quelques bleus et éraflures, voilà tout.

Le résumé devait surtout servir à rassurer l'époux, pour lui signifier que personne d'autre que lui ne l'avait «possédée». Elle conclut:

— J'aimerais pouvoir lui donner quelque chose pour dormir, mais je n'ai rien avec moi. Monsieur, de votre côté, avez-vous sous la main un opiacé...?

— Non. Est-ce qu'un bon verre de porto ferait l'affaire?

Thalie esquissa un sourire devant ce réflexe commun, mais tellement peu efficace.

— Comme nous sommes samedi soir, la seule solution serait de faire venir un autre médecin.

Le libraire grimaça un peu, le prix de la consultation pèserait sur son budget.

— Je vais m'occuper de la facture, dit Catherine, et la faire passer dans les frais de Kaufman. Thalie, téléphone à un médecin, tu lui diras exactement ce dont Dorothea a besoin.

Tous les praticiens gardaient dans leur cabinet les médicaments les plus souvent prescrits. Tout en faisant comme on le lui avait dit, Thalie prêta une oreille distraite à la conversation entre son amie et le libraire. Celui-ci mentionnait un retour en Angleterre en décembre prochain, peut-être pour ne plus jamais revenir. L'aventure canadienne ne réussissait pas à tous.

Les deux femmes prirent de nouveau un taxi pour retourner à l'hôtel. Aucune ne voulait marcher: elles en avaient la preuve maintenant, les rues d'Ottawa l'endormie ne se révélaient pas toujours très sûres.

Le salon funéraire Lépine se situait dans le chemin Sainte-Foy. Le samedi soir, à peu près personne ne se présenta. Le décès ne serait annoncé que le lundi suivant dans les journaux et le lendemain lors du prône à l'église Saint-Dominique. À la ville, entendre le glas sonner ne ralliait pas d'emblée les fidèles et le bouche-à-oreille s'y révélait peu efficace.

Un solide cercueil de chêne reposait sur des tréteaux dans un coin de la pièce. Dessus trônait un portrait de huit pouces sur dix. Un photographe était venu à la maison une dizaine d'années plus tôt. Sous son bonnet de dentelle, les yeux de madame Dupire souriaient, alors que sa bouche semblait sur le point d'émettre l'une de ces vérités toutes simples qui viennent avec le grand âge.

— C'est drôle, on dirait qu'elle nous fait un clin d'œil, dit Fernand en passant son bras autour des épaules de sa fille.

— Je me demande comment je vais faire sans elle.

— Alors, ce clin d'œil est sans doute pour toi.

Béatrice inclina la tête pour la laisser reposer sur l'épaule paternelle.

Dans la chambre d'hôtel silencieuse, les bruits du couloir parvenaient aux deux femmes de manière étouffée.

— Quel salaud, murmura Catherine.

— Retirer aux hommes de leur pouvoir de se reproduire, ce n'est pas une mince affaire. Imagine la situation : jusqu'ici, n'importe quel imbécile pouvait culbuter une femme et changer pour toujours le cours de sa vie en la mettant enceinte. Dire qu'on peut les priver de cette possibilité avec une simple petite éponge...

— Le condom existe depuis des décennies.

— Le condom demeure sous la maîtrise de l'homme. Il ajoute à son pouvoir, il ne le réduit pas.

Les têtes des deux femmes se touchaient, posées sur le même oreiller.

— Alors, quoi de mieux que de violer la personne qui les menace.

— Ce geste me semble tout à fait prémédité…

Après un silence, Thalie reprit :

— Tu connais Marie Stopes ?

— Non, pas du tout.

— Il s'agit d'une Écossaise qui soutient une organisation pour le contrôle des naissances à Londres. Elle a publié une dizaine de livres sur le sujet. D'ailleurs, l'idée des petites éponges imbibées d'huile d'olive me vient de l'un d'eux.

Des pionnières se manifestaient dans divers pays occidentaux depuis le début du siècle. Marie Stopes bénéficiait d'une grande visibilité à cause de ses écrits.

— Moi, je me suis documentée sur les causes judiciaires, répondit son amie. Une dame, Margaret Sanger, a été poursuivie aux États-Unis, exactement pour la même raison que Palmer : grossière indécence.

— Le verdict ?

— Coupable. Trente jours de prison. C'était il y a vingt ans. Ça ne change pas très vite.

L'avocate hésita avant de demander :

— As-tu l'intention de réfléchir à la proposition de la docteure Batt ?

— Tout quitter pour me joindre à la clinique de Toronto ? Tout ce que j'aime se trouve à Québec…

— En train, ce n'est pas si loin.

— Ma mère, mon frère… je leur parle tous les jours, je les vois aux deux jours.

Heureusement, l'obscurité dissimulait un peu les larmes qui se détachaient au coin des yeux de Thalie. Elle se sentait si seule. Deux personnes seulement comptaient vraiment dans sa vie, à l'âge de trente-six ans. Elle avait bien quelques amis… Élise, Fernand… La liste s'avérait bien courte. Lui faudrait-il s'inscrire dans une association féminine pour augmenter le nombre de ses relations ? Les Dames de Sainte-Anne, les Filles d'Isabelle ? Si l'ennui la menait aussi loin, on la refuserait dans l'une et l'autre, faute d'obtenir un certificat de moralité de son curé. Sa compagne comprit tout de suite ce qui la troublait le plus.

— Tu ne nommes pas Victor…

— Je te l'ai dit, cette relation ne mène nulle part… mais je préférerais ne pas parler de ça.

Catherine la serra contre elle.

— Moi, je ne pouvais tolérer l'idée de demeurer à Sherbrooke toute ma vie.

L'avocate y était née au tournant du siècle.

— Tu n'aurais pas pu travailler là-bas… Au moins, là où je suis, je compte quatre cents patientes qui me visitent régulièrement, sans compter toutes les autres. Je peux au moins être fière de ça.

Catherine ne se laissa pas convaincre. Elle s'approcha pour embrasser la joue de la médecin, puis lui murmurer à l'oreille :

— Pense à Toronto. Tu y aurais une excellente amie.

De cela, Thalie ne doutait pas. Cette présence justifiait-elle d'abandonner tout le reste ? Ne pas pouvoir répondre oui spontanément signifiait sans doute non.

Le matin venu, Catherine évita soigneusement de mentionner le sujet de Toronto. Trop insister aurait l'effet inverse de celui escompté. Elle fit preuve d'enthousiasme au sujet des activités de la journée.

— Tu verras, les lacs sont splendides de l'autre côté de la rivière des Outaouais. Tiens, avec un peu de chance, nous apercevrons le premier ministre King. La fin de semaine, il doit se trouver à son chalet.

— Voir le grand homme ne me semble pas l'idéal pour égayer un dimanche après-midi.

— Peut-être, mais le lac est si beau devant sa petite retraite paisible.

Toutes les deux avaient convenu de réserver les services d'un taxi pour la journée afin d'explorer les environs. Le coût se révélait modeste, puis dans la ville, tous les établissements publics seraient fermés, de toute façon. On ne badinait pas avec le respect du dimanche, en Ontario.

— Dis-moi ce qui te ferait vraiment plaisir actuellement, demanda l'avocate.

— Tu veux dire à part faire disparaître tous les moralisateurs hypocrites du Canada ?

— Je veux dire dans le mode "se payer du bon temps".

La question méritait réflexion. La grande satisfaction de sa vie était son travail.

— Mon beau-père évoquait une croisière autour du monde, il y a quelques semaines. Depuis, j'y pense souvent.

— Il peut se payer un luxe pareil ?

— Je suppose que oui. Il se contenterait toutefois de deux ou trois semaines vers le sud. Jamais maman ne laisserait son travail plus longtemps.

— Dans ce cas, on peut dire telle fille, telle mère.

L'assiduité de Thalie se comparait certainement à celle de Marie. Pourtant, la jeune femme n'avait pas fait l'expérience de la même précarité. Toutefois, il lui fallait sans cesse faire ses preuves, car sans cesse, certains de ses collègues masculins scrutaient sa pratique professionnelle pour la prendre en défaut.

— Quand je lis les journaux, je regarde les publicités de croisières. Tu savais que l'on peut prendre un navire à New York pour se rendre jusqu'aux Bermudes?

— Tu n'es pas la seule à rêver... Je m'arrête sans doute sur les mêmes annonces que toi. Tu voudrais partir?

— Avec maman et mon beau-père, ce serait bien. Je me ferais toutefois l'impression de retomber en enfance. Seule, ça ne me dit pas grand-chose.

Quant à imaginer que Victor Baril fasse partie du voyage, impossible. Une absence de son commerce aussi longue lui paraîtrait impraticable. Surtout, il rappelait déjà l'obligation d'économiser pour les études secondaires de ses fils.

— Pourquoi seule? dit sa compagne. Nous pourrions y aller ensemble.

Un sourire marqua les yeux de Thalie. Aussi longtemps qu'un homme se trouvait dans la vie de Catherine, aucune idée de ce genre n'aurait été envisageable. Maintenant, toutes les deux renouaient avec la liberté des vieilles filles.

— Je ne sais pas, dit la médecin. D'abord, je dois voir si mon vieux collègue voudrait prendre la relève comme cette fois-ci.

— Comme tu as du mal à dire oui ou non.

Le commentaire, bien que juste, la blessa. Elle se voyait pourtant si déterminée, ne serait-ce que pour avoir réussi ses études et s'être construit une solide carrière. La suggestion de changer de ville, ou même de prendre des vacances, la rendait maintenant si incertaine.

# Chapitre 18

La paroisse Saint-Roch demeurait populeuse, aussi le moment de la messe déplaçait des centaines de personnes. L'immense église était un peu effacée par les édifices environnants, notamment par le magasin PICARD. Avant la grand-messe, les trois quarts de la population convergeaient en direction du parvis. Le couple Leduc semblait un peu étrange, la femme étant très maigre et très grande, et l'homme, court et gros.

Des confessionnaux s'alignaient dans le temple. À cette heure, tous les vicaires étaient conscrits pour entendre les péchés des paroissiens, et souvent, des prêtres employés dans des institutions d'enseignement venaient en renfort.

— J'vas y aller, dit Yvette en entrant.

— Moé, je passe mon tour.

Évidemment, si un membre féminin de la confrérie du Rosaire devait se présenter à la sainte table toutes les semaines, un livreur de la compagnie Picard jouissait d'une plus grande part de liberté. La femme se plaça au bout de la queue la plus courte. Le sort la conduisit vers monseigneur Buteau. Elle jura intérieurement, une réaction à mettre à la liste de ses fautes.

— Je vous écoute, ma fille.

La femme commença à débiter son petit laïus d'une voix morne. À la fin, les paroles habituelles ne vinrent pas. Elle entendit à la place :

— Madame Leduc, vous êtes mariée depuis quelques années, je pense.

À la Basse-Ville comme à la Haute-Ville, toutes les femmes pensaient avec terreur au décompte de leurs années de vie conjugale par rapport au nombre des naissances. Même les mères de douze enfants n'échappaient pas à cet interrogatoire. Yvette se raidit, formula d'une voix hésitante :

— Deux ans, monseigneur.

— Deux ans déjà. Dieu devrait avoir béni votre union par la naissance d'un nouveau chrétien.

Ensuite, le silence dura un moment, très lourd. Finalement, la femme n'y tint plus :

— Vous m'donnez pas ma pénitence, monseigneur ?

— Nous devons avoir une sérieuse conversation. Ce n'est ni le lieu ni l'endroit. Venez au presbytère demain soir, à sept heures.

Inutile de s'informer de sa disponibilité. Il s'agissait d'un ordre de son pasteur, impossible d'y passer outre. Le guichet se referma avec un bruit sec. Yvette Leduc resta interdite, désespérée même. L'envie de frapper, de le forcer à rouvrir lui vint. À la fin, honteuse, elle se retira. Toutes ses consœurs et ses confrères se questionneraient sur ses motifs pour ne pas communier ce jour-là. Les moins charitables formuleraient des réponses suggérant des péchés ignobles.

Le dimanche après-midi, le salon funéraire connut une affluence un peu étonnante. Sauf quelques petites vieilles percluses de rhumatismes, presque personne n'avait vraiment connu la défunte. Ces gens venaient pour ses proches.

Mathieu Picard et les siens s'étaient présentés parmi les premiers, ainsi que les Caron. Ensuite, des anciennes du couvent de Sillery vinrent faire un bout de conversation avec Béatrice et deux étudiants de l'Université Laval avec Antoine. Charles mesura combien être l'ami de tout le monde signifiait ne l'être de personne. Aucun élève de l'Académie commerciale, aucun scout ne vint lui présenter ses condoléances.

À la fin, l'assemblée rappelait une réunion de la Chambre des notaires. Certains, courbés par l'âge, s'adressaient toujours à Fernand en l'appelant « Le jeune ». Les autres se montraient plus respectueux. Une vie à préparer des contrats entraînait la multiplication des relations. La visite de vieux clients toucha le fils éploré.

Quand arriva le moment de la fermeture, tout le monde se retira avec soulagement.

Les deux femmes se tenaient déjà sur le quai de la gare vers six heures.

— Ces quelques jours m'ont fait du bien, dit Thalie.

— Tu aurais pu les prolonger un peu en soupant avec moi.

— Pour arriver à Québec en pleine nuit ? Je mangerai à bord du train. De ton côté, tu resteras encore longtemps à Ottawa ?

— Les témoignages se poursuivront encore deux jours, puis il faut en compter deux autres pour les plaidoiries.

La cause revêtait assez d'importance pour que les avocats livrent de longs argumentaires.

— Donc, Dorothea Palmer saura à quoi s'en tenir vendredi.

— Oh! Là tu te montres follement optimiste. Le juge se donnera certainement quelques semaines avant de faire connaître sa sentence.

— Pourtant, la situation paraît bien simple.

Évidemment, Thalie avait jugé la cause avant de l'entendre.

— Puis, tu peux compter sur un appel, quel que soit le verdict. Kaufman voudra aller au bout de cette histoire, et les évêques catholiques et anglicans feront tout leur possible pour obtenir victoire.

— Le mari de Dorothea évoquait le désir de retourner en Angleterre.

— À moins de vouloir s'attirer bien des ennuis avec la justice, il devra ajourner le projet.

Dans les haut-parleurs de la gare, on annonça le départ prochain du train en direction de Québec. Les deux amies échangèrent un long regard, puis Thalie déclara :

— Je dois y aller.

— Nous ne resterons pas aussi longtemps sans nous voir, j'espère.

— Non, promis.

L'étreinte dura un long moment, puis la visiteuse monta dans son wagon. Quand la locomotive commença à rouler, elles s'adressèrent un dernier signe de la main. Thalie gagna sa place le cœur gros. Personne d'autre ne pouvait tout entendre de sa part, même pas Mathieu.

En matinée le lendemain, Béatrice tentait de faire le vide dans sa tête, elle se refusait à imaginer « l'après ». La présence de cette vieille femme arthritique, dont les allées et venues se limitaient depuis des années à une seule pièce, lui avait été essentielle aux moments les plus difficiles de son existence. Dorénavant, elle devrait faire sans.

La famille Dupire se trouvait au cimetière Belmont à Sainte-Foy, debout tout près de la fosse. Les courroies seraient bientôt déroulées pour laisser la longue boîte descendre de quelques pieds.

Si, au salon funéraire, de nombreuses relations professionnelles de Fernand s'étaient présentées, le matin d'un jour ouvrable, il ne restait que les parents immédiats. Flavie représentait l'ensemble des Picard, cela lui vaudrait d'apporter quelques dossiers à la maison en soirée. À l'église Saint-Dominique, un certain nombre de retraités étaient bien sûr présents dans la nef, mais aucun d'eux ne pouvait faire le chemin jusque-là.

L'instant vint, le mécanisme ronronna, le cercueil arriva au fond. Les planches de chêne résisteraient quelques mois, Fernand avait mis assez d'argent pour cela. Mais tôt ou tard, elles s'écraseraient, pensa Béatrice. Un être humain se limitait-il à ce morceau de chair ? Cette simple pensée l'horrifiait. Quatre-vingt-cinq ans de vie ne signifiaient que ça ?

Les prières du prêtre durèrent encore un moment, puis le petit clan regagna la voiture familiale. Les reniflements firent office de conversation jusqu'à la rue Scott. Après un dîner aussi silencieux que les deux repas précédents, Béatrice remarqua :

— Je me demande comment je ferai pour suivre les cours, demain.

— Comment ferais-tu pour rester dans ta chambre ?

La théorie de Fernand, sans doute vraie, voulait que plus vite chacun retrouverait sa routine, plus facile serait la gestion de la douleur.

— Je te reconduis tout de même à la gare, tout à l'heure ?

— Moi, je dois retourner aux HEC, intervint Charles.

Prétendre que ce décès ne l'affectait pas aurait été exagéré, mais il n'était pas question de bouleverser le cours de ses études. Dix jours plus tôt pourtant, ses petites expéditions boulevard Saint-Laurent lui paraissaient justifier bien des accrocs à son engagement scolaire.

— Bien sûr, papa, tu vas me reconduire. Je me demande toutefois comment j'entendrai ce que les professeurs raconteront.

Elle marqua une pause avant de demander encore :

— Crois-tu que je devrais leur présenter un billet, comme aux religieuses ?

— Il serait sans doute bien de leur expliquer la raison de ton absence, mais ils te croiront sur parole, crois-moi.

La réponse lui tira un sourire. Bien sûr, sa robe noire, ses yeux rouges et ses paupières gonflées vaudraient la présentation d'un certificat de décès. Quelques minutes plus tard, elle s'apprêtait à quitter la maison, sa petite valise à la main. Successivement, Antoine et Élise la prirent dans leurs bras. Charles tenta bien de commenter les dernières nouvelles politiques lors du trajet vers la gare, mais son père ne réagissait pas. Dans le grand édifice, il se dévoua en allant chercher les billets au guichet.

— Ça ira ? demanda une nouvelle fois Fernand à sa fille.

— Ne t'inquiète pas. Elle a eu le temps de m'enseigner le plus important : il faut profiter de la vie, car même à quatre-vingt-cinq ans, elle semble terriblement courte.

Le benjamin les retrouva dans les bras l'un de l'autre. La scène lui donna un peu le sentiment d'être exclu. L'instant d'après, les deux étudiants rejoignirent le quai, laissant le notaire retourner vers le stationnement.

Après sa journée de travail au magasin PICARD, Yvette Leduc s'empressa de rentrer à l'appartement de la rue Saint-François. Son mari arriva quelques minutes plus tard.

— Les patates sont su l'feu, tu t'en occuperas.

— C'est d'l'ouvrage de femme, ça.

— D'abord, attends que j'revienne pour manger.

La vendeuse n'avait même pas pris la peine d'enlever son manteau, puisqu'elle devait se rendre au presbytère à sept heures.

— J'me d'mande c'qu'y te veut, commenta l'époux en laissant tomber son corps obèse sur une chaise.

— Tu l'sais comme moé, c'qu'y veut. "Ça fait bin deux ans qu'vous êtes mariée", y m'a dit. C'est pas pour me parler d'la confrérie du Rosaire ou de ma première communion qu'y veut me voir.

— Christ, qu'y en fasse des bébés, si y aime ça.

Tout le monde y allait de ce même commentaire quand le clergé faisait irruption dans la vie d'un couple. Pourtant, bien peu de personnes osaient défier les directives.

— Moé, j'me f'rai pas un nœud dedans…

L'homme avait marqué son point : la prévention des naissances ne se ferait pas au prix de l'abstinence.

— On n'a pas les moyens d'en avoèr, tu l'sais. Betôt, ce s'ra l'hiver. La moitié d'la paroisse va se r'trouver su les "secours".

— Mais là, on en a, des jobs.

Le couple s'affronta du regard, puis la vendeuse sortit en bougonnant :

— Leu job, y en a pas mal qui les perdent.

Quelques minutes plus tard, elle frappait à la porte du grand presbytère.

— Monseigneur veut m'voir, ma sœur.

Une congrégation religieuse faisait toujours le service pour le curé et ses vicaires. La visiteuse se retrouva dans un petit bureau, surveillée à la fois par un Christ de bronze cloué à une croix et un saint Roch accompagné de son chien. Pendant de longues minutes, sa nervosité ne fit qu'augmenter. Quand l'ecclésiastique vint enfin la rejoindre, il la trouva à peu près muette de terreur.

— … Monseigneur…

— Madame Leduc, prenez cette chaise, dit-il après lui avoir donné son anneau à baiser.

Le prélat posa ses deux bras sur son sous-main, puis commença :

— Madame Leduc, depuis deux ans, vous empêchez la famille.

Il ne s'agissait pas d'une question, mais d'un constat.

— Non, monseigneur !

— Votre union a été bénie par Dieu, elle doit porter des fruits. Donc, vous empêchez la famille. Il s'agit d'un péché grave qui peut vous conduire en enfer.

— On fait rien contre ça, c'est l'bon Dieu qui veut pas.

Monseigneur Buteau la regarda de ses yeux brûlants. « Les sorciers doèvent y r'sembler », se dit Yvette. Après un silence insupportable, elle admit sa faute à mots couverts.

— On n'a pas les moyens d'avoir des bébés tout de suite.

— Donc, vous empêchez la famille. Vous connaissez l'enseignement de notre sainte mère l'Église. Aucun moyen d'empêcher la famille n'est acceptable, sauf l'abstinence.

Ces règles lui étaient familières. On les ressassait dans les associations pieuses, lors des retraites fermées à la maison Jésus-Ouvrier, au confessionnal.

— Mon mari voudra pas.

— Votre mari a droit aux avantages habituels du mariage. En les lui refusant, vous l'exposez à commettre le péché d'impureté avec une autre. Dans ce cas, la faute retombera aussi sur vous. C'est votre salut à tous les deux qui est en cause.

Yvette regardait la moquette depuis un moment déjà. La conversation se déroulait absolument comme prévu.

— On n'a pas les moyens! fit-elle d'une voix plaintive.

— Jésus a dit: "Regardez les oiseaux du ciel: ils ne sèment ni ne moissonnent, et ils n'amassent rien dans les greniers; et votre père céleste les nourrit. Ne valez-vous pas beaucoup plus qu'eux?" À plus forte raison, il nourrira vos enfants.

« C'est pour ça qu'la moitié des p'tits de la paroisse se retrouvent au cimetière avant d'avoir commencé l'école », se dit-elle. Pourtant, sa tête fit un mouvement de haut en bas.

— Pour recevoir l'absolution, vous devez avoir le ferme propos de ne plus recommencer. L'avez-vous, madame Leduc?

La femme se soumit d'un mouvement de la tête. Le geste ne suffisait pas au curé.

— Avez-vous le ferme propos de ne plus empêcher la famille, madame Leduc?

— Oui, monseigneur.

— Mettez-vous à genoux, je vais vous donner l'absolution.

La femme obtempéra de façon machinale. Le prêtre dit encore:

— Vouloir empêcher la famille, c'est entraver la volonté de Dieu de donner la vie. Vous commettez là un sacrilège.

L'affirmation ne nécessitait aucune réponse, la paroissienne demeura coite. La main traça une croix dans l'air, débita les paroles de l'absolution.

— Vous êtes bien membre de la confrérie du Rosaire?

— Oui, monseigneur.

La femme demeurait toujours à genoux, la tête baissée.

— Pour votre pénitence, vous direz trois rosaires, à genoux. Vous reviendrez me voir dans deux semaines.

Cette précaution lui permettrait de savoir si cette femme avait péché de nouveau. Il présenta son anneau une nouvelle fois, elle y posa les lèvres. Si Flavie pouvait défier son curé sans courir de grands risques, il n'en allait pas de même pour les pauvres gens de la paroisse Saint-Roch. Yvette obéirait.

Le train avait effectué plusieurs arrêts en cours de route. Aussi les enfants Dupire arrivèrent-ils en début de soirée. Charles régla le taxi puis rejoignit sa sœur sur le trottoir.

— Tu es certaine de ne pas vouloir venir manger avec moi ? fit-il.

— Vraiment, je n'ai pas faim du tout.

Le garçon hocha la tête, tourna les talons mais se ravisa.

— Tu sais, moi aussi je trouve ça triste, même si ça ne paraît pas.

— Bien sûr, je comprends.

— Toutes les deux, vous étiez proches…

— Je comprends, je te dis.

Il hocha la tête, rassuré. Béatrice monta les marches conduisant à sa porte.

— Oh! fit la propriétaire lorsqu'elle rentra. Mademoiselle Dupire, les autres terminent leur repas.

— Je sais. De toute façon, je n'ai pas faim ni envie de les rencontrer. Cependant, si je pouvais avoir une tasse de thé…

L'hôtesse donna son assentiment d'un signe de la tête.

— Venez avec moi à la cuisine. Je vais vous en préparer.

Elle lui désigna une chaise et mit de l'eau à bouillir avant de s'asseoir aussi.

— Je vous présente mes condoléances, mademoiselle.

— Je vous remercie.

— Il s'agissait de votre grand-mère, n'est-ce pas ?

Dès le dimanche, la jeune femme avait téléphoné afin d'avertir de son absence.

— Oui. Elle vivait à la maison. En l'absence de ma mère, je m'étais beaucoup rapprochée d'elle.

La confidence toucha la propriétaire et son sourire fut chargé d'une réelle sympathie. Bientôt, elle put verser un peu d'eau chaude dans la théière et ajouter quelques biscuits sur le plateau.

— Je n'ai vraiment pas faim, répéta la jeune femme.

— Dans ce cas, vous les aurez pour demain. Je vais monter le plateau pour vous.

Béatrice voulut protester, mais sa valise l'empêchait de se débrouiller seule. Une fois qu'elle fut installée dans sa chambre, Annette vint la voir.

— Ça va ? Tu t'en tires ?

— Oui. Je tâcherai d'aller à mes cours demain.

— Si je peux faire quelque chose, tu me le diras.

Béatrice hocha la tête, lui adressa un sourire attristé. Sa robe noire et ses paupières gonflées lui valaient de nombreuses attentions.

Son séjour de quelques jours à Ottawa avait constitué un bel intermède dans sa relation avec Victor. Le lundi en soirée, quand le téléphone sonna, Thalie sut qu'il s'agissait de lui. Son « Allô » manquait de chaleur.

— Bonsoir, ma belle. Tu as fait bon voyage ?

— Oui, ça m'a fait plaisir de revoir Catherine.

— J'aimerais aller te voir ce soir. Il y a si longtemps…

La perspective de faire l'amour ne lui disait rien.

— Non, vraiment, je suis fatiguée.

— Juste une petite heure. De toute façon, moi aussi je dois travailler demain.

La voix se faisait un peu plaintive, maintenant. La peur de la perdre le tenaillait-il? Thalie pensa plutôt à un «besoin pressant».

— Je m'apprêtais à aller prendre mon bain, je te laisse.

Elle appuya doucement sur la fourche du combiné pour mettre fin à la conversation.

Finalement, le dimanche suivant, Charles céda à sa curiosité. La veille, il avait demandé à Béatrice s'il pouvait tomber «par hasard» sur elle et ses voisines. Ils avaient convenu que le mieux serait de les croiser sur le parvis de l'église à la fin de la messe. Dès *Ite missa est*, le garçon se tint devant la porte du côté gauche, étonné de se découvrir si nerveux.

Heureusement, le contingent s'avérait très réduit, la plupart des pensionnaires ayant rejoint des proches. Tout de même, trois inconnues, avec en prime le sourire moqueur de sa sœur, lui suffisaient amplement.

— Ah! Quelle bonne surprise, fit celle-ci en le découvrant planté là.

Après l'échange de bises fraternelles, elle se tourna en disant:

— Les filles, voilà mon frère Charles, le grand militant nationaliste.

Puis, à son intention, elle continua:

— Voilà mes voisines, Georgette, Francine et Annette.

Les poignées de main s'accompagnèrent du mot « Enchanté ». L'employée de Bell Canada ne vivait sans doute pas cette situation pour la première fois, tant elle savait manœuvrer. Elle fit en sorte d'engager la conversation avec le garçon, et ralentit le pas de façon à ce que les autres prennent de l'avance.

En s'approchant de la maison de chambres, Béatrice reconnut la haute silhouette d'un jeune homme blond. De nouveau, Jacques se montrait tout à fait ponctuel, et cette fois, il entendait lui consacrer son après-midi.

— Excusez-moi, dit-elle à ses compagnes, quelqu'un m'attend.

Les deux autres locataires se perçurent à juste titre comme des laissées pour compte : l'une des leurs marchait avec un garçon derrière elles, une autre rejoignait un homme si beau qu'elles le croyaient sorti d'un écran de cinéma.

Quand Béatrice arriva à sa hauteur, Jacques Létourneau lui adressa un regard surpris. En se penchant un peu pour embrasser la joue tendue, il murmura :

— Je vois que tu portes le deuil. Tu ne m'en as rien dit quand je t'ai téléphoné, cette semaine.

La jeune femme avait eu peur qu'il remette leur rendez-vous, s'il avait su.

— Ma grand-mère est décédée.

— Oh ! Quand ça ?

— Il y a moins d'une semaine.

Elle portait sous sa veste l'une de ses deux robes noires, serrée à la taille avec une ceinture de cuir. Ses cheveux attachés sur la nuque lui donnaient deux ou trois ans de plus que ses dix-neuf ans.

— Je sais que tu l'aimais beaucoup. Je suis désolé.

LES ANNÉES DE PLOMB

Ces mots lui mirent des larmes aux yeux. Ses deux compagnes rentrèrent, après un bref salut de la tête. Béatrice n'avait aucune envie de leur présenter son compagnon. Une explication de l'existence de ce demi-frère nécessiterait la mixture d'un joli mensonge.

Charles serait plus difficile à chasser. Il s'approcha, les sourcils froncés.

— C'est bien toi ?

Le jeune homme paraissait curieux, sans plus. Il essayait de penser le moins souvent à leur mère, et à ce qu'avait été sa vie. Alors, le lien de parenté avec cet inconnu ne le troublait guère.

— C'est moi, dit l'autre en tendant la main.

Jacques retrouvait l'air de défi de ses dix-neuf ans, au moment où il s'introduisait chez le notaire sous un faux prétexte. L'émotion que lui donnaient les retrouvailles avec Béatrice ne s'étendait pas aux autres membres de la fratrie.

— Je ne savais pas que tu étais en contact avec lui, dit Charles à l'intention de sa sœur, un reproche implicite dans la voix.

Pourtant, impossible de refuser la main tendue de Jacques, surtout qu'Annette demeurait plantée sur le trottoir à quelques pas, résolue à ne pas perdre l'avantage obtenu par ces quelques centaines de mètres parcourus en sa compagnie.

— Va la rejoindre, dit la blonde. Tiens, ce serait une bonne idée de l'inviter au théâtre Saint-Denis. Elle aime beaucoup le cinéma.

Le garçon hocha la tête, murmura un « À bientôt » avant de rejoindre la téléphoniste.

Jacques offrit son bras à Béatrice en disant :

— Veux-tu m'accompagner vers l'ouest, ou préfères-tu manger dans le Quartier latin ?

— Je suppose que si je veux maîtriser l'anglais un jour, autant te suivre de l'autre côté du boulevard Saint-Laurent.

— Mon auto est stationnée juste un peu plus bas.

Pour un jeune professionnel, posséder un véhicule allait de soi. Il s'agissait d'une petite Ford à deux places. Ils se rendirent dans la salle à manger de l'hôtel Windsor. L'opulence un peu fanée tira un sourire à Béatrice.

— Des endroits de ce genre font-ils un grand effet sur tes conquêtes habituelles?

— Qu'est-ce qui te fait croire qu'il y a des conquêtes dans ma vie?

— Je me le demande justement, dit-elle avec un sourire moqueur.

La venue du serveur les amena au silence. Elle attendit jusqu'au premier service avant de demander:

— Si je continue l'interrogatoire de la dernière fois, tu m'en voudras?

— Que veux-tu savoir, exactement?

— Pourquoi ma mère me détestait-elle? Tu sais combien elle pouvait être méchante avec ses commentaires sur... mon poids.

L'aveu la rendit si mal à l'aise qu'elle ajouta:

— Entre autres choses...

— Tu crois avoir été sa principale victime?

Eugénie montrait-elle plus de tendresse à l'égard de ses fils? Sans doute pas.

— Non, mais pour une fille, entendre sa mère commenter avec mépris son poids, son intelligence... tu ne crois pas que c'est pire que ce qu'elle peut dire à ses fils?

Comme son interlocuteur restait silencieux, elle ajouta d'une petite voix:

— En tout cas, ça m'a profondément blessée.

En lui adressant son plus gentil sourire, il dit tout doucement :

— Si tu te rends au doctorat en psychologie, quel bon sujet d'étude. Cette expertise te vaudra ensuite bien des clientes, je suppose.

De nouveau, l'à-propos de la remarque de Jacques la surprit. De ses années de collège, elle retenait que plusieurs de ses compagnes se plaignaient de leur mère.

— Je sais que tu m'en as parlé l'autre fois... Tu crois qu'elle cherchait à se venger sur nous des mauvais traitements subis ?

— Oui. Elle en avait une belle liste. Cela a commencé avec sa propre mère, pas très équilibrée, puis cela s'est prolongé avec sa belle-mère qui, à ses yeux, lui a volé l'affection de son père, et poursuivi ensuite avec le capitaine Harris venu sur son grand bateau de fer pour lui faire un enfant. Tu veux que je continue ?

De la tête, Béatrice fit non. L'enfant donné en adoption, le mariage avec un homme qu'elle méprisait, trois enfants nés à un an d'intervalle... quel enchaînement infernal. L'idée que sa mère pût mériter sa compassion la troublait. Pour donner le change, elle se fit provocante :

— Je m'étonne encore de ton talent pour fouiller l'âme humaine.

— Je répète ce qu'elle-même disait de sa vie à quelques semaines de la mort. Pourquoi m'aurait-elle menti ? Se confier à son fils retrouvé s'avérait certainement plus facile qu'avec quiconque. Ses souffrances n'excusent rien, mais elles permettent de la comprendre un peu.

Elle hocha la tête, voulut manger, sans y arriver. Elle demanda encore :

— Crois-tu me connaître un peu ?

Il hocha la tête de haut en bas.

— Alors, lis ça et dis-moi si je pourrai le supporter.

Béatrice fouilla dans son sac, saisit l'enveloppe portant son prénom. Il comprit ce dont il s'agissait.

— C'est tellement personnel. Je ne peux pas.

— S'il te plaît ! Je ne peux le demander à personne d'autre.

Après une hésitation, Jacques accepta l'enveloppe, utilisa un couteau de son couvert pour l'ouvrir. Elle contenait un seul feuillet plié en trois. Son visage exprima une certaine surprise lorsqu'il vit son contenu.

— C'est… terrible ? demanda la blonde.

Au lieu de répondre, l'avocat lui tendit le papier. Béatrice eut un haut-le-corps, se recula sur sa chaise.

— Prends.

Comme elle hésitait encore, il insista :

— Je t'assure.

Béatrice accepta le feuillet, y posa les yeux sans rien voir d'abord. Puis les deux mots écrits tout petit, en pattes de mouche, attirèrent son attention : « Pardon », et une ligne en dessous : « Eugénie ». Au moins, elle n'avait pas mis « Maman ».

— C'est ridicule ! Juste ça ?

— Tu aurais accepté de longues justifications ?

Béatrice secoua la tête de droite à gauche, dépitée. Après toute sa souffrance, un seul mot ne pouvait faire office de baume. Toutefois, aucune phrase, aucun paragraphe, aucun chapitre ne l'aurait satisfaite.

— À titre d'avocat, je t'assure, c'est le meilleur plaidoyer que j'ai vu.

La missive retourna dans son sac. Avec un sourire timide, elle demanda :

— Peut-on changer de sujet ?

Son compagnon hocha la tête, un sourire aux lèvres. Le second service leur permit d'évoquer le décor, les autres clients et même la grand-mère défunte.

— À l'université, les choses vont-elles mieux ?

— Je ne sais pas encore si je peux dire que j'ai des amies, mais je me sens moins seule, moins maladroite.

L'information parut faire vraiment plaisir à Jacques. Les cours firent l'objet d'un long échange, puis il lui demanda :

— Aimerais-tu marcher un peu dans les rues ? Si tu veux, nous pourrions même faire du lèche-vitrine.

— D'accord.

S'accrocher à son bras lui faisait un drôle d'effet, comme si tous les regards convergeaient dans sa direction. Jacques ne lui reprochait pas ses nombreux arrêts devant les vitrines. Il donnait même son avis sur les robes, les manteaux, les chapeaux.

— Sincèrement, comment me trouves-tu ?

Venue de nulle part, la question le prit au dépourvu.

— Plein de gens ont dû te dire que tu étais jolie.

— … Les gens sont gentils, d'habitude.

— Je t'assure : tu es séduisante.

— L'autre fois, tu as dit que nous nous ressemblions.

Jacques répéta exactement le même geste, pour l'amener à se planter près de lui devant une vitrine.

— Personne ne pourra t'en convaincre, si tu refuses de te voir. Alors, regarde bien.

Il la dépassait de deux pouces, tout au plus. Blonds tous les deux, ils se ressemblaient. Comme elle le trouvait beau, se montrer trop sévère à l'égard de sa propre image devenait ridicule.

Pendant encore une demi-heure, ils marchèrent dans la rue marchande, puis Jacques demanda :

— Tu veux venir contempler la ville du haut du belvédère du mont Royal ?

En voiture, le trajet représentait une balade de trente minutes, tout au plus. Une fois parvenu devant la balustrade de pierre, le garçon lui montra les principales attractions de la ville étalée sous leurs yeux, lui nomma les villages de l'autre côté du fleuve Saint-Laurent. Puis de but en blanc, il remarqua :

— Ton initiative m'a surpris, mais te connaître m'a fait plaisir.

— … À moi aussi.

— Toi, tu as plein de monde autour de toi, toute une famille.

— J'ai de la place encore.

Sa main gantée se posa sur l'avant-bras de son parent. Elle avait la curieuse impression que sa vie venait de changer pour le mieux.

Thalie prenait toutes les précautions pour ne pas tomber enceinte : elle veillait à ce que Victor porte un condom, utilisait l'éponge et refusa même ce jour-là qu'il jouisse en elle. Après ce comportement, une fois dans le salon, Victor ne put s'empêcher de lui dire sa façon de penser.

— Ce ne serait pas si terrible, si tu tombais enceinte. À te voir, on dirait que ça te répugnerait de porter un de mes enfants.

— Voyons, que dis-tu là…

— Les deux autres ne sont pas des monstres.

— Je ne veux pas avoir d'enfant. Déjà, tu me dis que ton curé menace de te priver de l'absolution, alors imagine si je me retrouvais avec un bébé.

Pourquoi ne comprenait-il pas ? Aucune femme ne survivait socialement à une naissance illégitime. Son cabinet se déserterait, plus personne ne lui adresserait la parole sous peine de subir le même opprobre.

— Il y a une façon très simple de régler ce problème : nous nous marions. Personne ne dirait plus rien sur nous.

Prononcés sur le ton de la colère, ces mots faisaient une bien piètre proposition de mariage. L'absurdité de la situation ne lui échappa pas. Il reprit, un ton plus bas :

— C'est vrai, nous nous entendons bien, les enfants t'apprécient. Nous marier, avoir des enfants, c'est l'ordre des choses.

— J'irais vivre avec toi et ta belle-mère en haut de ton commerce, c'est ça ? Et je laisserais tomber mon travail pour tenir ton ménage ?

Victor quitta son siège pour se diriger vers la porte et prendre son manteau.

— Des femmes très bien consentiraient à cela, mais toi, tu te mets au-dessus de toutes les autres, je sais.

— Quand nous nous sommes connus, je t'ai dit qu'il ne serait pas question de former un ménage. Tu étais pourtant d'accord.

Au rappel de leurs premières rencontres, il se radoucit.

— Mais au fil des mois, Thalie, j'en suis venu à vouloir plus que nos rencontres occasionnelles, nos rendez-vous discrets ici. Ces choses arrivent, les sentiments évoluent.

Le marchand de musique mit la main sur la poignée de la porte, déclara sans oser la regarder :

— Je vais rentrer maintenant, je ne suis plus de bonne compagnie. Au moins, je me sens soulagé d'avoir dit ce que je ressens.

Comme Thalie n'ajoutait rien, il partit. La jeune femme se rendit dans la cuisine pour se servir un cognac bien tassé, puis elle se recroquevilla dans son fauteuil habituel.

« Pourquoi ne pas simplement continuer comme avant, selon notre entente ? », se demanda-t-elle. S'engager vraiment, au point d'accepter de changer son mode de vie, lui répugnait. On devait entrer en relation avec elle à ses propres conditions ou alors s'en tenir loin. Autant accepter la solitude comme étant son lot.

Toutefois, une pensée s'imposait à elle : l'idée de ne plus revoir Aimé lui faisait très mal. Quant à Victor, elle ne l'aimait plus.

# Chapitre 19

Depuis la mort de sa grand-mère, les habits de deuil de Béatrice lui avaient valu des mots de sympathie de la part de quelques professeurs. Sarah et ses amies s'étaient montrées particulièrement compatissantes. Sans doute connaissaient-elles des aïeules disparues. Le semestre se terminerait quelques semaines plus tard. Sans être exceptionnels, ses résultats lui permettraient de continuer en janvier.

Les représentants du gouvernement du *Frente Popular* espagnol étaient venus et repartis. La formation de brigades internationales se discutait dans de nombreux pays. Les armées nationalistes encerclant Madrid avaient finalement été repoussées. Tout laissait maintenant présager un conflit long et meurtrier. Une chose surtout agaçait Béatrice : les étudiants partisans du général Franco la considéraient comme l'une des leurs, alors que leurs adversaires la regardaient avec mépris.

En réalité, elle conservait le même point de vue qu'au moment de la réunion de la fin octobre : devant une avalanche d'informations contradictoires, impossible de prendre un parti ou un autre. Tout naturellement, elle rejoignait Sarah et ses amis au moment de choisir son siège dans les amphithéâtres. Quelqu'un lui avait glissé à l'oreille qu'Egon la désignait sous le sobriquet de « princesse aryenne ». Le film *Le Triomphe de la volonté*, sur les Jeux olympiques de Berlin de 1936, en avait montré plusieurs. De l'ironie ? Un événement l'aida à se convaincre du contraire. Dans la classe de sociologie, Sarah vint la rejoindre avec un sourire amusé.

— Me voilà avec une curieuse mission, je dois te transmettre une invitation. Samuel aimerait que tu l'accompagnes au cinéma Outremont, samedi prochain.

— Ça t'arrive souvent de lui servir d'intermédiaire pour lui ménager des rendez-vous ?

— Il s'agit d'un grand timide, dit-elle en pouffant de rire.

Visiblement, le grand frère encourait son lot de moqueries de la part de sa cadette.

— Moi aussi, je suis timide, mais je n'accepterai pas un rendez-vous par personne interposée.

Béatrice déchira un morceau d'une page de son cahier de notes, chercha sa plume pour y inscrire un numéro.

— Il s'agit du téléphone de ma maison de chambres. Il finira sans doute par tomber sur moi.

— Voilà qui va lui faire plaisir.

La brune glissa le morceau de papier dans la poche de sa veste.

Au rythme où Thalie demandait des congés, le docteur Caron en viendrait à se croire définitivement revenu au travail. Cette fois, il ne s'agissait pas d'un voyage pour revoir une amie, mais de nouveau, elle se retrouva dans une salle d'audience. La veille, *Le Soleil* annonçait l'enquête préliminaire du procès d'Alice Hamelin, accusée d'homicide involontaire pour la mort de Marielle Saint-Onge. La présence de la médecin ne tiendrait pas à une curiosité malsaine ou à son sentiment de culpabilité. Un *subpoena* lui intimait de se présenter à titre de témoin.

Arrivée dès le matin afin de trouver une place assise dans la salle d'audience, la praticienne vit les spectateurs s'entasser sur les banquettes. Un peu avant neuf heures, lorsque toutes les places furent occupées, une femme fut escortée par deux policiers jusqu'à la table où se tenait déjà son avocat, afin de lui permettre d'échanger quelques mots. Elle se rendit ensuite dans le box des accusés. Il s'agissait d'une ouvrière de quarante-cinq, peut-être cinquante ans. Elle portait tout de même un manteau d'assez bonne qualité et un chapeau assorti. Son visage trahissait une grande hostilité, peut-être contre tous ces hommes qui mettaient des innocentes enceintes, puis la poursuivaient maintenant pour avoir voulu réparer leurs dégâts.

«Je pourrais être la victime», songea Thalie.

Souvent, cette réflexion lui venait: sans le testament du fantasque Alfred, destiné à lui permettre de poursuivre ses études, qu'aurait-elle fait de son existence? Elle aurait sans doute été l'épouse d'un marchand, avec sa demi-douzaine d'enfants.

L'avocat de la poursuite vint occuper sa place, et enfin l'honorable juge Couture. Tous se levèrent en signe de respect. Après que le greffier eut présenté la cause, le procureur de la Couronne se leva pour dire:

— Monsieur Tessier, policier à la Ville de Québec.

Le détective avança à la barre des témoins. Un carnet à la main, il commença:

— Le conducteur du tramway 216, Philibert Lachance, a appelé au poste depuis la jonction de Sillery parce qu'une passagère était inconsciente. Je l'ai trouvée assise sur la dernière banquette. Au moment de la déplacer, j'ai découvert sous elle une flaque de sang. Le sang venait de… ses organes intimes.

Un «Oh!» horrifié ou dégoûté parcourut l'assistance.

— Le sang traversait la robe et le manteau. Rapidement, l'ambulance est arrivée pour la transporter à l'Hôtel-Dieu.

— Vous a-t-elle dit quelque chose?

— Non. Elle se plaignait, sans plus. Rien d'intelligible.

— Comment avez-vous retracé l'accusée?

Tous les regards se portèrent du côté du box. Alice Hamelin fixait le sol, le visage fermé.

— Dans la poche du manteau de la victime, on a trouvé l'adresse d'une buanderie de la Basse-Ville. Les occupants louaient une cabane à l'arrière de leur boutique pour le commerce infâme de cette femme.

— Elle n'habitait pas là?

— Non, plutôt rue Christophe-Colomb dans la même paroisse.

Cette précaution devait préserver son anonymat. D'un autre côté, pour trouver des clients, son activité devait faire l'objet d'une certaine publicité. Les prostituées fournissaient probablement la base de sa clientèle, mais une couventine de la Haute-Ville avait trouvé le chemin jusqu'à sa masure.

— Les blanchisseurs vous ont donné le nom de leur locataire?

— Sans une hésitation.

Voilà qui leur permettrait d'échapper à une accusation de complicité.

— Qu'avez-vous découvert sur les lieux?

— Tout un attirail d'avorteuse. Des canules, au moins une demi-douzaine, puis une poire de caoutchouc, du Lysol, du savon…

— Objection, Votre Honneur. Mon confrère évoque là des produits présents dans toutes les maisons.

— Monsieur le juge, je ne comprends pas l'usage des canules dans le travail domestique.

Des soupirs horrifiés parcoururent la salle. La lecture des journaux permettait de savoir comment ces instruments et ces produits servaient lors d'une opération de ce genre.

— Détective Tessier, qu'avez-vous trouvé de plus ?

— Des torchons imbibés de sang. L'un d'eux contenait une masse de chair, un embryon.

Cette fois, le murmure d'horreur prit tant d'intensité que le juge frappa sur sa table. Même Thalie ne put réprimer un haut-le-cœur.

— Je n'ai plus de questions, monsieur le juge.

L'avocat de la défense succéda à son collègue. À part des précisions sur l'enquête, l'homme n'ajouta pas grand-chose. La médecin sursauta en entendant :

— Mademoiselle Thalie Picard, médecin.

La surprise la laissa un moment interdite. Le médecin légiste aurait dû venir ensuite à la barre pour donner la cause du décès.

— Docteure, commença le procureur, la victime, Marielle Saint-Onge, comptait parmi vos clientes, je pense.

— Je l'ai rencontrée une seule fois, il y a environ deux semaines.

— Vous pouvez nous donner les raisons de cette visite ?

La femme tourna la tête en direction du juge.

— Répondez, docteure.

Les procédures légales faisaient fi du secret professionnel.

— Elle soupçonnait d'être enceinte.

— L'était-elle ?

— Oui. De six ou sept semaines, peut-être huit.

L'autopsie serait plus précise à cet égard. Le procureur demanda encore :

— Souhaitait-elle autre chose que de recevoir la confirmation de son état ?

Le procureur lui avait déjà fait part de ses questions, tout en lui répétant combien un faux témoignage serait lourd de conséquences.

— Elle a réclamé un avortement.

Le murmure emplit la salle. Elle venait de dire à haute voix ce que tout le monde savait.

— J'en ai terminé, Votre Honneur.

L'avocat de la défense quitta sa place pour s'approcher. Les yeux de Thalie se portaient plutôt sur un homme austère assis au premier rang. C'était le père de cette pauvre fille.

— Vous avez donc refusé, mademoiselle Picard.

Elle sursauta, son visage se durcit.

— Docteure Picard. De la même façon qu'on dit maître Soucis.

L'autre la regarda des pieds à la tête, puis consentit :

— Docteure Picard.

— Moi, j'accouche les femmes, je ne les tue pas dans une cabane.

Tout de même, le sentiment de culpabilité la ressaisit : Marielle Saint-Onge demandait son aide, elle n'avait pas su répondre.

— Avez-vous la moindre idée de la façon dont elle a obtenu l'adresse de madame Hamelin ?

La question contenait une accusation implicite. Thalie se demandait également comment une couventine connaissait même l'existence de personnes de ce genre. Le père se raidit sur la banquette. Lui aussi devait soupçonner un médecin complaisant.

— Comment voulez-vous que je sache cela ?

— Répondez, docteure, intervint le juge.

Au moins, il la désignait par son titre.

— Non, maître, je n'en ai pas la moindre idée.

— Je n'ai plus de questions, Votre Honneur.

La condition de la victime établie, cette fois ce serait bien au médecin légiste d'émettre les causes du décès. En quittant la salle d'audience, Thalie pensa que le père de l'enfant pouvait lui avoir donné ces coordonnées. Ce genre d'information s'échangeait sans doute à voix basse, un verre à la main, dans un bar obscur. Après tout, la ville ne recélait pas qu'un seul séducteur d'oies blanches.

En soirée le 10 décembre, la famille de Marie se trouvait réunie de nouveau dans son appartement, excepté les enfants de Mathieu, couchés à l'étage inférieur. Cette fois, la retransmission du discours d'abdication du roi Édouard VIII servait de prétexte aux retrouvailles.

— Quand même, remarqua le directeur du commerce, voilà un événement bien surfait : un homme laisse une fonction purement honorifique à son jeune frère parce qu'il souhaite faire un mauvais mariage. Au mieux, ce serait un feuilleton pour *La Patrie*.

— Même protocolaire, son titre en fait le chef de l'État au Royaume-Uni et celui de nombreux pays dispersés sur le globe, dont le nôtre.

Défait lors des dernières élections, Paul Dubuc développait un intérêt pour les relations internationales dans un monde en ébullition.

— Je veux bien, mais dans un an je vous demanderai ce que cela a changé pour nous.

Mathieu tendait un verre de cognac à son beau-père. Marie se tenait sur le canapé avec Flavie, passionnée par les derniers bons mots qu'Ève avait appris. Sa vie de grand-mère l'attirait de plus en plus ; la semi-retraite de son époux lui faisait envie.

— Ça va commencer dans une minute, insista Paul, penché sur son appareil radio.

— J'arrive avant la fin ? demanda Thalie en entrant dans le salon, encombrée par trois verres de porto.

Sa mère en prit un, sa belle-sœur l'autre. Elle les rejoignit sur le canapé.

— Ah, voilà, ça commence.

Leur hôte augmenta le volume, la voix curieusement haut perchée commença :

« *At long last I am able to say a few words of my own.* »

— S'il devait se faire élire, commenta Mathieu, je me demande quel pourcentage des votes il obtiendrait.

Marie lui fit signe de se taire de la main, surtout pour permettre à son époux de ne perdre aucun mot du discours d'abdication. Le monarque en vint très vite au fait :

« *But you must believe me when I tell you that I have found it impossible to carry the heavy burden of responsibility and to discharge my duties as King as I would wish to do without the help and support of the woman I love* [1]. »

Voilà, cet homme quittait le meilleur emploi du monde pour cette Wallis Simpson. Quand l'annonceur entreprit de résumer le discours déjà court, Paul Dubuc éteignit l'appareil en remarquant :

— C'est fait. Au début de 1937, nous aurons un nouveau roi.

---

1. Mais vous devez me croire quand je vous dis que j'ai estimé impossible de porter le lourd fardeau de responsabilités et de remplir les devoirs qui m'incombent en tant que roi aussi bien que je le voudrais sans l'aide et le secours de la femme que j'aime.

— Tout de même, quel homme romantique, démissionner pour épouser celle qu'il aime.

Thalie regarda sa mère, étonnée de cette remarque fleur bleue. Verrait-elle le sacrifice d'une femme de la même façon ?

— Comme si on pouvait sérieusement abandonner une carrière pour une femme, ou un homme, remarqua-t-elle. Seules les femmes doivent faire ça. Le bonhomme doit avoir d'autres motifs. Il nous monte un bateau parce que ça fait joli.

L'affirmation péremptoire avait peu à faire avec Sa Majesté Édouard VIII et beaucoup avec sa propre frustration. À force de se le répéter, elle arrivait à se convaincre de son interprétation des choses : Victor voulait faire d'elle la simple épouse d'un marchand de musique. Toutefois, jamais elle ne se donnait la peine de vérifier si des aménagements étaient possibles.

Quand Flavie quitta la pièce pour aller chercher le gâteau, Marie profita de l'occasion pour se rapprocher de sa fille et demander :

— Ma belle, voilà bien longtemps que tu ne m'as pas parlé de ton ami. Comment se porte-t-il ?

— Il va bien, je suppose.

L'aigreur du ton surprit la mère. Discrètement, Mathieu lui fit un geste de la main pour lui signifier de changer de sujet. De son côté, Thalie entendait se soustraire à toute autre question.

— Je laisse Flavie tout faire seule. Je vais l'aider.

Quand elle fut partie dans la cuisine, Marie demanda dans un murmure :

— Ça ne va pas, entre eux ?

Mathieu haussa les épaules pour exprimer son ignorance. Quelques minutes plus tard, les deux femmes revenaient.

La domestique était dans sa famille, il fallait se passer d'elle. Thalie en avait profité pour se remettre un sourire sur le visage.

— Dites, vos projets de croisière tiennent toujours ?

— À force d'insistance, j'ai réussi à convaincre Marie, dit Paul. Avec la complicité de Mathieu.

— Je n'aime pas laisser le magasin pendant deux semaines, commenta la mère.

— En janvier, les affaires sont au ralenti, déclara le directeur. Profitez-en pour vous et pour nous qui devons demeurer ici.

Pendant un moment, une soucoupe à la main, tous échangèrent des commentaires sur les Bermudes. En plein hiver, la température ne serait pas si chaude, mais tellement meilleure que sous la neige. À la fin, Thalie intervint doucement :

— Quand j'ai vu Catherine le mois dernier, nous en avons parlé. Si je ne craignais pas de m'imposer, j'embarquerais aussi.

— Quelle bonne idée ! Nous serions heureux de profiter de votre compagnie.

Des yeux, Marie invita Paul à renchérir :

— Si tu veux, dès demain, je dirai à mon agent de voyages de te contacter. J'ai déjà hâte de parler de l'abdication d'Édouard avec ton amie avocate. Tous les Canadiens anglais ne doivent plus parler que de ça.

Thalie s'étonna de voir combien le couple se réjouissait de sa proposition, lancée à la légère. Bien sûr, elle se sentait un peu ridicule de voyager avec ses parents. Cela valait certainement mieux que de broyer du noir dans son petit appartement. Ils discutèrent de voyages et d'obligations liées au travail ou à la famille jusqu'au moment de se séparer.

Béatrice était assise sur l'unique chaise dans la chambre de sa voisine, Annette. Celle-ci se tenait sur son lit, ses jambes repliées sous elle.

— Mon petit frère ne te fait pas la vie trop dure ? demanda la visiteuse.

— Il se montre très gentil. Juste un petit peu trop bavard, peut-être, répondit-elle, un sourire moqueur aux lèvres.

— Je pense qu'il est juste très enthousiaste.

Charles l'avait invitée au cinéma à deux reprises au cours des trois dernières semaines, sans compter quelques marches dans le quartier. Il fréquentait pour la première fois une amie à peine plus âgée que lui.

— Oui, il se montre enthousiaste, c'est vrai. Il en profite pour me réciter le contenu de ses cours par le menu.

— Tu devrais réclamer le diplôme en même temps que lui.

— Avec une petite note au bas pour me récompenser de ma patience, répliqua Annette avec un clin d'œil.

La porte ouverte permettait d'entendre le va-et-vient des voisines dans le couloir. Des coups attirèrent leur attention, une tête passa dans l'embrasure.

— Béatrice, y a un gars qui te demande au téléphone. Y casse le français.

— Je descends.

La blonde quitta la chambre sous le regard amusé de son amie. Elle trouva le combiné posé sur la petite table.

— Béatrice Dupire, dit-elle en le portant à son oreille.

— Bonjour, mademoiselle. Ma sœur me dit que je dois vous inviter moi-même.

— Qu'en pensez-vous ? demanda-t-elle, un peu amusée.

Au lieu de répondre, il demanda, moins assuré :

— Acceptez-vous de venir au cinéma, samedi ou dimanche prochain ?

— Ce sera avec plaisir, monsieur Bernstein. Samedi soir.

— D'accord. Nous pourrions aller au théâtre Outremont.

Un moment, elle eut envie de le faire venir au Saint-Denis tout à côté, puis accepta de lui rendre l'existence plus facile. Le port d'une kippa au milieu des militants nationalistes devait s'avérer un peu angoissant.

— Je veux bien. Vous passerez me prendre chez moi ?

— Avec plaisir.

Quelques mots suffirent à convenir de l'heure. Quand elle remonta à l'étage, des yeux curieux se posèrent sur elle. « Voilà de quoi meubler bien des conversations », songea-t-elle.

La gare du Palais s'encombrait d'enfants, des centaines peut-être. Mathieu Picard se tenait sur une estrade élevée sur le quai. Ce matin du 12 décembre, les deux quotidiens de la ville annonçaient dans les pages « jeunesse », au milieu des bandes dessinées : LE PÈRE NOËL ARRIVE À QUÉBEC. L'événement serait assurément commenté dans toutes les écoles de la ville, et celles de la vaste région où *Le Soleil* et *L'Action catholique* étaient distribués.

— Je me sens totalement ridicule à l'idée de faire semblant que ce gros monsieur existe, glissa Flavie dans l'oreille de son époux. Même mon fils n'y croit pas.

— Moi, je me sentirai aussi ridicule le jour où je ferai le bilan de cette opération, si jamais elle se montre déficitaire.

Pour organiser l'événement, des centaines de dollars changeraient de main. L'exercice devait pourtant se révéler rentable, au bout du compte, sinon la tradition ne se serait pas répandue dans de très nombreuses villes d'Amérique du Nord. Dans le cas contraire, ses voisins de la rue Saint-Joseph se gausseraient de lui.

— Regarde là, dit encore son épouse.

Une pointe de pitié marquait sa voix. Thalie se tenait au premier rang, parmi les notables, tenant Alfred d'une main, Ève de l'autre. Le premier se tenait tout droit, fier comme un coq. Il comptait parmi les grandes personnes, celles qui ne croyaient plus à ce bonhomme vêtu de rouge qu'on disait venu du pôle Nord. On lui avait fait promettre de ne rien révéler à sa sœur qui, quant à elle, préférait jouer la naïve pendant un moment encore.

Le train entra enfin en gare. Le wagon réservé s'arrêta exactement devant l'estrade. Les autres passagers lançaient des regards curieux sur la mise en scène, passant avec peine parmi la foule des petits spectateurs. Quand la porte de la voiture s'ouvrit, le Père Noël se montra enfin dans un tonnerre d'applaudissements.

Le maire Grégoire se tenait tout près d'un micro. Un annonceur de CHRC avait été embauché pour la circonstance. Il présenta Son Honneur, qui commença, pince-sans-rire :

— Monsieur Noël, tous les habitants de notre belle ville sont heureux de vous recevoir. Au cours des deux semaines à venir, vous pourrez loger dans le grand magasin PICARD…

— Tout de même, murmura Flavie, tu as pensé à obtenir la collaboration de Grégoire. Là, tu m'épates !

— De tout ce beau monde, c'est le seul que je ne paie pas. Déjà, il se consacre à sa réélection.

Son long discours sur le prestige de la cité de Champlain, où il était entre autres question de son avenir, s'adressait aux parents de tous ces enfants. L'animateur revint au micro pour annoncer :

— Maintenant, monsieur Picard va nous adresser quelques mots.

— Cher Père Noël, nous sommes heureux de vous accueillir pendant votre séjour. Bienvenue parmi nous. Vous disposerez d'un grand trône pour accueillir les enfants et entendre leurs demandes de cadeaux.

Bien sûr, cette mise en scène inciterait les parents à se procurer les étrennes souhaitées dans le rayon des jouets du magasin, occupant tout le sous-sol.

— Maintenant, Père Noël, une voiture vous attend juste devant la gare.

Le maire Grégoire s'esquiva, Mathieu et sa femme escortèrent le haut personnage vers la sortie pendant que l'animateur donnait les heures d'ouverture du magasin PICARD et expliquait la façon de se rendre au rayon des jouets, dont on avait décuplé la superficie pour l'occasion.

Le directeur avait loué une décapotable afin de montrer à tout le monde son illustre invité, un peu comme on l'avait fait avec le roi lors de ses rares visites, ou avec le président Franklin Roosevelt, venu à Québec au cours de l'été précédent.

— Je veux monter avec lui, réclama Alfred.

— Il n'y a pas de place pour nous, expliqua Thalie, puis le magasin se trouve tout près. Nous allons marcher.

Quand ils arrivèrent dehors, la voiture de luxe démarrait. Deux ou trois pouces de neige étaient tombés la nuit précédente. Dans la rue et sur le trottoir, il n'en restait plus de traces, mais sur les terrains et sur les toits, cette blancheur annonçait bien Noël.

Autour de la gare et tout le long du boulevard Charest, une foule d'enfants se massaient, avec leurs parents pour la plupart. Le lundi suivant, *Le Soleil* évoquerait vingt mille petits spectateurs. Thalie devait se faufiler entre eux afin de permettre à son filleul et à sa nièce de monter sur les genoux du Père Noël parmi les premiers. Une petite voix retentit sur son passage :

— Thalie, Thalie, on est là.

Aimé Baril tenait la main de son père. Georges était là aussi. Impossible de poursuivre son chemin mine de rien, ce serait tellement indélicat.

— Bonjour, tu vas bien ? s'enquit-elle.

L'enfant hocha la tête, puis continua :

— Tu ne viens plus nous voir.

— J'ai beaucoup de travail.

Ironiquement, il s'agissait du mensonge présenté par son père des semaines plus tôt. Les yeux de Thalie se fixèrent sur Victor pour demander :

— De ton côté, ça va ?

— Oui, sauf que je m'ennuie. Nous pourrions discuter de nouveau.

Thalie se mordit la lèvre inférieure, souhaita que ses yeux demeurent secs.

— Nous nous sommes tout dit, je pense. Je sais ce que tu souhaites, malheureusement, je ne partage pas tes projets.

Elle marqua une pause, regarda ses neveux, puis Aimé. Tous ces enfants passaient dans sa vie, même ses deux petits parents, qui demain seraient de grandes personnes plus très proches de leur « matante ». Trop s'y attacher lui apporterait un lot de déceptions.

Voilà des semaines qu'ils ne se voyaient plus, sans jamais s'être expliqués. De toute façon, il n'y avait plus rien à dire, chacun savait. Du moment où Victor avait évoqué le mariage, elle s'était fermée.

— Je dois y aller, maintenant. Bonne journée.

Puis, sans perdre un instant, Thalie tourna les talons, entraînant un peu vivement les enfants à sa suite. Elle ne prêta pas attention à la réplique de Victor, entendit un simple murmure de la part d'Aimé. Quant à Georges, ce dénouement ne le peinait pas du tout : il représentait ses plus belles étrennes.

Noël était passé, puis le jour de l'An et l'Épiphanie. Le vendredi 8 janvier en fin d'après-midi, Édouard Picard marcha vers le sud en empruntant la 1ʳᵉ Avenue et passa sur le pont pour continuer dans Dorchester.

— Franchement, penser vendre des voitures de ce prix dans Saint-Sauveur, quel idiot, murmura-t-il.

Les conseils de Thomas n'étaient jamais parvenus à faire de lui un marchand avisé, mais plus de quatre ans passés dans un garage misérable se montraient une excellente école. Le concessionnaire d'automobiles Dussenberg se trouvait dans ce quartier ouvrier. Il vendait des voitures de luxe, un cran au-dessus des Cadillac et des Packard, une marque favorisée par les vedettes d'Hollywood. La bâtisse cadrait mal avec des voitures de prestige, toutefois les lieux s'avéraient infiniment plus luxueux que son petit garage dans Limoilou.

Pour la dixième fois au moins, Édouard glissa la main à l'intérieur de son manteau pour toucher l'enveloppe dans la poche de sa veste. Le ministre Bourque avait enfin écrit un mot en sa faveur à la société Chevrolet. La lettre ne contenait aucune promesse formelle, seulement un sous-entendu : le gouvernement achèterait ses véhicules à un fournisseur de confiance et Édouard Picard en était un. Des mots suffisants pour amener la grande société américaine à envisager d'élargir un peu son réseau de concessionnaires.

Quand il pénétra dans la salle d'exposition, son regard se porta d'abord sur un véhicule de couleur rouge, décapotable. Les banquettes de cuir reçurent une longue caresse. Puis, il se décida à frapper à la porte du bureau du propriétaire. Un « Entrez » maussade lui répondit :

— Monsieur Messier, je peux vous parler ?

— Entrez. Je vous regardais par là.

Une fenêtre permettait au marchand de voir sa salle d'exposition.

— Vous paraissez si impressionné par cette voiture, je me suis surpris à croire que vous vouliez l'acheter.

— Une Dussenberg ? Certainement pas. Elle est magnifique, mais dans un an, la marque n'existera plus, et dans trois ans, les propriétaires auront du mal à trouver les pièces.

— Comment ça, elle n'existera plus ?

— Les frères Cord qui ont acheté la compagnie il y a quelques années encaissent déficit après déficit. Les concessionnaires ferment les uns après les autres, on en vend de moins en moins.

Messier fit une grimace comme si la bile lui montait dans la gorge. Dans une petite ville comme Québec, bien peu de gens pouvaient se payer un véhicule de ce genre. Surtout, Picard avait bien fait ses devoirs : la compagnie croulait sous les dettes, le dépôt de bilan viendrait immanquablement.

— Je veux acheter votre local, monsieur Messier, si le prix me convient. Auparavant, j'aimerais visiter les lieux.

Le vendeur voulut protester, mais il devait se rendre à l'évidence : bientôt, il n'y aurait plus aucun véhicule dans sa salle d'exposition. Il quitta son siège pour guider Picard dans tous les recoins de la bâtisse.

Depuis six semaines, le directeur du magasin PICARD occupait ses nouveaux locaux administratifs surplombant le boulevard Charest. Thalie se présenta dans l'antichambre réservée à la secrétaire en disant après le bonjour :

— Je ne m'y habitue pas.

La fenêtre circulaire donnait à l'endroit un air de majesté, de même que l'immense luminaire épousant la même forme.

— Moi non plus. Nous sommes mieux installés ici qu'à la maison, dit Flavie.

— Mon frère rêve-t-il d'emménager dans une demeure plus moderne ?

— Autant il dépense ici, autant il est économe chez nous. Tout l'argent qui ne sert pas au ménage va sur l'emprunt.

L'achat d'une part supplémentaire avait pesé sur leur budget et déjà Fernand évoquait la vente des siennes.

— J'ai beaucoup de clientes sur ma liste, aujourd'hui ?

— Deux vilaines toux, en plus des examens de routine.

— Bien, je vais consulter les dossiers avant de recevoir la première.

Une petite salle servait aux consultations, où les dossiers demeuraient enfermés à clé dans un classeur. Le nom d'Yvette Leduc figurait en tête de liste. L'image de la grande maigre désireuse d'empêcher la famille lui demeurait en mémoire. Le sujet semblait préoccuper tout le monde depuis quelques mois. Dorothea Palmer, innocentée au tribunal de première instance, attendait la tenue du procès en appel. Quant à l'avorteuse Alice Hamelin, elle paierait de dix ans de prison son usage non orthodoxe du Lysol et de ses canules.

Thalie fut surprise par la silhouette de sa patiente. Un petit ventre arrondi changeait sa carcasse allongée. Pendant l'examen, alors que la femme était étalée sur le dos sur la table de réunion recouverte d'un drap, elle commenta :

— Vous êtes enceinte d'un peu plus de deux mois.

— J'le sais.

Le ton trahissait sa mauvaise humeur. La maternité ne représentait pas pour elle le grand accomplissement de sa vie de femme.

— Quand nous nous sommes vues la dernière fois, vous n'en vouliez pas.

— Votre oncle est bin convaincant. J'priais le frère André de venir m'aider et y vient de mourir.

Le guérisseur de Montréal était exposé à l'oratoire Saint-Joseph depuis deux jours. Des centaines de milliers d'endeuillés défilaient devant la dépouille mortelle et les journaux évoquaient déjà ses miracles à la douzaine.

«Prie-t-elle pour que Dieu la gratifie d'un avortement spontané?», se demanda la praticienne. La patiente reprit la parole:

— La confrérie du Rosaire parle d'aller voir le corps, vot' frère a pas voulu me donner un congé pour ça.

Décidément, tous les Picard pesaient sur la vie de cette femme.

— Les gens ne restent pas plus de trente secondes devant le cercueil, répondit Thalie pour la consoler.

La précision ne la rasséréna pas. Trois minutes plus tard, sa robe un peu large boutonnée jusqu'au col, Yvette conclut avant de sortir:

— Bon bin, on s'verra pus.

— Comment ça?

— J'vas arrêter de travailler betôt. Avec un bébé, comment voulez-vous que j'vienne icitte?

Elle disparut sur ces mots. Les patientes se succédèrent ensuite pendant deux heures. Au terme des consultations, Thalie rejoignit son frère et sa femme. Mathieu tenait sa valise à la main. En lui faisant la bise, il commenta:

— Sans vouloir te bousculer, le temps commence à presser. Le train n'attendra pas.

— Une consultation, ça ne se fait pas à toute vitesse.

Tout de même, elle décrocha son manteau de la patère et mit son chapeau. Quand elle embrassa sa belle-sœur, elle dit :

— Les enfants se portent bien ?

— Assez pour que Laura ait un peu de mal à les tenir. Bon voyage ! Je t'envie, tu sais.

— Ce sera ton tour bientôt, j'en suis certaine.

Depuis vingt ans, les professionnels et les marchands rêvaient tous de se voir sous d'autres cieux. Les voyages permettaient de se distinguer des autres, un peu comme la voiture de l'année et la grande maison. L'Europe attirait irrémédiablement ceux qui avaient fait leurs humanités, ou alors les grenouilles de bénitier désireuses de voir Lourdes ou le Vatican. Dans les milieux d'affaires, les États-Unis et les Antilles provoquaient un réel engouement. Dès que Mathieu se sentirait tout à fait rassuré sur l'avenir de son commerce, il partirait lui aussi.

Le frère et la sœur quittèrent les lieux après un dernier au revoir. Malgré les six étages, ils empruntèrent les escaliers. Quand ils atteignirent le rez-de-chaussée, un gros homme commenta :

— Boss, jouerez-vous en défense, après-demain ?

— Je ne sais pas patiner. La meilleure façon d'aider pour moi, c'est de ne pas jouer.

— Cé d'valeur, bâti comme vous êtes. Pis vous, m'amzelle, viendrez-vous pour soigner les blessés ?

— Désolée, je serai sur un grand navire, dit-elle, les yeux scintillants.

La décision avait donc été prise, pour son plus grand bonheur. L'excitation la gagnait enfin.

Le bonhomme s'éloigna, hilare. Faire admettre au patron qu'il ne savait pas patiner, puis inviter la belle docteure à accompagner l'équipe à Montréal lui paraissaient être un accomplissement.

— Qui est ce type ? demanda Thalie.

— Un Leduc. Joe, je pense.

Ce devait être le mari de la pauvre Yvette. À en juger par sa jovialité, la paternité ne l'inquiétait guère. De toute façon, sa femme s'alarmait pour deux.

— Il parlait de la partie de hockey avec les employés de Dupuis Frères ? interrogea Thalie.

— Oui. Ma dernière trouvaille afin de faire parler de nous dans les journaux. Si on se fait battre quinze à deux, ce sera une autre histoire.

Une quarantaine, sinon plus, d'employés du plus important commerce de détail de Québec visiteraient ceux de la grande maison canadienne-française de Montréal. Un match amical opposerait des préposés à l'expédition, quelques vendeurs et des chefs de rayon des deux établissements. Cela donnerait un peu de publicité supplémentaire.

— Tu sais, j'aurais pu porter ma valise moi-même, dit Thalie.

— Ça me fait plaisir. Puis, de toute façon, je dois ramener l'auto de Paul boulevard Saint-Cyrille. Flavie fermera le magasin et utilisera la nôtre.

Marie avait pris l'après-midi de congé pour faire ses malles. Le projet de croisière se concrétisait enfin. Ils approchaient de la gare quand Mathieu se risqua à dire :

— Avec Victor, tout est fini ?

La jeune femme songea à plaider le respect de sa vie privée. D'un autre côté, son grand frère l'avait aidée jusque-là, sans rien juger. Il ne méritait pas de se faire rabrouer.

— Pendant quatre ans, il ne venait pas aux réunions familiales en jouant au pauvre petit marchand impressionné par les gens de la haute. Depuis octobre, il ne voulait pas se montrer en public avec moi à cause des remontrances de son curé. Puis, tout à coup, il a voulu m'épouser…

Sur une trentaine de verges, elle se blinda contre les remontrances à venir.

— Si tu n'as pas envie de tout mettre en jeu pour passer ta vie avec lui, refuse. Ça signifie que ce n'est pas le bon pour toi.

Il la comprenait. Cela la toucha.

— Tu crois qu'il existe quelqu'un pour moi?

— J'en suis certain et si je savais comment procéder pour te le faire rencontrer, ce serait déjà fait.

Les yeux humides, elle s'accrocha à son bras.

— La vie à Québec devient insoutenable. Toute notre existence se déroule sous la loupe des curés. On ne faisait rien de mal, tous les deux. Catherine me fait miroiter une carrière à Toronto, où personne ne me connaîtrait.

— Tu songes à accepter?

— Deux semaines sur un bateau suffiront peut-être à faire baisser ma colère et ma déception. Je verrai bien ensuite.

Le reste du trajet s'effectua en silence. Si elle quittait Québec, son plus grand sacrifice serait sans doute de s'éloigner de son grand frère.

Ils trouvèrent Marie et Paul debout près du quai. La femme tournait nerveusement sur elle-même, regardait toutes les trente secondes en direction de la grande horloge accrochée à un poteau.

— Vous voilà enfin, dit-elle.

— Nous sommes presque en avance ! se défendit Thalie.

— Tu ne voyageras pas trois semaines avec le contenu de cette petite valise, tout de même ?

— Ma malle sera sur le navire avant nous. Des gens sont venus la prendre à la maison ce matin.

La mère cessa de s'inquiéter une seconde, puis se trouva un nouveau sujet.

— Et Catherine ? Comment allons-nous faire pour la rejoindre ?

— Elle doit être à la gare à Toronto en ce moment. Nous nous retrouverons dans notre cabine, puis nous irons tout de suite à la vôtre. Juré.

Les employés du Canadien National crièrent «*All aboard*». Cette fois, Marie dut passer au plus pressé.

— À bientôt, Mathieu, dit-elle en l'embrassant. Je m'excuse de te laisser seul ainsi.

— Je tenterai de maintenir le commerce à flot, se moqua-t-il gentiment. Repose-toi bien.

Paul montra plus de réserve dans ses «Au revoir». Puis, le trio monta à bord du train.

# Quelques mots

L'année 1936 est une année charnière au niveau politique, alors que la crise économique commencée en 1929 n'en finit plus de finir.

La lutte entre les idéologies fascistes et le communisme secoue l'Occident. Cet affrontement est à l'origine de la guerre civile en Espagne en juillet 1936. L'Allemagne et l'Italie soutiennent les armées du nationaliste Francisco Franco et l'Union soviétique, le *Frente Popular*. Ailleurs, les scènes de violence ne sont pas exclues. En France, le Front populaire dirigé par le socialiste Léon Blum gouverne dans une atmosphère explosive. Au Royaume-Uni, les fascistes d'Oswald Mosley affrontent les travailleurs dans les rues. Ce mouvement déclare la guerre aux Juifs. Le Québec compte un parti fasciste dirigé par Adrien Arcand. On trouve l'équivalent dans d'autres provinces canadiennes et aux États-Unis.

Dans notre province, l'Union nationale, dirigée par Maurice Duplessis, prend le pouvoir, porteuse de tant d'espoirs d'une vie meilleure. Pourtant, les doutes ne tardent pas à s'exprimer. Des élus vedettes, comme Philippe Hamel, le partisan de la nationalisation de l'électricité, ne figurent pas au cabinet ministériel. Des mesures progressistes sont bien annoncées – Loi des salaires raisonnables,

Loi d'assistance aux mères nécessiteuses –, mais le nouveau gouvernement se distingue par un rapprochement avec l'Église catholique, son conservatisme... et la guerre au communisme.

S'agissait-il d'une vraie menace? Personnellement, je ne le crois pas. Toutefois, la question occupe beaucoup de place dans les esprits, comme le démontrent les manifestations étudiantes du 23 octobre et la fête du Christ-Roi, le 25. De la propagande a été disséminée dans l'hôtel du Parlement lors de l'inauguration de la session. Ce contexte explique l'adoption de la Loi du cadenas – intitulée Loi protégeant la province contre la propagande communiste –, le 24 mars 1937.

Dorothea Palmer dans tout ça? Née en Angleterre en 1908, elle travaille pour le Parents' Information Bureau. Arrêtée en vertu du code criminel à Eastview, accusée de grossière indécence pour avoir distribué de l'information relative à la contraception, elle bénéficie de la clause échappatoire: son travail visait le bien public. Acquittée, elle voit sa cause portée en appel. La Cour supérieure de l'Ontario confirme la décision. Les témoignages que j'évoque sont fidèles aux comptes rendus publiés dans les journaux. Le fabricant de chaussures de caoutchouc Alvin R. Kaufman soutenait financièrement le PIB et il a payé pour la défense de Dorothea une somme fantastique pour l'époque: vingt-cinq mille dollars. La travailleuse sociale a évoqué dans des entrevues la tentative de viol pendant les procédures.

Je terminerai avec un mot au sujet de l'avorteuse soumise à procès. Alice Hamelin fut accusée d'homicide involontaire pour la mort de Kathleen Féquet, une résidente de Québec venue à Montréal pour mettre fin à sa grossesse. Les produits utilisés et la manière de faire, en ce qui concerne la pauvre Marielle, reprennent les témoignages entendus lors de son procès aux assises.

Peut-être aimeriez-vous prendre de mes nouvelles entre la parution de deux romans ? Vous pourrez le faire à l'adresse suivante :

https://www.facebook.com/jpcharlandauteur

Au plaisir d'échanger avec vous,

Jean-Pierre Charland

Suivez-nous

GARANT DES FORÊTS
INTACTES

Achevé d'imprimer en avril 2014
sur les presses de l'imprimerie Marquis-
Louiseville, Québec